大学的富山ガイド
——こだわりの歩き方

富山大学地域づくり研究会 編
大西宏治・藤本武 責任編集

昭和堂

杉沢の沢スギ（写真提供：王生透）

わが国最大級の本宮砂防堰堤（重要文化財）（写真提供：国土交通省立山砂防事務所）

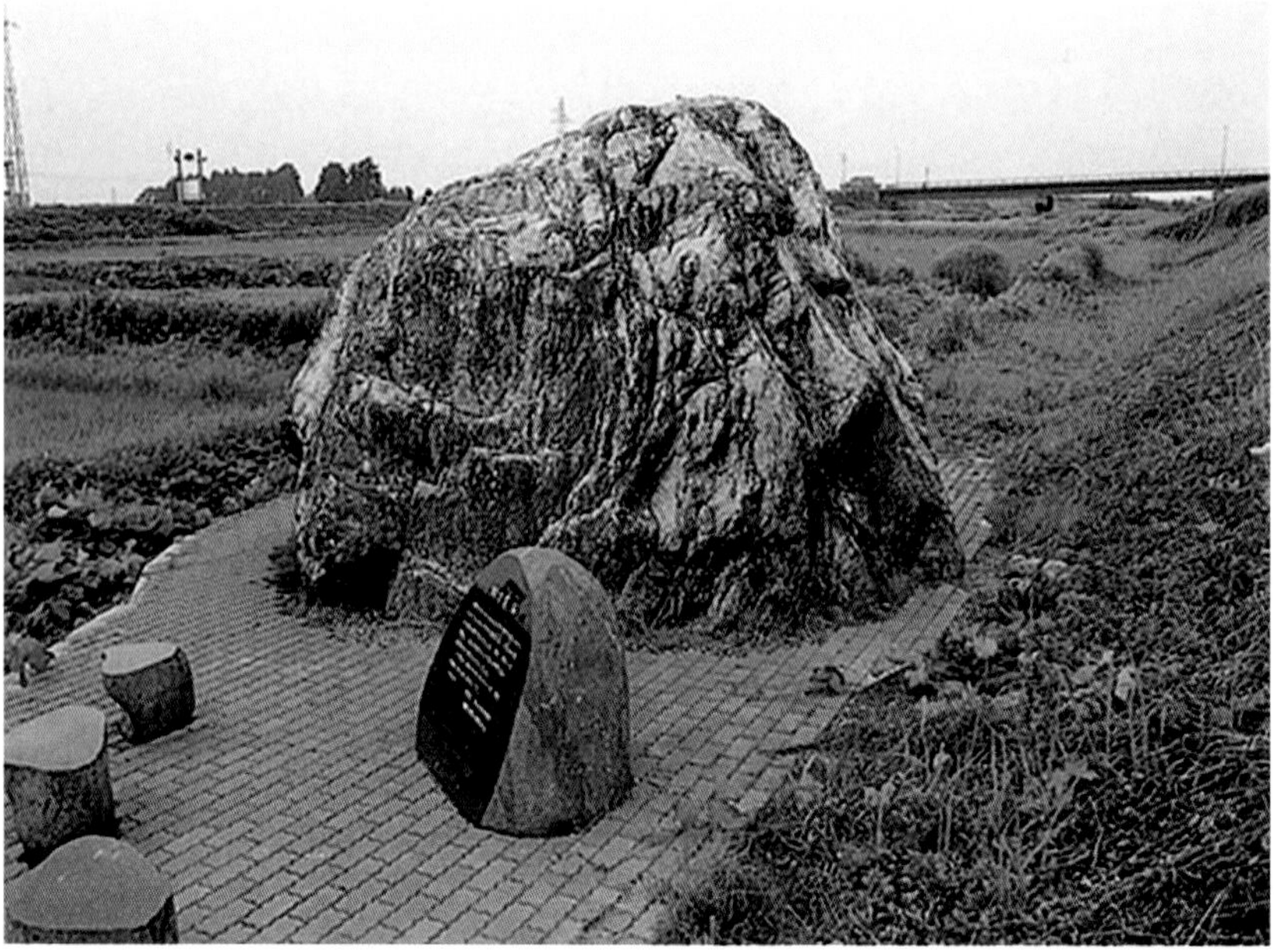

立山から流れてきた巨礫のひとつ（直径 6ｍ）（写真提供：国土交通省立山砂防事務所）

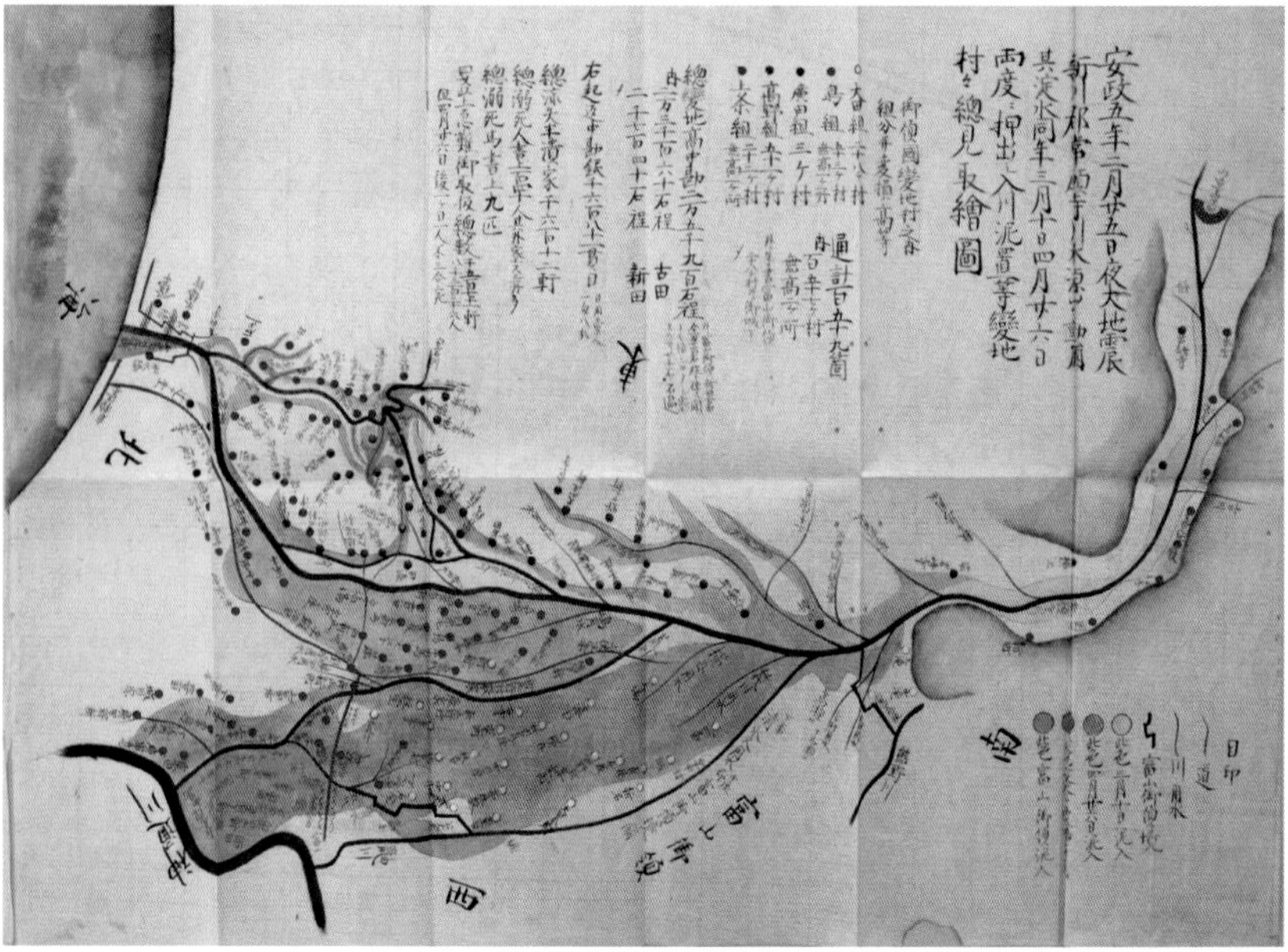

安政五年常願寺川非常洪水山里変地之模様見取絵図（里方図）
（「岩城家文書」滑川市立博物館所蔵）

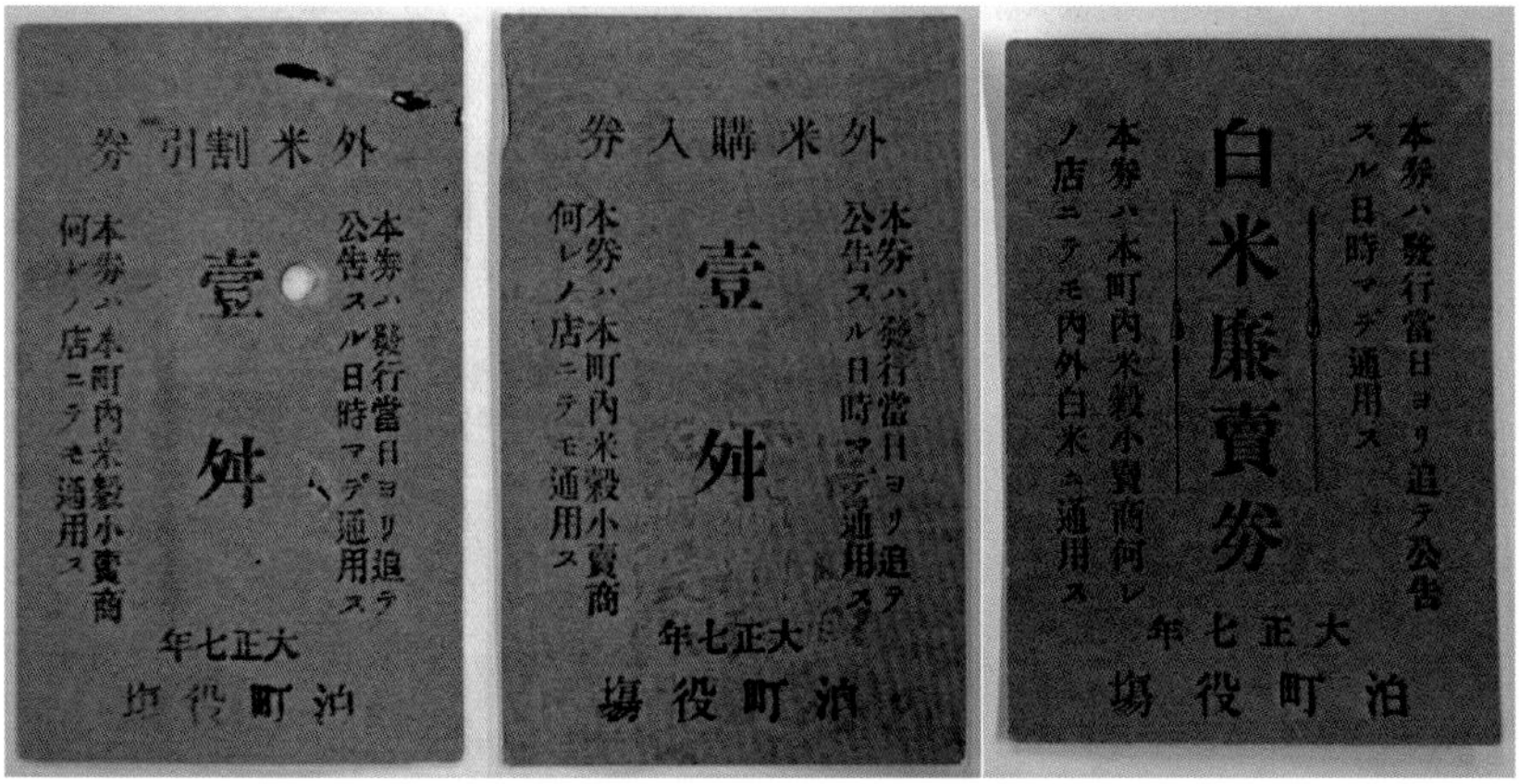

泊町役場白米廉売券ほか（「下新川郡役所資料」法政大学大原社会問題研究所所蔵）

正月に天神像を飾る富山県の風習（写真提供：尾島志保）

高岡・金屋町の町並み（写真提供：森本英裕）

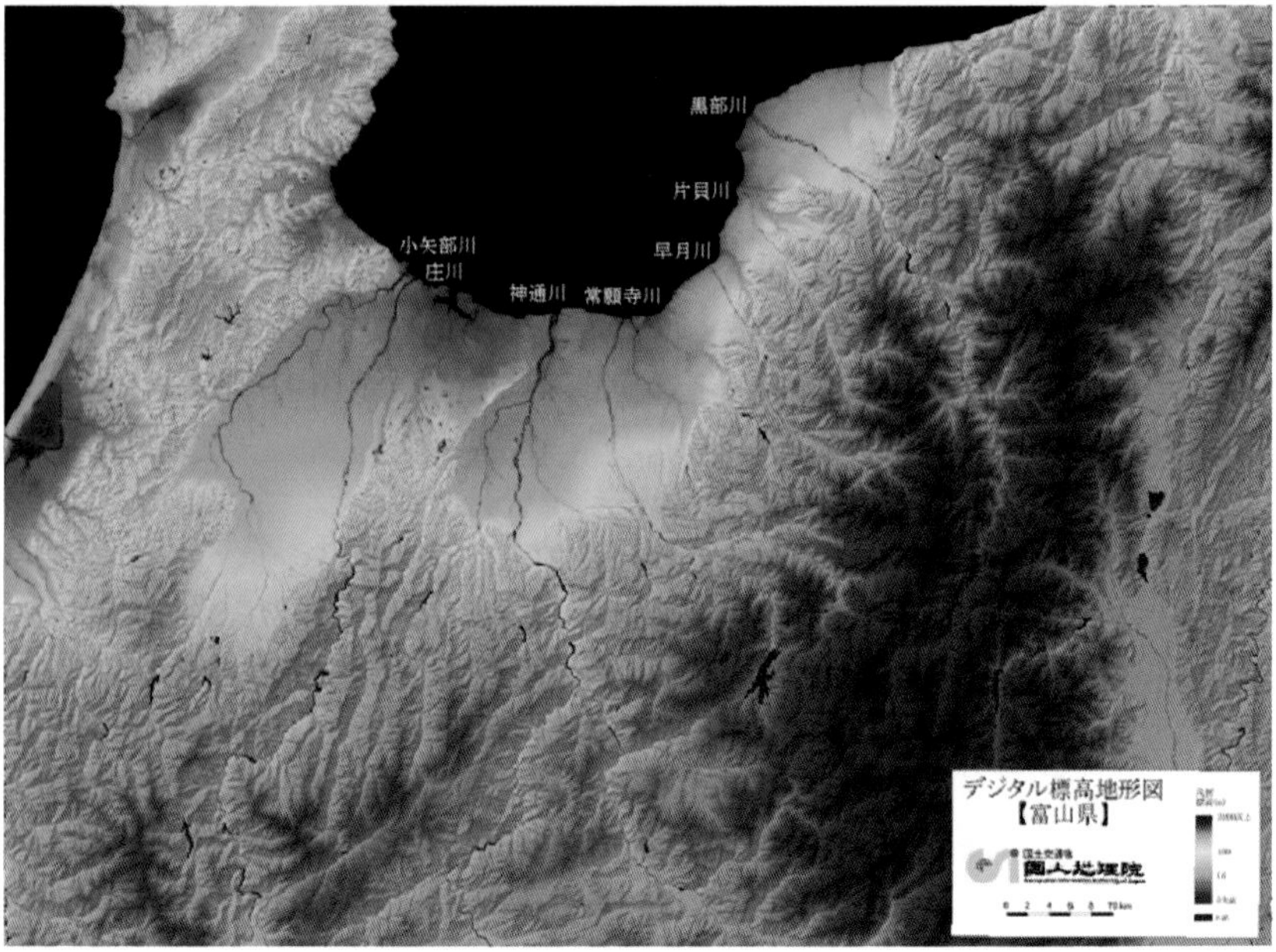

デジタル標高地形図【富山県】（地理院地図より山根拓作成）

はじめに

読者のみなさんは「富山」と聞いて何を思い浮かべるでしょうか。「富山の薬」でしょうか。立山をはじめとする山並みや巨大な黒部ダムでしょうか。お祭りが好きな人は越中八尾おわら風の盆や高岡の御車山祭かもしれません。幻想的な景観を創り出す富山湾のホタルイカを連想したり、ブランドイメージが定着しつつある氷見の寒ブリを思い浮かべる人もいるでしょう。駅弁で有名な「ますのすし」なら食べたことがあるという人も少なくないと思います。他にも路面電車や万葉線のドラえもんトラムを思い出すかもしれません。このように富山には県内外の人たちを楽しませてくれる魅力的なものが数多くあります。

編者の二人は、毎年授業の一環として学生とともに富山県内のさまざまな場所へ調査に出かけています。学生がインタビュー調査をするとき、地元の人から「富山にはなーんもないっちゃ」(富山弁で「富山にはなにもない」という意味)という言葉を頻繁に聞きます。また、これからも聞くことになるのではないかと思います。確かに東京の大都会を象徴するような高層ビル群やきらめく商業ビルが連続する空間はありません。また、隣の石川県金沢市のように古い町並みや観光客を楽しませる仕掛けが都市の中にふんだんにあるような観光地でもありません。しかし、本当に富山に何もないのでしょうか。本書の企画の出発点はまさにこの点にあります。

二〇一八年に『富山は日本のスウェーデン』という書籍が出版されました（井手、二〇一八）。この本は、社会・経済統計と具体的な事例をもとに、富山の豊かさを富山の地域社会の仕組みから考察したものです。富山に暮らす人たちが当たり前だととらえて意識されていないことを、数字と具体例から決して当たり前ではないと示してくれていました。逆に、豊かに見える部分に富山の地域の仕組み、特に家族のさまざまな取り組みが前提とされてきたことも気づかされます。この本と我々の問題意識の方向性は必ずしも同じではありませんが、富山に暮らす人たちが当たり前だと思っていることが当たり前ではないということに気づいてもらいたいという思いは似ているかもしれません。富山県の自然を見ると、どの河川も日本有数の急流河川ですし、土砂を受け止める日本有数の規模の砂防もあります。また、積雪と地形が手伝って水が大変豊富です。公共交通をみると立山黒部アルペンルートにはロープウェイやケーブルカー、市街地には路面電車など多様な乗り物が使われています。文化的なものに目を向けると、獅子舞の伝承数は富山県が日本一です。このように、富山にはいろいろなものがあり、それぞれが個性的な魅力を醸し出していま す。本書では、魅力的でかけがえのない富山の地域資源を捉えなおし、富山に暮らす人たちには富山の再発見を、富山県外の人たちには富山の新たな魅力を感じ取ってもらいたいと思っています。

タイトルに「ガイド」とありますが、いわゆる観光ガイドではありません。もちろん観光で訪れる方が本書を手にとって興味をもってもらえれば望外の喜びですが、それを意図して編んだわけではありません。本書は富山に関する入門書であり、富山についてほとんど初めて学ぶ大学生や地元に興味をもつ高校生、富山という一地域について知的好奇心を抱く一般市民などを読者として想定対象にしています。さらに、都会から離れて落ち着いた街に暮らしたいという移住希望者や異動で富山暮らしをしなければならなくなったとき、富山での暮らしを想像する際に役に立つことがあるかもしれません。また、大学や博物館の研究者が多少専門的な視点から記述していますが、決して専門書ではありません。専門的知見がちりばめられている一般書という意識で編集しました。

第一部では自然環境を中心に説明しています。富山県は立山連峰に代表される三〇〇〇メートル級の山々に囲まれ、一〇〇〇メートルの深さの富山湾も市街地のすぐそばに位置しています。このような自然の素晴らしさと、その自然が引き起こす自然災害、そして自然に由来する産業について取り上げています。第二部では富山の歴史について解説しています。万葉の昔から富山についての記録があるだけでなく、加賀藩支配の時代や、越中売薬、その他の産業の起源を解説しています。第三部では、富山の文化的な側面を方言や祭り、食、そして世界遺産に指定された合掌造り集落などを取り上げて説明しています。最後に第四部では、富山の今後を考えるために、富山市のコンパクトなまちづくりの核である鉄道やまちなかの賑わい創出の取り組み、観光産業の育成について説明しています。

この序文を書いているのは二〇二〇年六月、新型コロナウイルスの第一波を経て、観光はもちろん、働き方や教育など社会のさまざまなあり方が大きく見直され始めたときです。特にリモートワークにより働く場所を労働者がそれぞれ自由に設定できるのではないかという議論が始まりました。地方都市である富山にも光明が見えてくるかもしれません。本書は二〇一八年に企画し、余裕をもって計画を立てていたつもりでしたが、さまざまな想定外のことに見舞われ、出版も予定より遅れてしまいました。そうしたなか、昭和堂の大石泉さんには寛大にご対応いただき、何とか形にすることができる運びとなりました。謝意とともに安堵を感じているしだいです。

責任編集者　大西宏治・藤本武

井手英策『富山は日本のスウェーデン：変革する保守王国の謎を解く』集英社、二〇一八年

第3部　富山の文化

第4部　富山の新しい姿

第1部

富山の自然と災害

富山の水の秘密
——山・川・海の水のめぐり——

王生　透

はじめに

富山市街地の東側を流れるいたち川沿いには、桜並木の遊歩道が整備され、多くの延命地蔵尊が並んでおり、石倉町にある地蔵尊の脇には、コンコンと地下水が湧いている（写真1）。一八五八年、安政の大水害により富山市街地に濁流が押し寄せた時、日頃から信仰の篤い甚九郎という男が夢枕でお告げを聞き川底から引き上げた地蔵菩薩を供養したところ、洪水による疫病から人々は救われたという。この言い伝えから地蔵尊とともに、湧水が地元の奉納会等によって保全されている。いたち川沿いには湧水が点在し川底からも地下水が湧き出しており、環境省の名水百選「いたち川の水辺と清水」として指定されて

写真1　石倉町の延命地蔵尊と湧き水

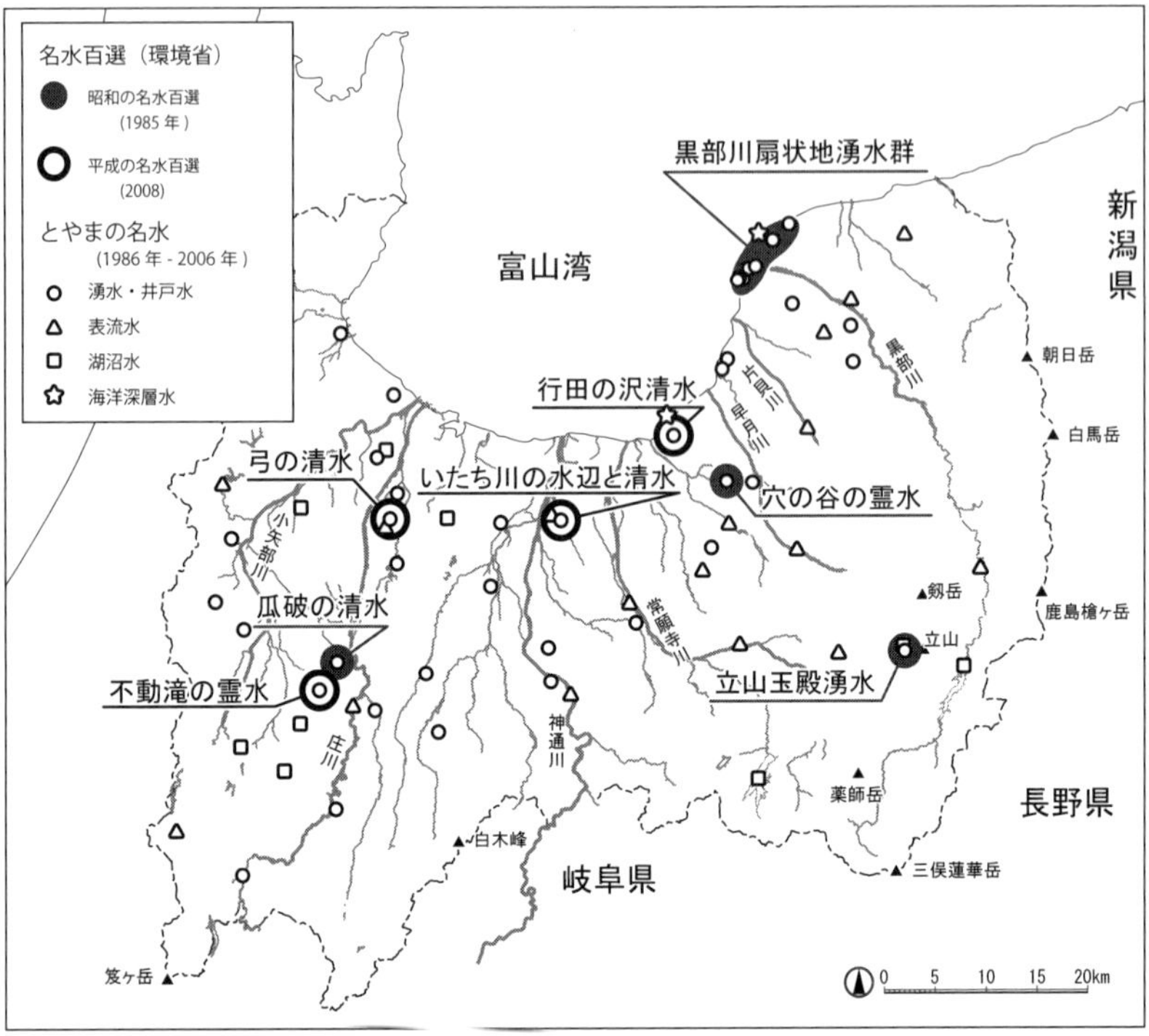

図1　富山県内の名水百選ととやまの名水の分布

いる。

名水百選は、昭和六〇（一九八五）年に選定されたものと、平成二〇（二〇〇八）年に選定されたものがあり、それぞれ昭和の名水百選、平成の名水百選とよばれており、全国で二〇〇ヶ所にのぼる。富山県では、熊本県と並んで全国最多の八ヶ所が選定されている（図1）。

選定された名水は、湧水や地下水だけでなく河川や用水も選ばれており、水質や水量、周辺環境、故事来歴や希少性のほかに地域住民等による保全活動も評価の基準になっている。さらに富山県では、昭和の名水百選の選定を機に県内に点在する多くの名水を「とやまの名水」として独自に選定しており、現在六六ヶ所がある。

富山に名水が多く存在するのは、この地域が水辺空間を活かし残してきたためである。ここでは、名水だけでない富山のもつ水の秘密を探ってみる。

1 立山の雪

富山は雨や雪が多い地域であり、富山市での年間降水量の過去三〇年の平均は二三七四㎜と東京などから比べると多い。山岳部ではさらに多く、宇奈月での年間降水量は三五八九㎜となる。立山連峰の室《むろ》堂平《どうだいら》では、平均積雪深は六七五㎝（二〇〇二～二〇〇七年平均）であり、降水量に換算すると三〇〇〇㎜を超える（飯田ほか二〇一三）。この値は、冬季のみの数値であり年間降

写真2　雪の大谷（出典：とやま観光ナビ）

水量はさらに多い。観光地となっている雪の大谷は、二〇mを超える雪の壁になることもあるが、谷に沿った雪の吹きだまりのため高くなっている（写真2）。

雪を降らせる源となるシベリア（ユーラシア大陸）から吹くマイナス一〇度以下の冷たく乾燥した季節風は、対馬暖流の流れる温かい日本海を抜ける際に大量の水蒸気を補給する。湿った空気となった季節風は、三〇〇〇m級の立山連峰にぶつかる形で上昇気流となって積乱雲が発生する。雲の粒は雪へと成長し地表へ降り注ぐ。富山に雪を多く降らせるには、ユーラシア大陸と日本海が必要であり標高三〇〇〇mの立山連峰があってこその現象なのである。

飛騨山脈（北アルプス）に降った大量の雪は、夏も融けきらず年を越す万年雪（多年性雪渓）もある。剱岳の南側に位置する剱沢には巨大な雪渓が広がり長さは二㎞を超える。これに加え、氷河も飛騨山脈に点在している（写真3）。氷河とは、降り積もった雪が固まり氷体となったものが、川のように流れているものである。日本には、各地に多年性雪渓があり氷体の存在が確認されていたが、連続的に流動していることを証明することは難しく、近年まで日本に氷河は確認されていなかった。

氷河観測のために、レーダー探査やGPSを使用して氷体の観測が行われた結果、富山県内では五ヶ所の氷河が確認されている（写真4、福井ほか二〇一二、福井ほか二〇一八）。世界では緯度が高い地域や標高の高い地域に氷河が分布しており、飛騨山脈の緯度や標高では通常氷河がないとされていた。しかし立山に降る豊富な雪によって、氷河が現存できたと考えられている。立山（雄山）山頂からは、東側（黒部川側）に御前沢《ごぜんさわ》氷河が眼下に見渡せ、その北側にはサイズは小さいが内蔵助《くらのすけ》氷河があり直接氷河に行くことができる。また

写真３　剱岳直下の小窓氷河（右）と三ノ窓氷河（左）（出典：立山カルデラ砂防博物館）

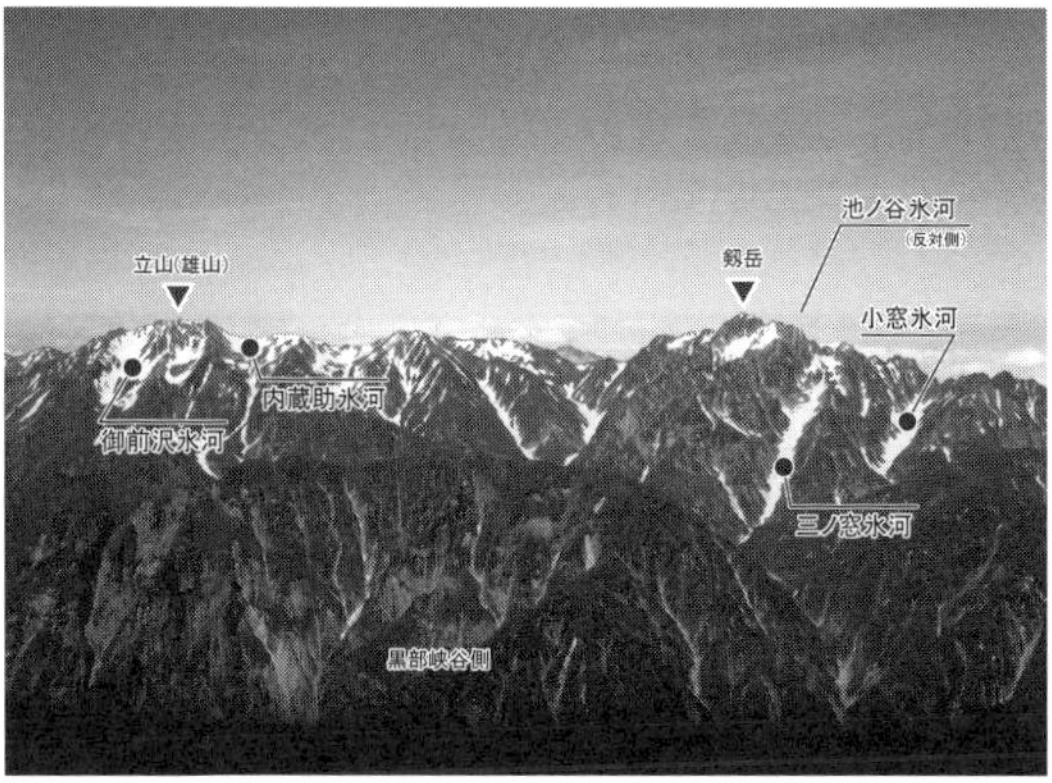

写真４　鹿島槍ヶ岳からみた県内の氷河群（出典：立山カルデラ砂防博物館）

剱岳には東側に小窓氷河と三ノ窓氷河が分布し、西側に位置する池ノ谷（右俣）氷河は平野部からもきれいに見ることができ、富山のもつ水の魅力の一つとなっている。

2　黒部川扇状地湧水群

富山に降った雪のほとんどが融けてしまうことも、この地域の特徴である。豊富な雪

（水）は河川を下り、春から夏、秋にかけて平野部に恵みの水をもたらす。雪が天然のダムといわれる所以である。富山の河川は七大河川とも呼ばれ、東から黒部川、片貝川、早月川、常願寺川、神通川、庄川、小矢部川が流れている。特に富山県東部の河川は、飛騨山脈を水源としており、急流河川となっている。

これらの河川は山間部の出口で大きな扇状地をつくっており、富山の平野の中心的な地形となっている。それぞれの扇状地の末端部では水が湧き出しており、名水百選の「いたち川の水辺と清水」は常願寺川扇状地の末端部であり、「行田《ぎょうでん》の沢清水」は早月川扇状地の末端部となる。とやまの名水にも多くの扇状地末端部の湧水が選定されている（図1）。

黒部市生地《いくじ》地区には、清水《しょうず》と呼ばれる湧き水が街中に点在しており、古くから生活に利用されてきた（写真5）。これらは名水百選「黒部川扇状地湧水群」の一つで、黒部川扇状地の末端部に湧き出す地下水であり、地下四〇mから一〇〇mあたりの地下水を利用している。昔は一m程度掘ったところで湧き出す水を活用していた。入善《にゅうぜん》町にある国指定天然記念物「杉沢の沢スギ」も黒部川扇状地湧水群の一つとなっている。沢スギは、扇状地末端の海岸近くに分布するスギ林で、昔の川に沿って林が広がり、その谷あいから水が湧き出し湧水の川をつくっている（写真6）。現在は二・六七haと一つの林を残すのみであるが、一九五〇年代初めには入善町内の海岸沿いに四〇ヶ所近くが点在しており約一三〇haの広さを誇った。

これらの水はどこからやってくるのだろうか。黒部川は増水によって上流から土砂を押し流し、広大な扇状地を作り上げてきた。現在の黒部川は、一本の流れに固定されている

写真5　清水庵の清水

が、堤防が築かれる以前は氾濫のたびに流れを変えており、「黒部四十八ヶ瀬」や「いろは川」と呼ばれ、幾筋にも分かれて流れていた。扇状地の地下は河原と同じように砂や石などが堆積した砂礫層となっている。砂礫層は水を通しやすい透水層であり、扇状地を流れる河川の水や扇状地に降った雨が水田や用水を通して大地に浸み込んでいく。

地下に浸み込んだ（涵養された）水の流れを概念的に示したものが図2である。地下水は大きく分けて浅い部分を流れる水と深い地層を流れる水に分けることができる。浅い地下水は砂礫層を流れ下り、水位が地表近くになるところでは、地面を少し掘るだけで地下水が浸み出してくる。生地地区では土間の一部を低くしこの湧水を使用していた。周囲より低い川底でも地下水が湧き出しており、杉沢の沢スギに湧く地下水もこの水である。

写真6　杉沢の沢スギ

扇状地の地下には、砂の大きさが均等になっているところなど水が比較的通りやすい層（透水層）や、粘土など粒子の細かく水を通しにくい層（難透水層）などがある。扇状地の深い部分を流れる地下水は、難透水層に挟まれた透水層を流れることから、上下に逃げ場を失い内部の圧力が高まる。水風船と同じような状態だ。水風船に針で穴を開ければ水は高く噴き出すように、圧力が高まった地下水層まで井戸を掘るだけで水は上昇する。黒部川扇状地末端部では、地下水が地表を超えて上昇してくるため、ポンプアップしなくても自然と湧き出してくる。これを自噴水と呼んでいる。この現象は、黒部川扇状地湧水群に限らず富山の扇状地末端部で湧き出す地下水も同じ機構である。

一般に地下水の水源というと森林を思い浮かべる人が多いだろうが、今の説明でも解るとおり扇状地末端に湧く地下水の涵養源は扇状地内にある。涵養源周辺の扇状地には人が住んでおり、仮にここで水が汚染されれば末端部の湧水や自噴水に影響を与える。我々が富山の清らかな地下水を守るためには、森林はもちろん自らの住んでいる平野の環境も守らなければならない。

黒部川扇状地の海岸沿いで利用している自噴水の井戸は、共同のものや個人のものを含めて一一六四本もある（環境省二〇〇七）。黒部市の上水道は水源に地下水を使用しており、特に扇状地内では黒部川沿いや扇状地末端部の湧水地帯に井戸を持っている。入善町では水道普及率が二四・三％と極端に低くなっているが、これは各地区や各家庭で独自に井戸を掘り行政の水道事業が必要なかったからである。黒部川扇状地では、今も昔も地下水の恵みを住民が享受している。地下水の活用は、上水道の他に工業用や建築用、消雪用にも使われている。これらの揚水量は年間で二八二〇万㎥あり、その六一・九％が工業用に使われている（表1）。河川や用水から浸透し扇状地の地下を流れる量は年間約一億五〇〇〇万㎥と推定されており、黒部川扇状地全体における揚水量は、地下水総量の一九％程度と換算できる（黒部市二〇一四）。この割合は、富山県内の他の地域と比べても低い値であり、残りの地下水は海底から海に流れ出ている。

清水は、夏は冷たく冬は暖かく感じるため、水温が変化しているように思えるが、自噴水は年間を通してほぼ一定の温度である。黒部川左岸の扇状地湧水帯における自噴水の水

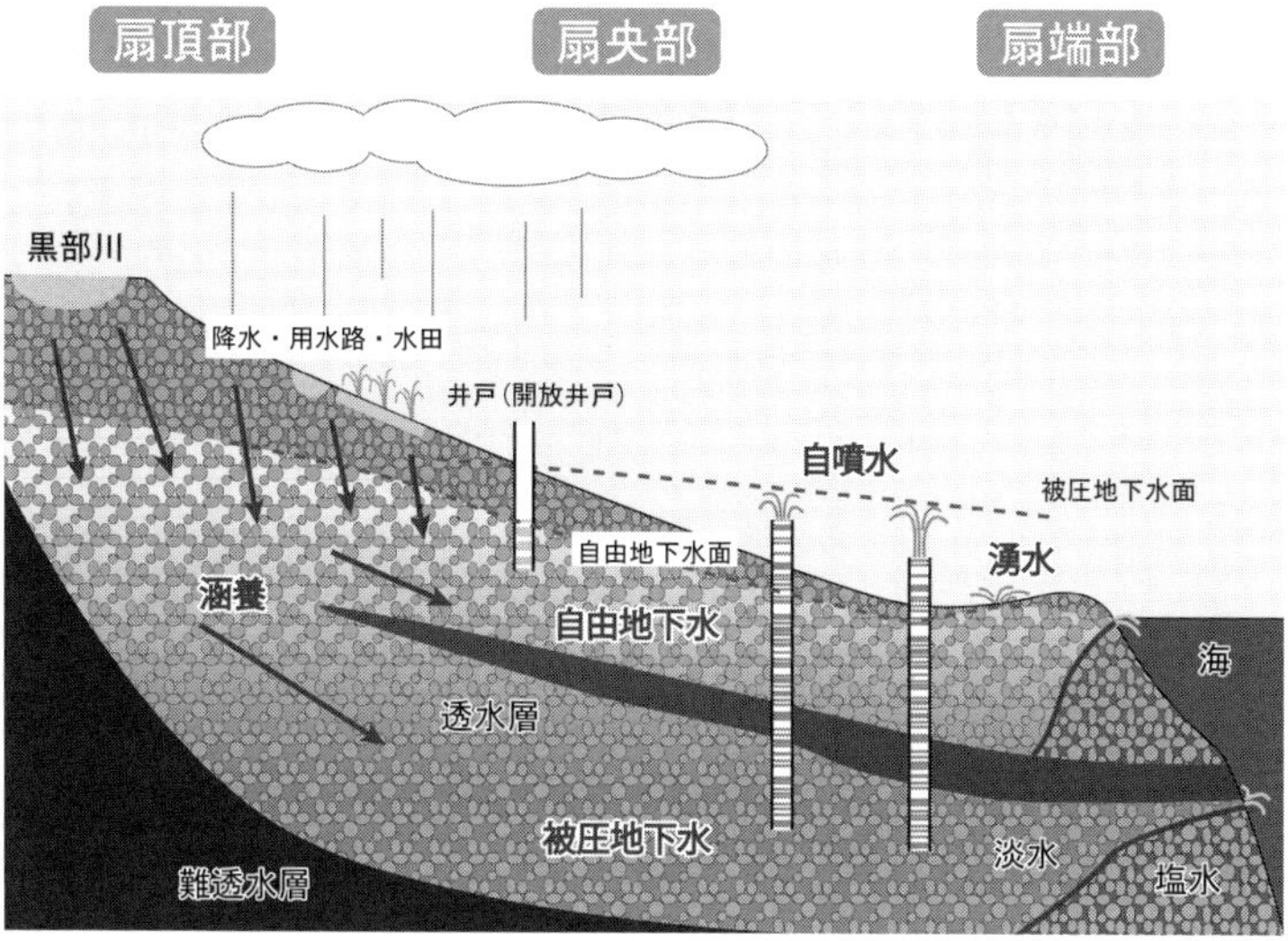

図2　地下水の流れの概念図(高倉1991を参考に作成)

表1　黒部川扇状地の揚水量の内訳(出典:富山県2012)

用途　[単位:百万 m^3/年]

	工業用	建築物用	水道用	農林水産用	消雪用	合計
黒部川扇状地全体	17.4	2.0	5.6	1.2	1.9	28.1
黒部市	9.1	1.0	4.3	0.0	1.1	15.5
入善町	8.3	1.0	1.3	1.2	0.8	12.6
朝日町	3.6	0.3	1.9	0.0	0.5	6.3
3市町合計	21.0	2.3	7.5	1.2	2.4	34.4

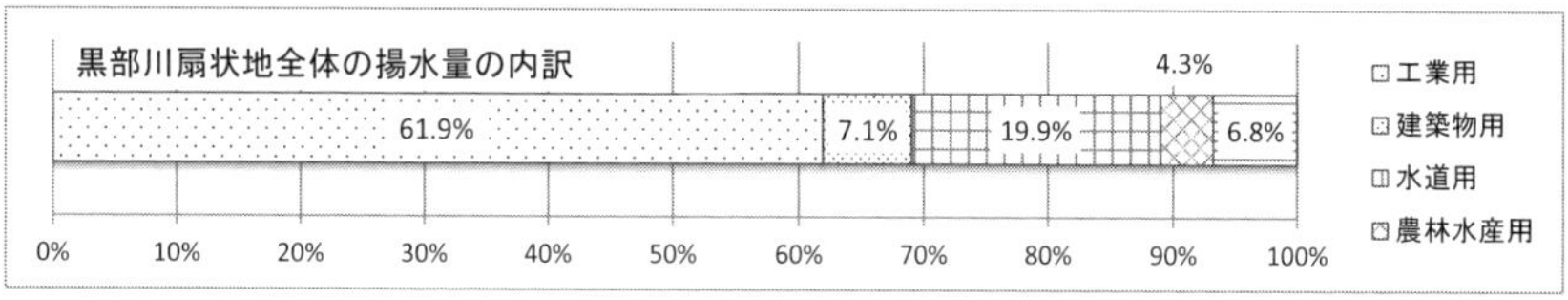

温変化をみると、多くの井戸で年間の変動幅が二度以内となっていることが分かる（図3）。黒部川扇状地全体をみると、黒部川に近いエリアで水温が低くなっていることがわかる（図4—1）。また、地下水を水質からみるとカルシウムイオンや重炭酸イオンが多く、典型的な扇状地の水質となっており、その濃度も黒部川から離れるに従い濃度が増えている（阿熱依二〇〇五）。これらの違いは、河川から涵養された水と扇状地に降った雨が水田や用水から涵養される水の割合で決まる。どちらの起源が多いかを知るには水素酸素同位体を測定することでわかる。その結果をみると、黒部川に近い地域はほぼ黒部川起源の地下水で占められ、黒部川から離れた生地地区や入膳地区ではおよそ五〇％となり、河川起源と扇状地に降る降水起源の水が半々となっている（図4—2）。さらに黒部川から離れると、黒部川起源の地下水の割合が減るが、その奥に位置する小川や布施川、片貝川起源の地下水が増えていると考えられる。

扇状地の地下を流れる水は、水平方向でみても一様に流れている訳ではなく流れやすい場所とそうでない場所がある。扇状地の地層分布や地下水の水位の形状、水質変化などを総合すると、深い地下水は扇頂部から北西方向の入膳地区に流れるもの、扇央部から黒部川の真下と左右に流れる大きく四方向の流れがある。浅い地下水の流れと併せて六系統に分かれることが推定されている（図4—3）。これらの流れは、江戸時代に残る古絵図や微少な地形変化から昔の黒部川の河道とほぼ一致する。地下を流れる滞留時間は浅い層、深い層ともに三一～三五年との結果が得られていることから、地下水は扇状地の地下を一年間で二〇〇～四〇〇m流れ下っている。砂礫層ということで、比較的流れが速くなっている。

よく軟水や硬水という言葉を聞いたことがあると思う。水の硬さを表す硬度は、マグネ

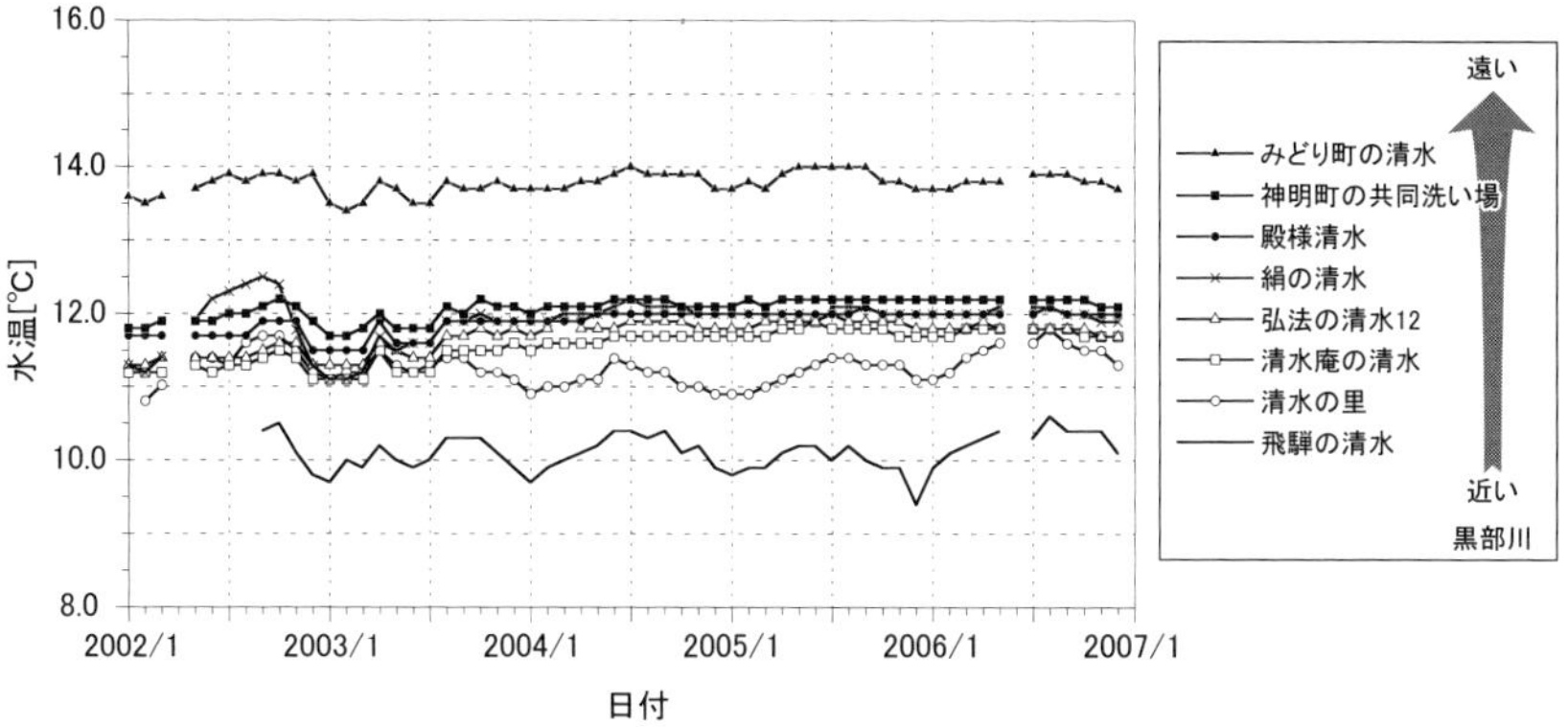

図3　黒部川左岸湧水群の水温変化（出典：木戸ほか2007）

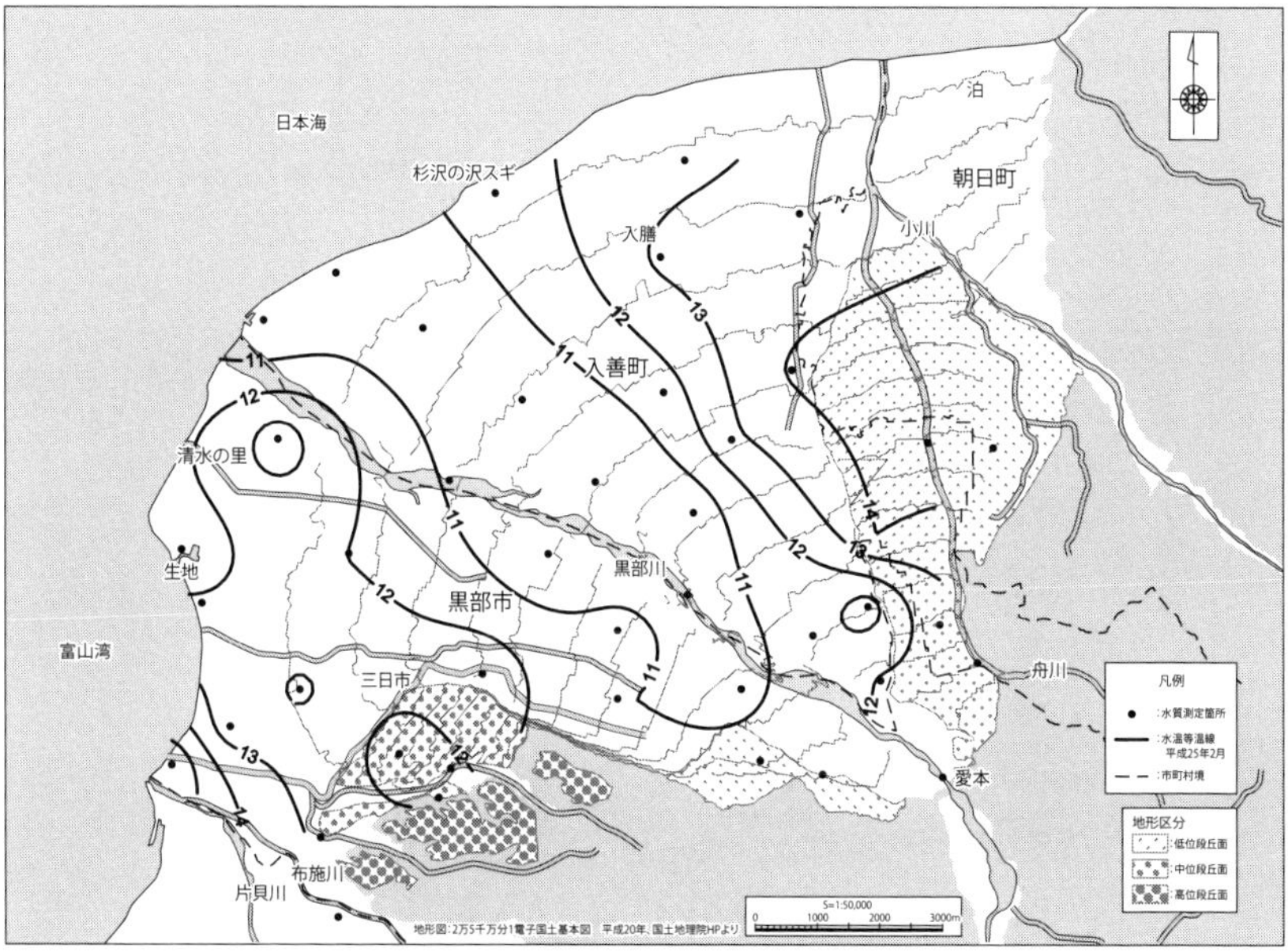

図4―1　地下水の水温分布（2013）

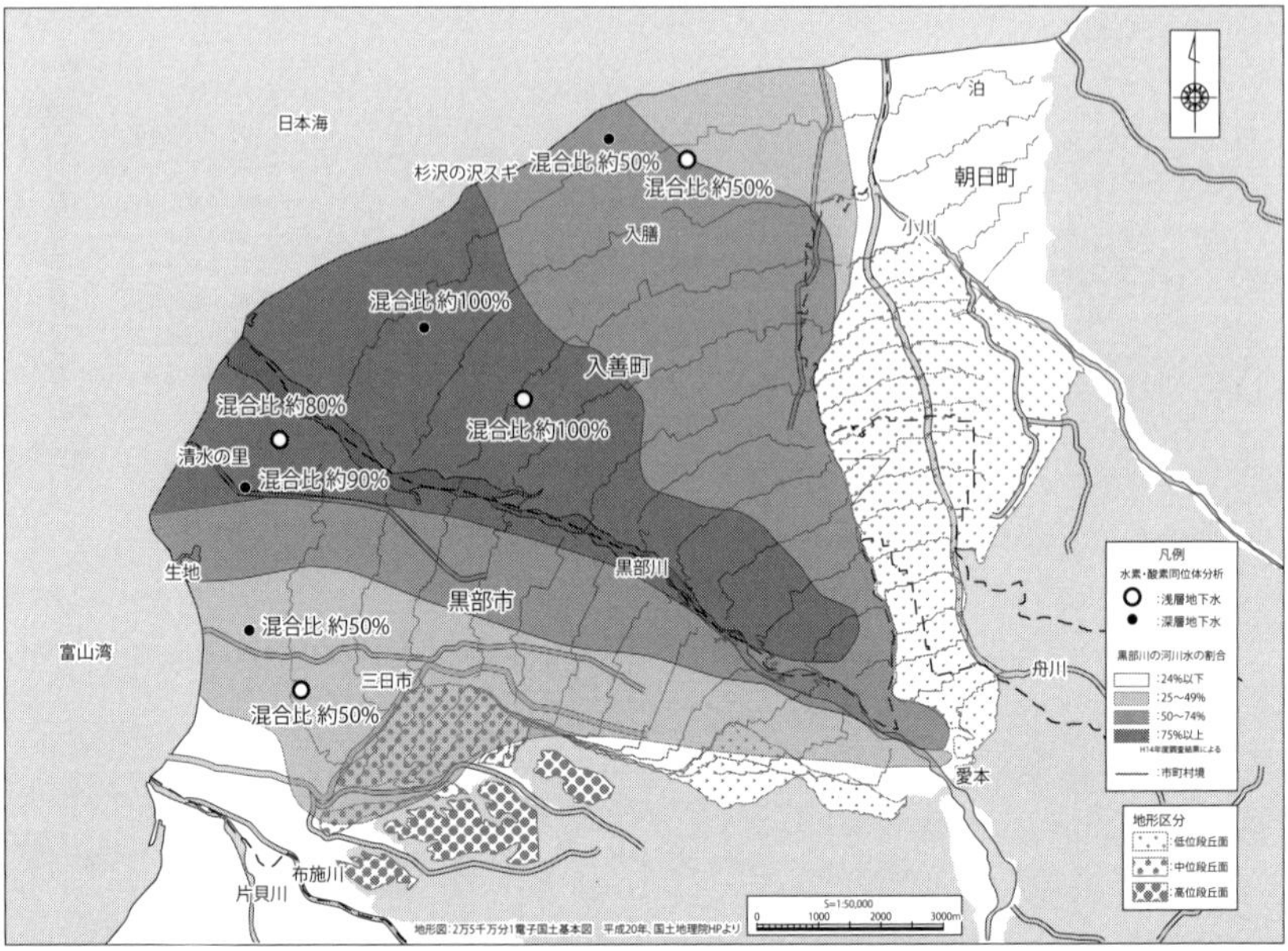

図4—2　地下水の河川水の割合（2013）

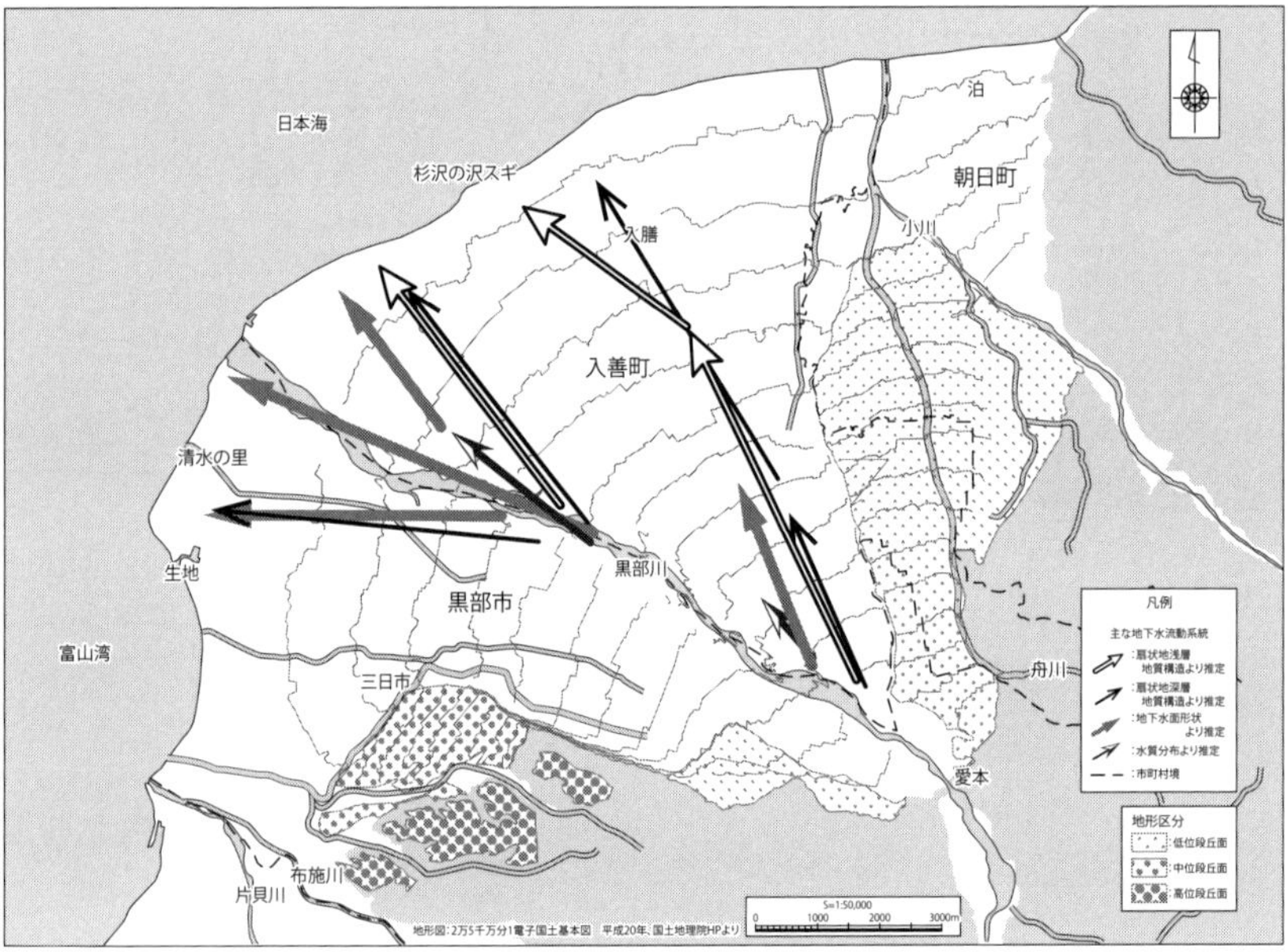

図4—3　地下水の主な流れ

表2　黒部川扇状地湧水群におけるおいしい水の水質項目（出典：高倉1990、浅井・佐竹2008）

おいしい水の水質要件		湧水	自噴水		
水質要件	数値	杉沢の沢スギ	清水の里	清水庵の清水	くろべ名水公園
水温	20度以下（10〜15度が適温）	14.4	11.2	11.5	12.1
蒸発残留物（ミネラル分）	30〜200mg/L（100mgぐらい含む水がまろやか）	101	51.8	62.8	74.3
硬度	10〜100mg/L（50mg前後が日本人に好まれる）	59.1	34.4	37.4	45.4
遊離炭酸	3〜30mg/L	35.2	5.5	10.8	14.9
過マンガン酸カリウム消費量（化学的酸素要求量COD値）	3mg/L以下	0.3	0.1	0.2	0.1
臭気度	3以下	—	—	—	—
残留塩素	0.4mg/L以下	—	—	—	—

（厚生省「おいしい水研究会」、1985）

シウムイオンやカルシウムイオンがどれだけ含まれているかの指数であり、六〇mg／L以下を軟水、六〇〜一二〇mg／Lを中硬水、一二〇〜一八〇mg／Lを硬水、それ以上を超硬水としている。黒部川扇状地湧水群の場合三四〜五九mg／Lであり軟水となる。黒部川の上流域は花崗岩と呼ばれる地質が多く分布しており、それらがつくる扇状地の地下も花崗岩が多く占める。花崗岩の地層を流れる間に地下水に適度にミネラル分が溶け出した結果と考えられる。硬水や軟水の違いは、その地域の料理方法にも影響を与えている。カルシウムイオンは肉を柔らかくする性質があるため西洋の煮込み料理などでは硬水がよいとされ、軟水はマグネシウムの苦みも少なく旨味成分が溶け出しにくい特徴がある。日本では軟水が多く、水の硬さに合わせて日本料理が工夫されている。

水のおいしさを表す指標の一つに、厚生省（当時）のおいしい水研究会がまとめた水質要件がある。これには水温とおいしくする要素、不味くする要素に分かれており、黒部川扇状地湧水群の水を比較するとほぼ全ての地点で要件をみたし、おいしい水といえる（表2）。黒部川扇状地の海岸沿いの県道を走ると、家の軒先や公民館の脇に自噴水が湧き出している光景がみられ、とやまの名水に選定されている自噴井戸では水を汲みに来る方で賑わっている。既述したように冷たさや味（水質）はそれぞれの名水によって異なるが、どの名水に行っても来訪者は口々に「ここが一番好き」という。自分に合った水質に加え周辺の景観や名声などで自分の一番を選んでいるようである。

黒部川扇状地の生きもの達も、富山の水に合わせて生息している。例えば、扇状地内を流れる農業用水や湧水が湧き出す川には、バイカモが繁茂し初夏にウメに似た白い花を咲かせている。農業用水を取り入れる黒部川は雪解け水により水温が比較的低く、豊富な水量と扇状地の適度な傾斜のため、バイカモが生息しやすい環境になっている。また、末端部の地下水が湧き出す川には、トミヨとよばれる淡水魚が生息している（写真7）。トミヨは五㎝前後の魚で、水温の低い環境を好み、東北や北海道に多く分布している。北陸が南限とされているのは、地下水が湧き出し年間を通して冷たい川があるからだ。まさに富山の水に生息する生きものの代表格である。

写真7　トミヨ

3　高低差四〇〇〇mの地形と水の循環

魚津市の魚津埋没林は、国の特別天然記念物に指定されている（写真8）。地下数mの埋没している約二〇〇〇年前のスギなどの樹根群であり、海面の上昇と片貝川の氾濫によって埋め立てられ、現在は海底下になっている。本来なら樹根が腐ってなくなるものであるが、片貝川扇状地の末端部に位置しており、樹根周辺が淡水で満たされていたことからバクテリアによる分解が進まなかったものと考えられている。

入善町吉原沖の水深二〇mから四〇mの海底にも、ハンノキやヤナギなどの樹根が発見されている（写真9）。入善沖の海底林と呼ばれており、年代測定によって八〇〇〇年から一万年前に繁茂した木々だとわかった。こちらは黒部川扇状地の沖合いに位置し、今から一万年前には海水面が現在より四〇mも低く、杉沢の沢スギのような林が扇状地の末端部に広がっていたことになる。その後の海面上昇に伴い黒部川は氾濫を繰り返し、林は砂礫層に埋もれてしまった。海底林周辺の海底を調査した結果、淡水の地下水が地面から流出していた（黒部市二〇〇四）。扇状地の地下を流れ下った水が常時海底から湧き出していたことから、海中であっても淡水に近く樹根が残ったと考えられている。

富山湾は海岸から急激に地形が落ち込み水深一〇〇〇mを超えており、日本三大深海湾の一つに数えられている（図5）。浅海には、温かい対馬海流が流れ込み、三〇〇mより深い海には日本海固有水とよばれる冷たい海水が流れ込む環境のため、多くの種類の生き

写真9　入善沖の海底林（出典：黒部市地域観光ギャラリー）

写真8　魚津埋没林（出典：魚津埋没林博物館）

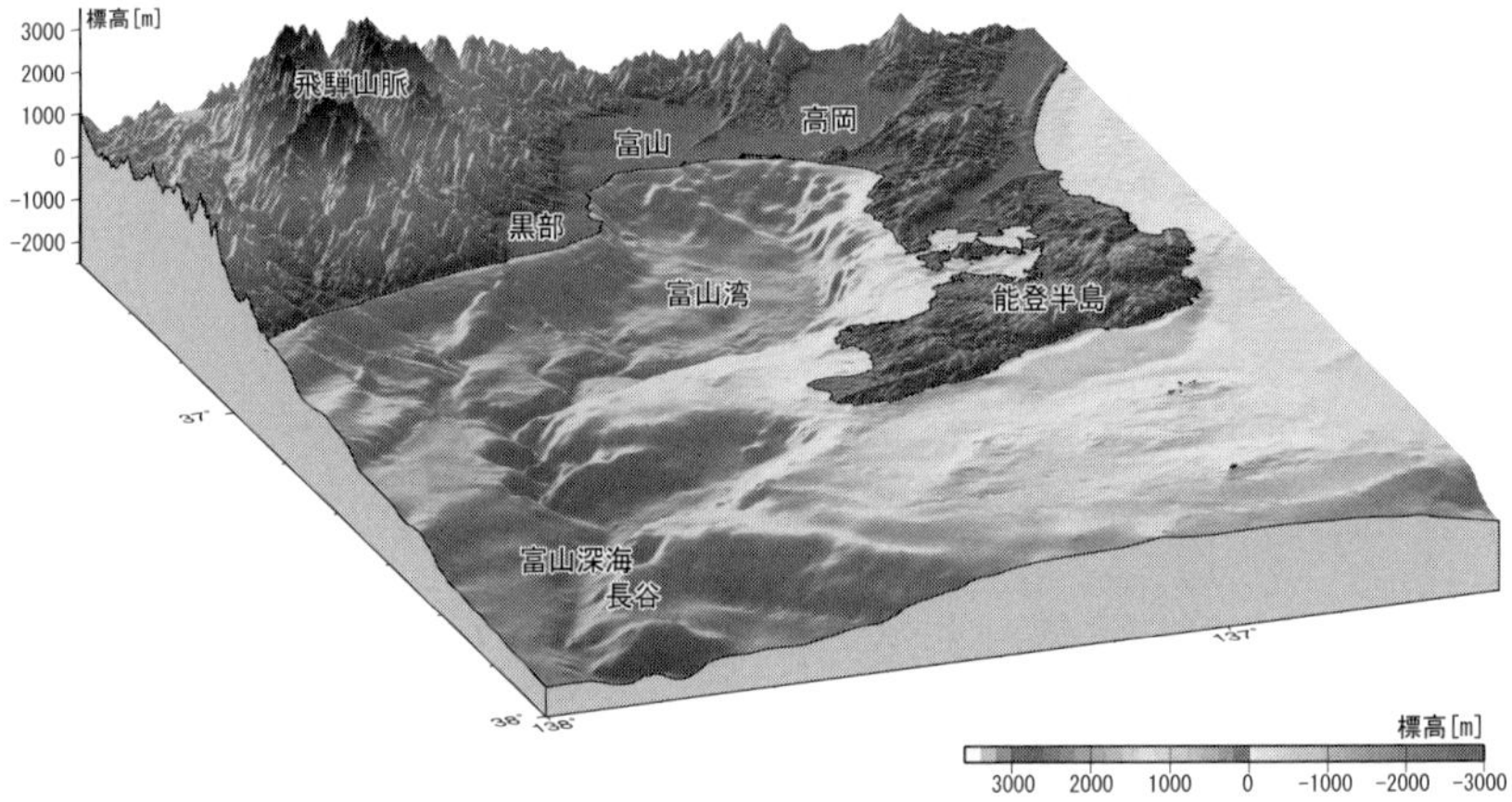

図5　富山湾の海底地形（出典：立山カルデラ砂防博物館）

ものが生息している。

富山湾といえば「ホタルイカの身投げ」が有名であり、魚津から滑川の海岸近くが特別天然記念物「ホタルイカ群遊海面」に指定されている。ホタルイカは深海に生息する生きもので、日本海や太平洋の一部に分布しており産卵期に沿岸域にやってくる。富山湾は深海が海岸に迫っているため、産卵期に波打ち際に集まり、たまに浜に打ち上がる現象がみられ、身投げしているようにみえる。

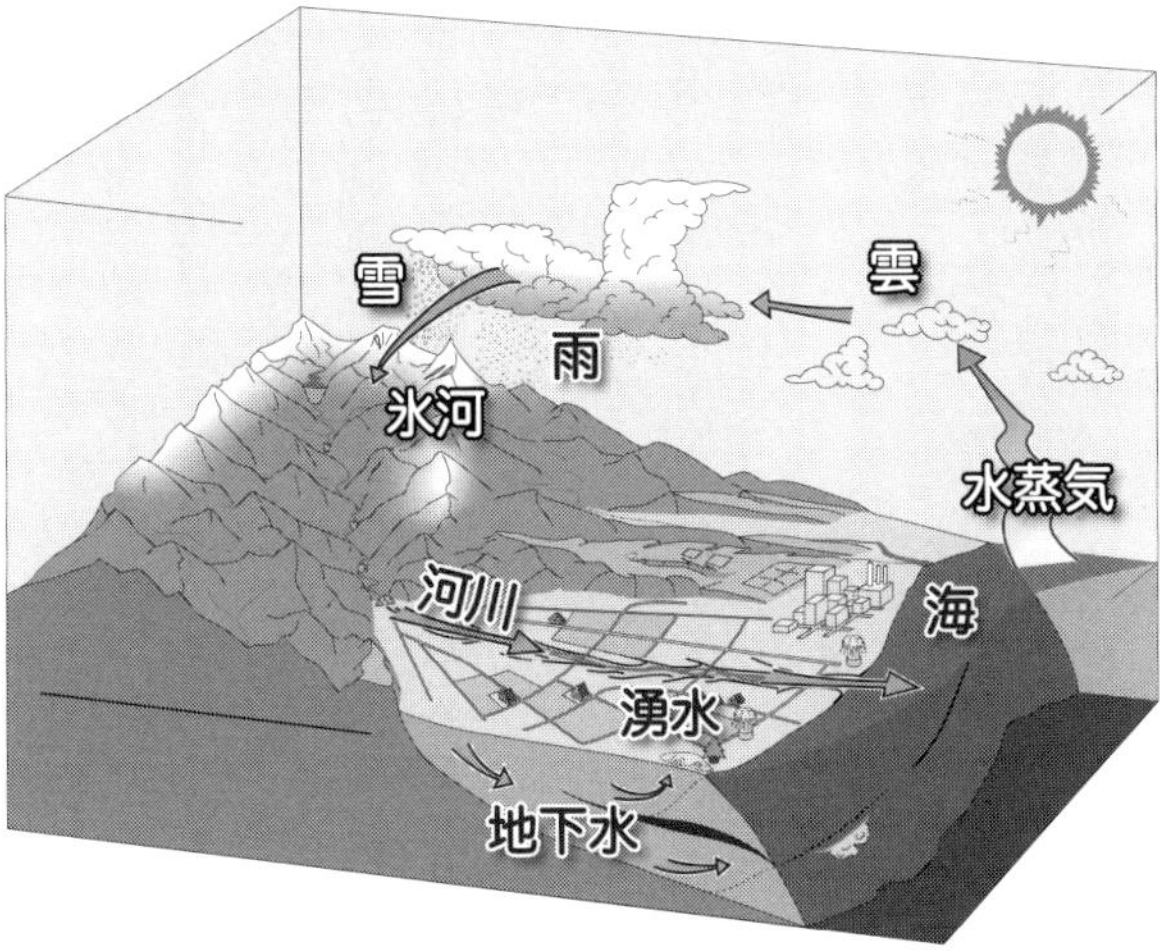

図6　水循環の概念図

急激に落ち込む富山湾の海底には、幾筋もの深い谷が刻み込まれている。これらの谷は海水が厚くなり海の青さが濃くなることから藍瓶とよばれ、シロエビ（シラエビ）が生息している。透明感のあるピンク色が美しく富山湾の真珠といわれている。富山湾の深海にはゲンゲの仲間やベニズワイガニなどが生息している。浅海を回遊する富山湾の王者であるブリも含め豊富な種類の魚介類が生息していることから「天然のいけす」ともよばれている。

富山は三〇〇〇m級の飛騨山脈から水深一〇〇〇mを超える富山湾までその高

低差が四〇〇〇m以上になる。その直線距離はわずか五〇㎞程度と短い中で、ダイナミックな地形変化があり、その中を水が巡っている。日本海を越えてきた季節風は、飛騨山脈に大量の雪や雨を降らせ、その水は急流河川を流れ下り深い谷をつくる（図6）。下流では扇状地が発達し、地下に浸透した水は扇状地の末端部で湧水や自噴水が湧き出してくる。さらに地下水は海にも流れ出す。海水は太陽の熱で温められ水蒸気となり上空で雲となる。富山は、雪や雨、氷河、河川、湧水、海、水蒸気、雲と形を変えながら水が巡る「水循環」を身近に感じられる地域である。この巡りは単純なものではなく、扇状地でも雨が降り蒸発も行われ、海の水や大気は世界を循環しており、様々な水循環が複雑に絡み合っている。河川の流域は水循環の最小単位といえ、富山の河川は全体を把握できるちょうど良い大きさの地域である。

〔参考文献〕
浅井和由・佐竹洋「名水を訪ねて（八二）富山県の名水」地下水学会誌、五〇号、二〇〇八年
阿熱依熱孜旦「黒部川扇状地地下水の流動と水質形成」富山大学大学院修士論文、二〇〇五年
飯田肇ほか「北アルプス・立山の高山地域における冬期降水量の推定」雪氷研究大会要旨、二〇一三年
環境省「平成一八年度湧水に係る水循環健全性指標検討調査報告書（抜粋：富山県をモデル地域とした湧水・自噴井戸に関する調査）」二〇〇七年
木戸瑞佳ほか「黒部市生地～飛騨地区における湧水調査報告（二〇〇二～二〇〇六年）」黒部、一四号、二〇〇七年
黒部市「黒部市地下水流動等調査業務報告書」二〇〇四年
黒部市「黒部川扇状地地下水流動等調査業務報告書」二〇一四年
高倉盛安「名水を訪ねて（一二）富山の名水―黒部川扇状地湧水群・穴の谷の霊水・立山玉殿の湧水・瓜破清水―」地下水学会誌、三二号、一九九〇年
富山県「地下水の現況（平成二三年度）」二〇一二年

福井幸太郎・飯田肇「飛騨山脈、立山・劔山域の三つの多年性雪渓の氷厚と流動―日本に現存する氷河の可能性について―」雪氷、七四号、二〇一二年
福井幸太郎ほか「飛騨山脈で新たに見出された現存氷河とその特性」地理学評論、九一号、二〇一八年

column

砺波散村にみる富山の農業

大西宏治

1　富山は農業県なのか?

富山県は農業県なのだろうか。田の分布をみると富山市などの都市開発の進んだ地区や山間部を除いて田が広がることがわかる（図1）。景観からは農業が盛んにみえる。二〇一四年の日本統計年鑑の数字をみると耕地に占める田の割合は約七二%であった。しかし、野菜生産をみると生産面積は全国最下位で、耕地に占める野菜の栽培面積率も四・三%と全国最下位であった。野菜の生産額でも全国最下位であり[1]、野菜生産が貧弱な県であることがわかる。

では富山県の農業はなぜ稲作に特化し、野菜生産は貧弱なのであろうか。この疑問を砺波散村の景観を事例に考えるのがこのコラムのねらいである。

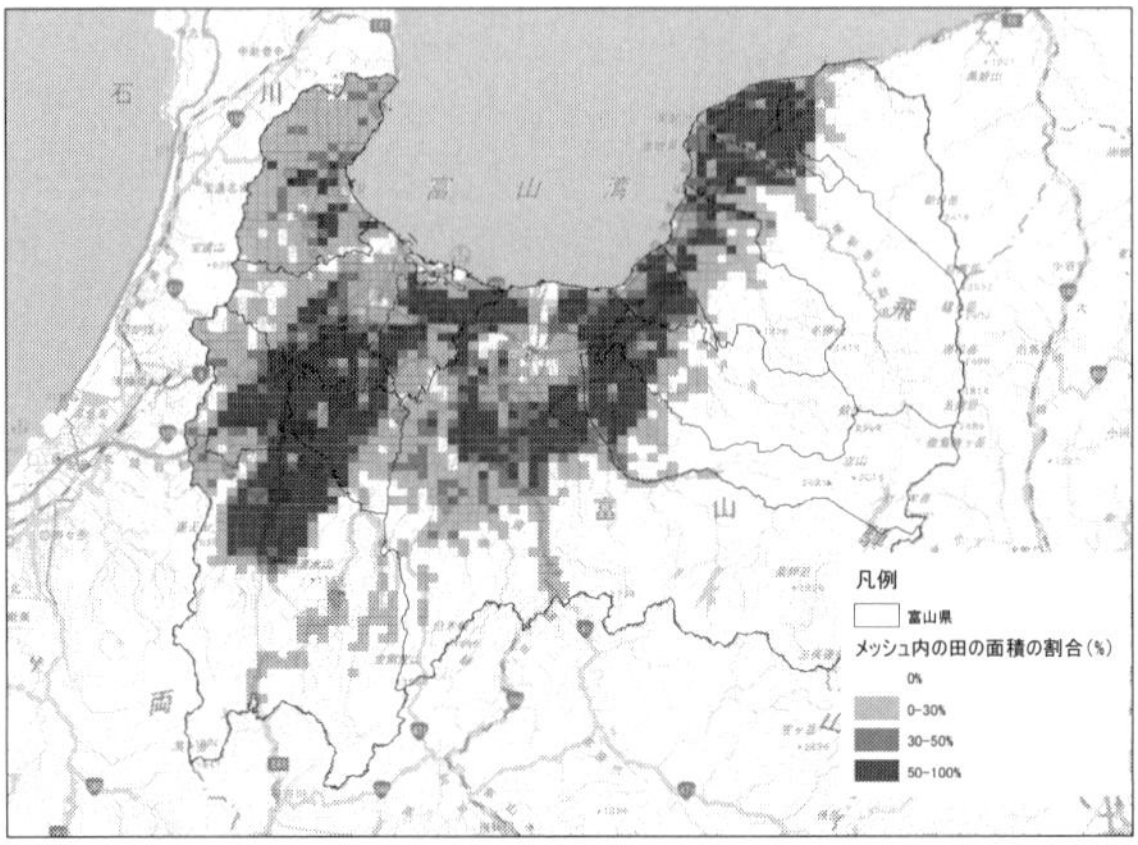

図1　3次メッシュ（1km×1kmメッシュ）からみる富山県の水田面積（統計年次は2016年　国土数値情報より作成）

2　砺波に広がる散村[2]（図2）

富山県砺波市の散村景観は高校の地理の教科書にも取り上げられ、全国に知られている（松山、二〇一七）。散村とは、「民家が密集せず、孤立した民家（孤立荘宅）が散在する村落」（「散

図2　砺波散村の風景（撮影：大西宏治）

図3　屋敷林に囲まれた家屋

村」『人文地理学辞典』朝倉書店）と定義される。砺波はどこでも飲料水と用水が得られること、歴史的に戦乱の影響も少なかったこと、そして、江戸時代に砺波平野を統治した加賀藩が屋敷周辺に田を耕作することを許可する耕地制度[3]をとっていたことで散村が広がった（金田、一九八六）。

砺波散村では木々に覆われた家屋をみることができる（図3）。これは散村の家屋に特徴的な屋敷林で、砺波地方では「カイニョ」と呼ぶ。暴風や冬の風雪から家屋を守り、フェーン現象による火災の類焼を防ぐといった自然環境から暮らしを守るために作り上げられている。また、スギは建築材としても利用されるし、枝や落ち葉は燃料としても使われていた。しかし、アルミサッシやプロパンガスが普及したため、屋敷林が生活に必要ではなくなり手入れは行き届かないものも増えた。

3　農業の大きな変化——圃場整備と工場誘致

一九六〇年代から、砺波平野では大規模な圃場整備事業が行われた[4]。その結果、かつては水田が不定形に広がっ

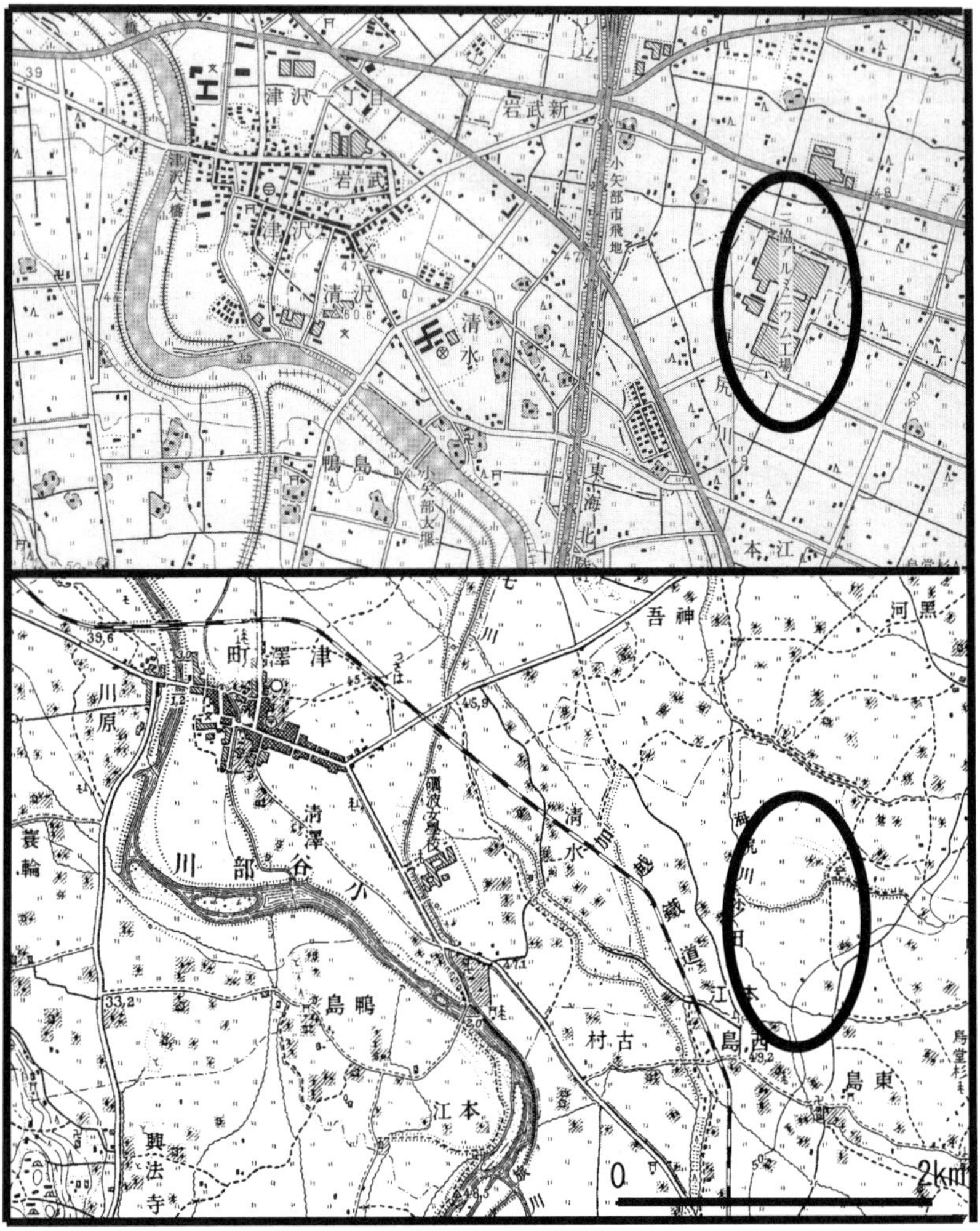

図4　圃場整備前と工場の進出の比較による散村の変化（1996年の1: 25,000地形図「砺波」および1933年発行の1：25,000地形図「出町」より作成）

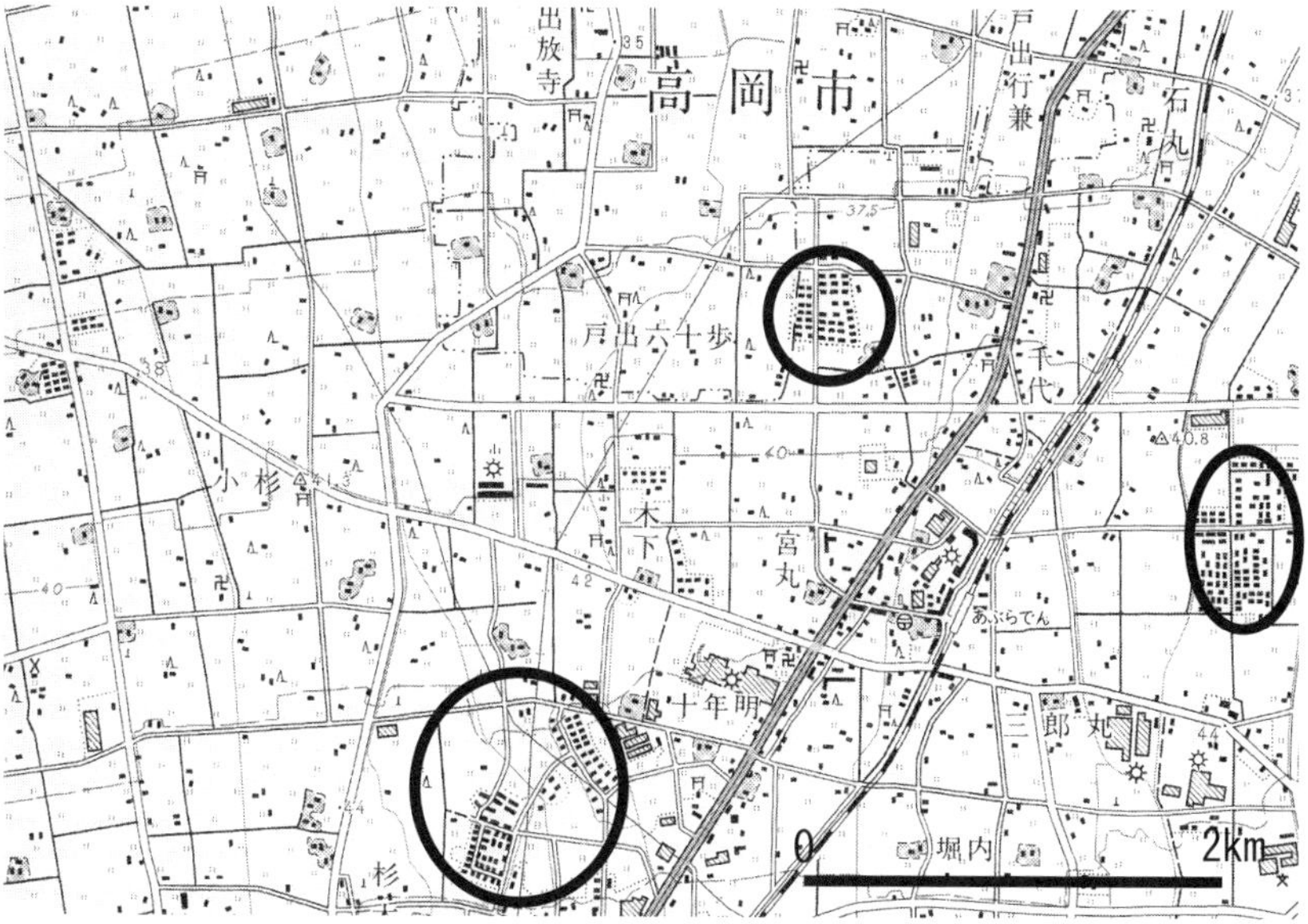

図５　散村での住宅団地造成（1996年発行の１：25,000地形図「砺波」により作成）

ていたが（図４下）、整然とした水田となり、農業は機械化されていった。さらに直線化し拡幅した道路と安価な地価のため、図４上で示したとおり、工場も進出した。農業は機械化により省力化され、余剰労働力は進出した工場や近隣の富山市や高岡市での労働に振り向けられた。

米作りは田植え、稲刈りといった労働力を集中的に投下しなければならない作業と、雑草の除草などの日々の作業で構成される。米作りは兼業農家として土日、休暇を利用したり、早朝などに作業をすることで取り組める。さらに通勤先は近く、自家用車で容易に通勤できるため、兼業農家として日々の作業に取り組むことも難しくない。

それに対して、野菜や果樹の生産は、農繁期には連続して長時間の作業を要するものも多い。その結果、富山県では農業として稲作ばかりが選択され、田が耕地の七〇％を超えることになった。

4　散村と農地の今後

一九八〇年代から後継者不足により、水田を手放す農家も増加した。それらの土地を利用して小規模な住宅団地が開発され、砺波市の北側にある高岡市へのアクセスがよい地域に住宅団地が広がった。その結果、屋敷林のある散村の集落の中に、住宅団地が現れるようになった（図5）。水田は集落営農や農業法人などで集団化が進められている。水田の中に散村が広がる景観を維持するのは容易ではない。景観を保全するには今後、地域を区切って整備するなどの取り組みが必要となるであろう。

〔参考文献〕

金田章裕「砺波散村の展開とその要因」『砺波散村地域研究所紀要三』一―一一頁、一九八六年
松山洋「教科書に出てくる地形図を考察する」松山洋編著『地図学の聖地を訪ねて』二宮書店、五二―五五頁、二〇一七年

〔注〕

（1）生産農業所得統計、二〇一六年度より。
（2）砺波では散村のことを散居村と呼ぶことが多い。
（3）散村は耕地までの距離が最小になることから、農業の効率が上がるが、為政者が統治するのが難しくなる。加賀藩は米の収量増加を重視した結果、散村を許可した。「加賀百万石」は砺波散村や黒部川扇状地での収穫量も含めて百万石である。
（4）富山県での圃場整備率は八〇%を超え、北海道、福井県、滋賀県に次ぐ全国屈指の圃場整備率となっている。

富山県のダイナミックで特色ある地形

安江健一

はじめに

富山県は、その名前が表すように多くの山が連なり、東・南・西を山に囲まれている。北には富山湾が広がり、その水深は約一〇〇〇mに達する。富山湾と標高三〇〇〇m級の飛騨山脈との高低差は、四〇〇〇mに及ぶ。この高低差の中に特色ある山地、丘陵、平野、海底谷などの地形が見られる。このような一〇〇m～一〇㎞オーダーの地形の多くは、一万～一〇〇万年オーダーという長い時間の中で隆起・沈降と侵食・堆積によってつくられてきた。この章では、富山県とその周辺の特色ある地形の中でも、飛騨山脈と飛騨高原、七大河川と扇状地群、黒部川の河成段丘、富山湾の海底地形、横ずれと縦ずれの活断層を、隆起・沈降と侵食・堆積に関連づけて見ていく。

なお、この章で用いる地形区分は、「日本の地形五 中部(1)」の小区分を参考にした。富山県の中央の呉羽山丘陵や射水《いみず》丘陵を境に、東側に富山平野、西側に砺波平野が広がり(2)、それらを囲むように飛騨山脈、飛騨高原、宝達山《ほうだつさん》丘陵などが分布している（図1）。

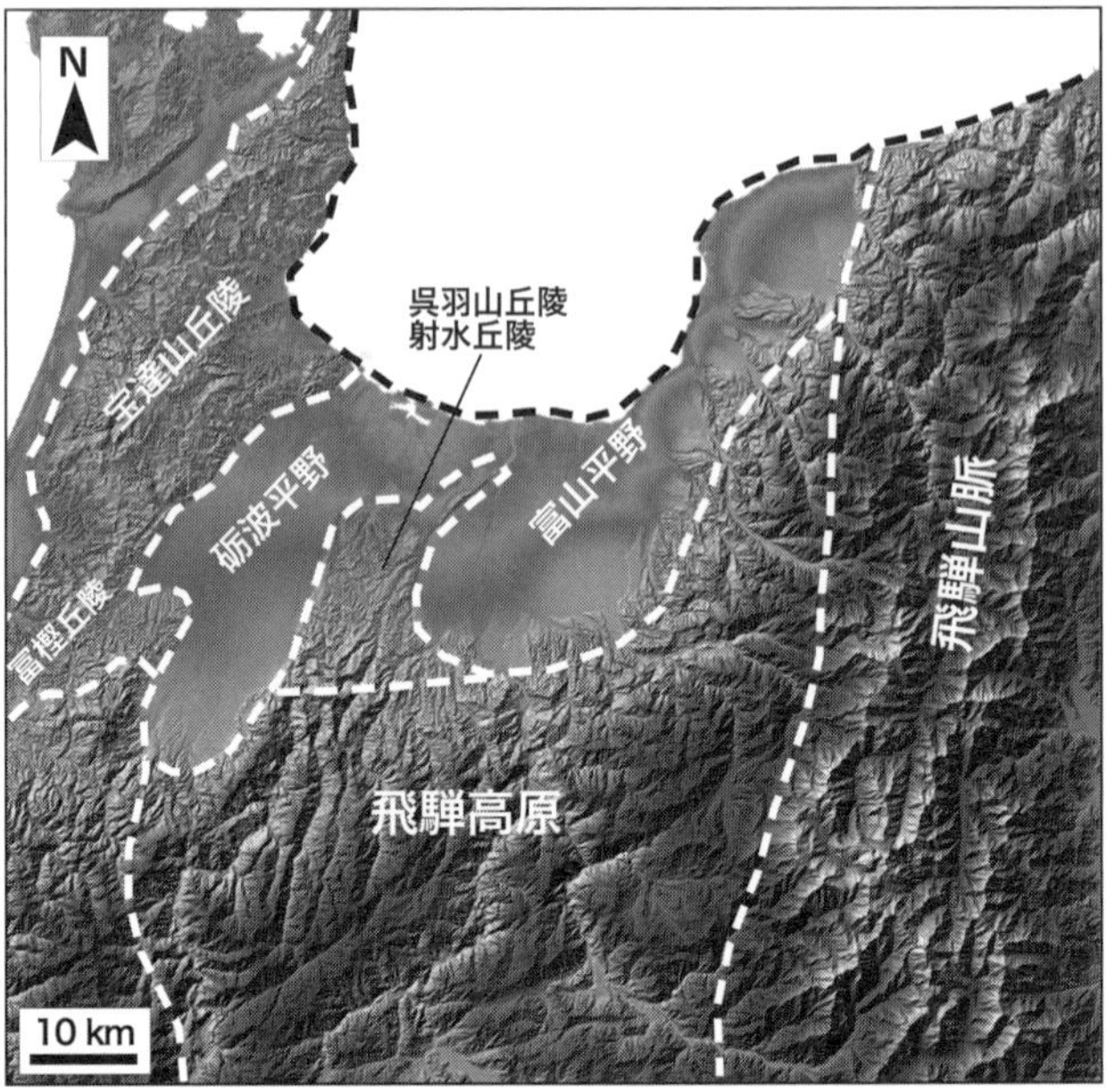

図1　富山県周辺の地形区分
背景図は、国土地理院「地理院地図」を用いて作成。
地形区分境界と名称は、町田ほか編（2006）を参考に図示。

（1）町田ほか編、二〇〇六年。
（2）これらの平野を合わせて、広い意味で富山平野と呼ぶこともある。

1 石ころが物語る山地の隆起

山地の形成は、地層に含まれる石ころ（礫《れき》）から読み解けることがある。富山平野周辺には、呉羽山礫層と呼ばれる地層が分布する。この地層は、「くさり礫」という風化した石ころを含む特徴がある。くさり礫の中には、指の力で簡単に崩せるものもある。

名前のもとになった富山県中部の呉羽山丘陵では、散策路が整備されており、呉羽山礫層とその下位の砂層や泥層[3]を歩きながら手軽に観察できる。呉羽山老人福祉センター横のコンクリートブロックの壁につけられた小道では、この礫層と砂層との境界を観察できる貴重な露頭がある（写真1）。呉羽山丘陵付近の呉羽山礫層の中からは、約六〇万年前に噴出したテフラ[4]という火山性の堆積物が見つかっている[5]。テフラの年代は、礫層が堆積した年代を示していることから、約六〇万年前には礫を供給した南側の飛騨高原が高くなっていたと考えられる。

富山県東部の平野と山地の境界付近でも呉羽山礫層が見られ、飛騨山脈に分布する花崗岩などの礫を含んでいる。この礫層より古い地層は、主に海で堆積した砂層であり、礫をほとんど含まない。砂層から礫層への変化は、海だっ

写真1　呉羽山丘陵の呉羽山礫層（右）と下位の砂層（左）との境界

(3) 古い地層から順に西富山砂岩層、安養坊砂泥互層、長慶寺砂層などが分布する。

(4) 火山灰、軽石、スコリア、火砕流堆積物などの総称。

(5) 田村ほか、二〇一〇年。

た所に大量の礫を供給できるような山地が形成されたことを物語っている。礫層と砂層に含まれるテフラの年代から、この付近の呉羽山礫層の堆積年代は二六五〜一六五万年前、下位の砂層の堆積年代は三五〇万年前である[6]。これらのことから、現在の飛騨山脈が礫を運べるような高さに隆起したのは、砂層から礫層へ変わった三〇〇万年ほど前と考えられる。

呉羽山礫層に含まれるテフラが示す堆積年代は、富山県の中部と東部とで異なる。このように同じ地層の名称でも場所によって堆積年代が大きく異なることがある。山地の形成を検討する際には注意が必要であり、それぞれの場所で礫層の堆積年代を知る必要がある。

(6) 田村ほか、二〇一〇年。

2 七大河川がもたらす侵食

河川は、侵食[7]と堆積をもたらす。特に豊富な水と速い流れのある山地内では、下方への侵食が著しい。黒部川上流では、大きく下方へ侵食した日本一深いV字谷を見ることができる（写真2）。宇奈月から黒部峡谷トロッコ電車に乗って欅平《けやきだいら》まで移動する中で、黒部川の侵食の激しさを実感できる。

富山県では、黒部川に加え、片貝川、早月川、常願寺川、神通川、庄川、小矢部川の七大河川が流れている[8]。常願寺川は、日本の川を世界の川と比べるときに、その急峻さからよく引き合いに出される。三〇〇〇m級の飛騨山脈から富山湾までの五六㎞を一気に流れるため、侵食は激しい。支流の称名川では、大量の流水が岩盤を削り連続落差日本一の称

(7) 風、河流、氷河、波などによって地表の物質が除去され、地表が下方または側方に少しずつ侵入していく過程の総称。地形の形成を扱う場合は、水を介さない場合もあることから、「浸」ではなく、「侵」を用いる方がよい。

(8) 藤井、二〇〇〇年。

名滝(9)や高さ約五〇〇ｍの断崖絶壁である悪城の壁(10)をつくっている。常願寺川と同じく日本の中でも屈指の急流河川である早月川では、海の近くでも流れが速く、河道に礫が堆積している。河口付近にかかる早月橋からは、川に立つ白い波と多くの白い礫を見ることができる（写真3）。

富山県の中央を流れる神通川は、上流側で宮川と高原川に分かれる。これらの河川は、標高一〇〇〇～一七〇〇ｍ程度の飛騨高原北部を南から北へ横断するように削り込んで流れている。もし飛騨高原北部が高くなった後に川が流れ始めたのであれば、源流は飛騨高原北部となる。しかし、実際の源流は、飛騨高原北部や高山盆地より南側の川上岳《かおれだけ》である。このことは飛騨高原北部が高くなる前から、これらの川が今の流路を流れていたことを示している。このような河川を先行谷《せんこうこく》という。

(9) 四段の滝の落差を合計すると三五〇ｍと日本一である。
(10) 称名滝より下流の称名川左岸の急峻な地形であり、立山火山の噴出物からなる。

写真2　著しく下方へ侵食した欅平付近の黒部川

写真3　早月川河口近くの橋から見た河床

先行谷のように山地の隆起を示す地形は、砺波平野に流れ込む庄川でも見られる。庄川の扇頂より上流は、蛇行した河川が山地を侵食して峡谷をつくっている。このような蛇行を穿入《せんにゅう》蛇行《だこう》という。山地が形成されて高低差ができてからでは蛇行することは困難である。そのため、穿入蛇行の存在は、山地が形成される前から庄川が今の流路を流れていたことを示している。

3　平野をつくる扇状地群

富山県の平野では、扇状地[11]が発達しており、周辺の山地から流れてきた複数の河川によって扇状地群をつくっている。扇状地は、急峻な山地から河川によって運搬された土砂が、平地に到達したところで堆積してできる地形である。土砂は洪水のたびに河川によって運搬される。扇のかなめにあたる扇頂から下流では、流路が左右に振れながら土砂を堆積させ、どの方向にもほぼ等しい勾配をもつ地形面をつくる。

黒部川の扇状地は典型的な扇形をしており、扇頂を中心として等高線が同心円である。[12]この扇頂の愛本橋付近は、川幅が五〇mほどと極端に狭い。風化や侵食に強いリソイダイト[13]と呼ばれる岩石が分布しているためである。昭和四四年八月の大洪水では、この地点の水位高が一四一・二三mにもなった。右岸にあるコンクリートの建物の壁に当時の水位が示されている。この扇頂から下流には、大量の土砂が堆積している。約一二km離れた海岸も扇状地の一部であり、砂礫海岸になっている。

(11)　河川が平坦地に流下する地点を中心とする同心円状の等高線で示される。上流側から扇頂、扇央、扇端に区分される。

(12)　標高一〇mより低い部分では同心円にはならず、黒部川の河口付近で西へ張り出している。

(13)　斑晶をほとんど含まない緻密な流紋岩。

常願寺川の扇状地は、上流部の立山カルデラなどから洪水によって大量の土砂が運搬されて形成された。その分布は広く、扇状地の末端である扇端は、富山市の中心市街地である総曲輪《そうがわ》付近まで達している。扇端よりも下流側には、氾濫原低地[14]が広がる。総曲輪通りや平和通りでは、扇状地から氾濫原低地へ勾配が緩くなることを歩いて体感できる。ここでは、通りを西から眺めると車が上下に並んで走っているように見える（写真4）。これは、扇状地を走る車と氾濫原低地を走る車を一緒に見ている状況である。

写真4　車の位置からわかる平和通りの地形の高度差

　神通川は、富山市笹津《ささづ》付近を扇頂として扇状地を形成するが、きれいな扇形ではなく比較的小規模である。これは、常願寺川によって運搬された大量の土砂によって神通川が西へ追いやられる一方で、西側が呉羽山丘陵で制限されるためである。窮屈な状況であるが、下流の氾濫原低地に達すると、流路は位置や大きさを自由に変えて蛇行する。現在の流路は直線的であるが、昔の流路は蛇行していた。

　砺波平野では、庄川の扇状地が西に広く張り出している。そのため小矢部川は西へ追いやられ、扇状地を作らず宝達山丘陵沿いを流れている。この関係は、常願寺川と神通川と呉羽山丘陵の関係と同じである。

　富山県で見られる扇状地の多くは、最終氷期[15]以降に形成された。氷期には、河川の流量の低下に伴い運搬する力が小さくなり、中

（14）河川の堆積作用によって形成された平野において扇状地と三角州との間の低地。

（15）最も新しい氷期であり、約二万年前が最も寒い時期であった。

流域などで土砂の堆積が顕著になる。氷期が終わると、河川の流量が増加することで、山地の斜面や中流域の堆積物が活発に侵食され、その土砂が下流域まで運搬されて扇状地として堆積する。扇状地の形成にこのような気候の作用も重要であるが、河川によって運ばれる土砂が上流側で大量に生産されないと扇状地はできない。飛騨山脈などの隆起する険しい山地が、大量の土砂を生産する場となっている。

4 河成段丘が示す隆起速度

河成段丘[16]は、気候変動に由来する規則的かつ周期的な河床の変化に、速度がほぼ一定の隆起が加わって形成される。富山平野では、扇状地の周辺に顕著な河成段丘が見られる。これは、侵食から取り残された昔の扇状地である。

黒部川流域では、少なくとも四段の河成段丘が発達し、扇頂より下流では富山湾側へ著しく傾動[17]している[18]。上流側の峡谷部になると段丘の発達が悪くなり、段丘を連続して追うことが難しくなる。山腹に位置する平坦な尾根状の地形を段丘として連続するとした場合の隆起速度は、年間で二・三〜一・五㎜である[19]。この値は、日本の一般的な隆起速度に比べると一桁大きな値である。隆起速度が速いところでは侵食が著しく、段丘面がわかりづらくなる。そのような地域での隆起速度は、どのようにして知ることができるだろうか。現地を歩くと、宇奈月温泉スキー場へ登る道路沿いなどで、かつて黒部川を流れていたと思われる丸い礫を見ることができる。このような堆積物を山地内で丹念に調べることが、隆

(16) 形成過程に基づいた名称であり、河川の侵食と堆積によって形成されたことを示す。河岸段丘は、段丘が発達する位置に基づいた名称である。
(17) 地表面がある特定の方向に傾斜した状態。
(18) 町田ほか編、二〇〇六年。
(19) 吉山・柳田、一九九五年。

起速度の解明につながるだろう。

5　富山湾特有の海底地形

富山湾は、飛騨山脈と能登半島の間の海域にある。この海域の中でどの範囲を富山湾と呼ぶかについては場合によって異なる。富山の人は、富山県と石川県の県境の沖にある仏《ほとけ》島《じま》と富山県東部の生地鼻《いくじはな》、あるいは宮崎海岸を結んだ線の南側を富山湾とすることがある。[20]能登半島東部の付け根あたりにある雨晴海岸《あまはらしかいがん》からは、富山湾越しに三〇〇〇m級の飛騨山脈を望むことができる（写真5）。富山県のダイナミックな地形を感じられる景観地の一つである。

富山湾の特徴の一つが、海底地形である。水深一〇〇〇mに達する富山湾は、駿河湾と相模湾に並ぶ深海湾の一つである。海岸沿いには浅い海底がほとんどなく、急に深海に向かって落ち込んでおり、険しい海底谷が並ぶ（図2）。水深八〇〇m付近より深くでは、海底の勾配が比較的緩い。海岸から深海に向かう急激な落ち込みは、河川が運搬した土砂を深海へ運びやすい地形である。そのためか富山湾の大陸棚[21]は、日本列島周辺の一般的な大陸棚に比べて幅が極めて狭い。最も良く発達する氷見付近での幅は、六〜七㎞である。常願寺川と黒部川の河口の間では、大陸棚はほとんど分布していない。黒部川河口より東側の大陸棚の幅は、二㎞以下と狭い。地球上の広い範囲が氷河に覆われる氷期には、海面が現在より一〇〇m以上低下することもある。そのため大陸棚には、海面が低下した際の

(20)　藤井、二〇〇〇年。

(21)　海岸から水深百数十〜数百mで緩く傾斜する平坦な海底。

写真5　雨晴海岸から眺めた富山湾越しの飛騨山脈

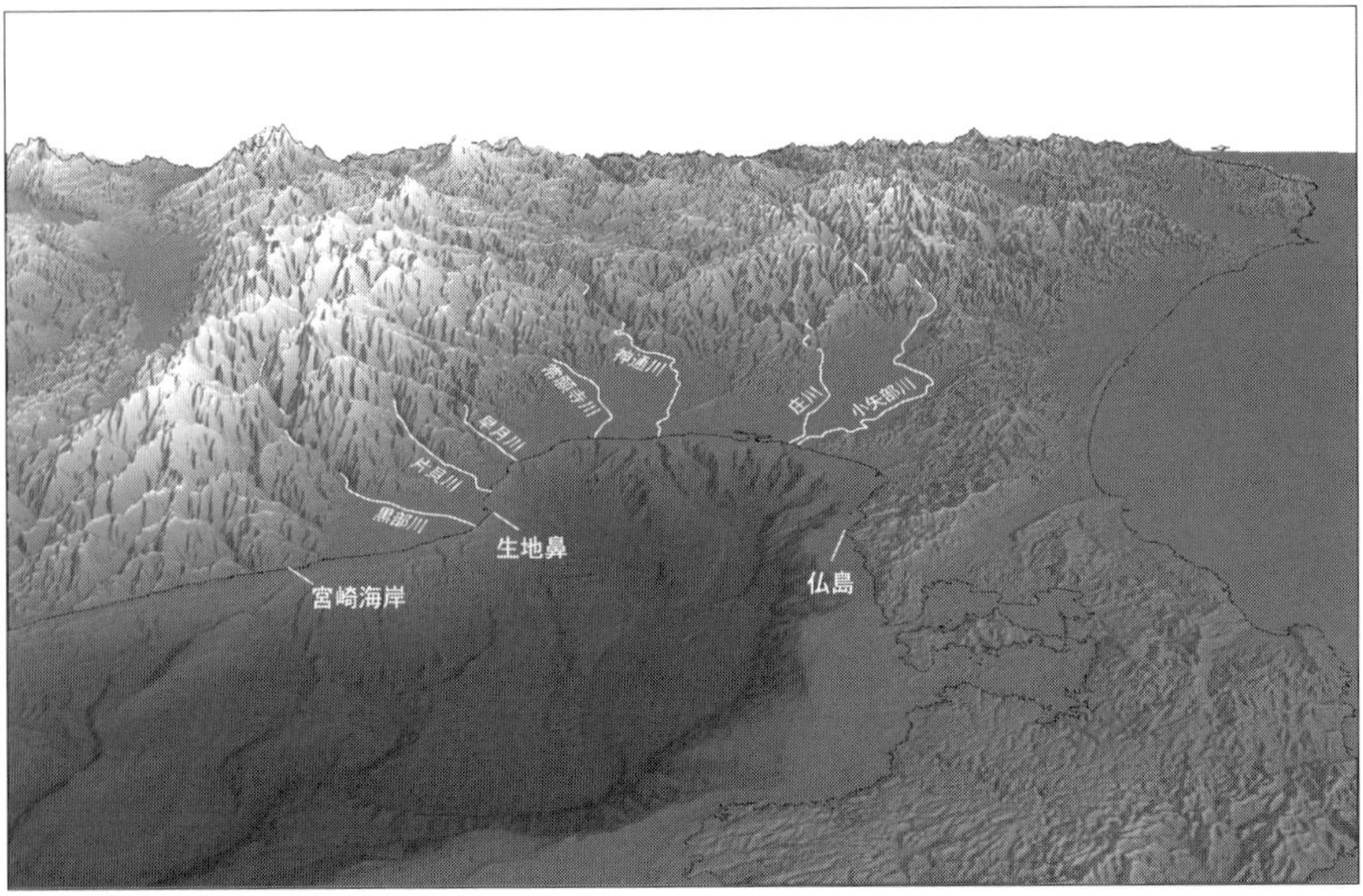

図2　海域まで含めた富山県周辺の地形
陸域は、ASTER GDEMを使用して作成。
海域は、一般財団法人日本水路協会のM7011海底地形データを使用して作成。
「（一財）日本水路協会承認　第20190108号」

侵食・堆積やその後の隆起・沈降が記録されている可能性がある。

富山湾の形成は、日本海の形成と一緒に考える必要がある。大陸にくっついていた陸地が離れてくる際にできた隙間が日本海の原形である。それと一緒に富山湾の窪み自体は、三〇〇〇万〜二〇〇〇万年前にできており、八尾《やつお》の方まで続いていたが、それが埋め立てられて現在の富山湾の形になっている。(22) 河成段丘が示す富山湾側への傾動や海側が低下する活断層の運動が生じているならば、富山湾は沈降していることになり、飛騨山脈から大量の土砂が供給されようとも容易には埋め立てられないだろう。

(22) 竹内、二〇〇六年。

6 活断層がつくる地形

活断層とは、最近の地質時代(23)に繰り返し活動し、将来も活動する可能性がある断層である。断層には、横ずれ断層と縦ずれ断層があり、富山県にはその両方が存在する(図3)。これらの活断層は日々動いているのではなく、一般的に数千年〜数万年の間隔で動く。その際にマグニチュード七クラスの地震が発生する。富山県に大きな被害をもたらした一八五八(安政五)年飛越地震は、跡津川断層がずれて発生した。

跡津川断層は、飛騨高原北部を北東—南西方向に長さ約七〇㎞にわたって延びる右横ずれの活断層である。神通川の上流の宮川と高原川は、この断層を境に約三㎞屈曲している。もともとはまっすぐだった流路が、断層を境に食い違ったためである。国道四一号線を車で走ると、道路が直角に折れ曲がるのでよくわかる。跡津川断層の右横ずれ変位の平均的

(23) 最近の地質時代とは、約二六〇万年前以降、過去数十万年以内、十数万年前以降など出版物や評価法によって異なるが、どれも四六億年という長い地球の歴史からすると最近である。

な速度は、一〇〇〇年に二~三mである。過去もずっと同じ活動だったとすると、約三kmの屈曲をつくるのに一〇〇~一五〇万年かかったことになる。

呉羽山丘陵は、南東側から眺めると壁のように急な斜面であるが、北西側から眺めるとなだらかに高くなっている。丘陵の地層を見ると、北西部では地形と調和的に北西へ傾く。しかし、南東部では地形と調和的ではなく、地層は全て北西へ傾いており、上空へ続いて

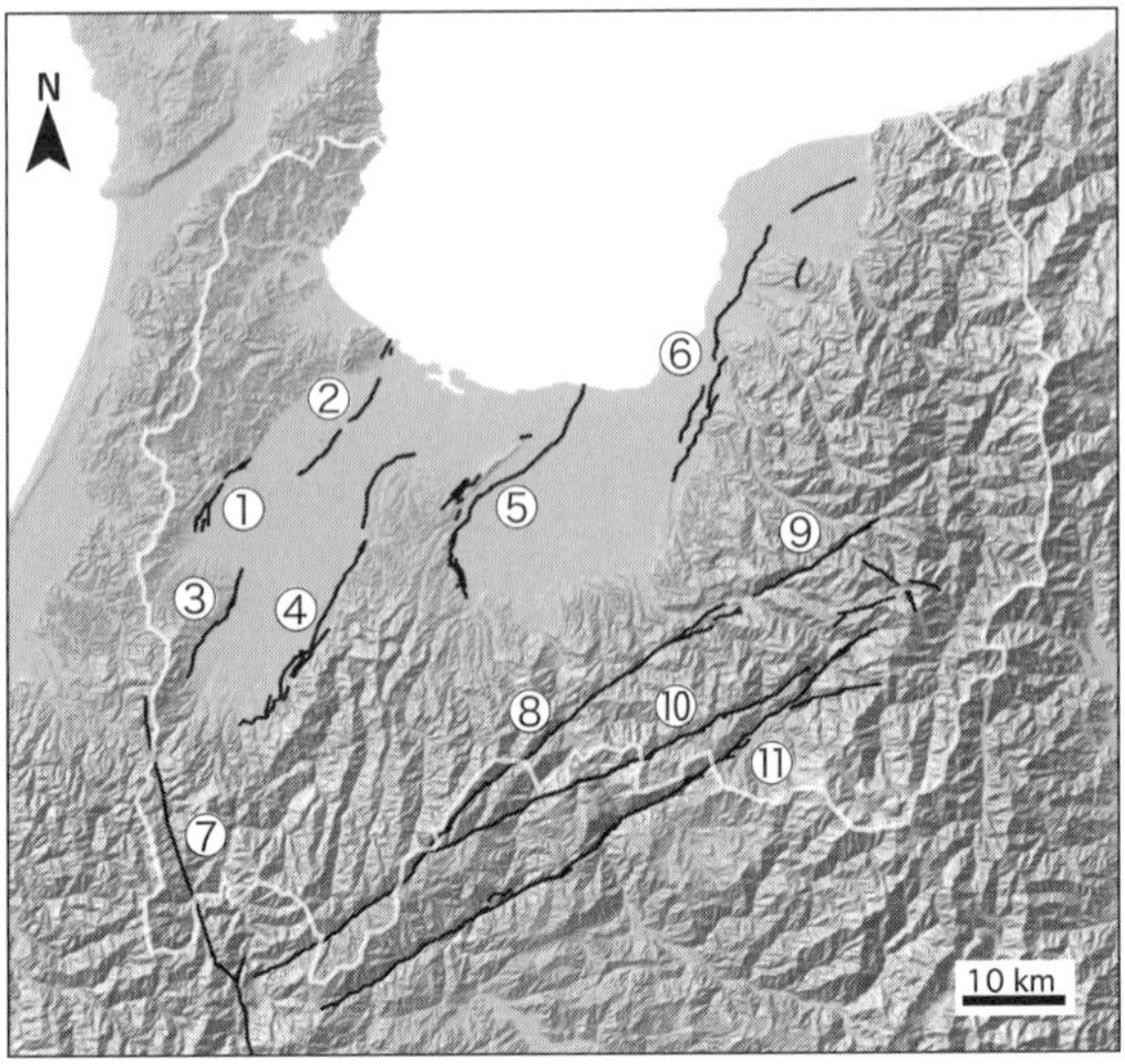

図3　富山県に分布する主な活断層
縦ずれ断層（逆断層）：①石動断層、②高岡断層、③法林寺断層、④高清水《たかしょうず》断層、⑤呉羽山断層、⑥魚津断層
左横ずれ断層：⑦加須良《かずら》断層
右横ずれ断層：⑧牛首断層、⑨早乙女岳《さおとめだけ》断層、⑩万波峠《まんなみとうげ》-茂住祐《もずみすけ》延《のぶ》断層、⑪跡津川断層
背景図は、国土地理院の陰影起伏図を使用。
活断層の位置は、国土地理院の活断層図（都市圏活断層図）および地震調査研究推進本部の主要活断層帯を参考に図示。

写真6　上空へ続いていくように見える呉羽山丘陵の地層

いくように見えて奇妙である（写真6）。富山県は、丘陵を横切るように一九九六年に反射法地震探査(24)を行なった。(25)その結果、丘陵の地下では北西へ傾く地質の構造が捉えられた。丘陵の南東側では南東へ傾く構造が見られ、褶曲が形成されていることがわかった。また、断層の存在も確認でき、北西へ傾く断層を境に北西側の岩体がのし上がる逆断層の構造が見られた。この断層が、呉羽山断層である。呉羽山断層の地表付近の位置は、丘陵から平野側へ約一km離れた地点である。現在の丘陵と断層の地表位置の間が高くない理由は、この部分の地層が神通川などによって侵食されたためと考えられる。地層が上空へ続いていくように見えるのもそのためである。

呉羽山断層の北東延長上は富山湾である。二〇一〇年度に海域で実施された音波探査の結果、断層運動に伴って形成されたと考えられる褶曲が見つかり、呉羽山断層の海域延長部の長さは一二・七kmであることが判明した。(26)陸域を含めると総延長三五kmの活断層である。

富山県の過去一〇〇〇年程度の地震活動は、極めて低調である。しかし、活断層が存在していることは事実である。近年地震がないからといって安心はできない。富山県でも一九九五年兵庫県南部地震や二〇一六年熊本地震のような活断層が引き起こす大きな地震に備える必要がある。

(24) 地表近くで人工的に発生させた振動を地下に送り込んで、地下で反射して地表に戻ってきたところを受振器で観測し、記録された波を処理・解析することで地下構造を把握する探査。

(25) 富山市ファミリーパーク、呉羽トンネル、安田城跡などを通るルートの探査。富山県、一九九七年。

(26) 富山大学・地域地盤環境研究所、二〇一一年。

7　時空の物語をテーマにした立山黒部ジオパーク

本章で紹介した地形や地質を学び楽しむことができる場所として、ジオパークがある。ジオパークとは、地球・大地を表すジオ（Geo）と公園（Park）とを組み合わせた言葉で、「大地の公園」を意味する。大地（ジオ）の上に息づく動植物（エコ）の中で、私たち人（ヒト）は生活し、文化や産業などを築き、歴史を育んでいる。ジオパークでは、これらのジオ・エコ・ヒトのつながりを学びながら楽しむことができる。

立山黒部ジオパークは、富山県東部の九市町村[27]と富山湾の一部からなり、「三八億年×四〇〇〇m！　体感しようダイナミックな時空の物語」をテーマとしている。このダイナミックな時空は、立山黒部ジオパークのロゴマークにもなっている。砂時計を模した形に飛騨山脈、扇状地、河川、富山湾が描かれたユニークなマークである（図4）。立山黒部ジオパークでは、エリア内のみどころを「サイト」に指定して、それらを巡るジオツアーを数多く企画している。ジオツアーに参加して、富山県のダイナミックで特色ある地形を実感してみてはどうだろうか。

〔謝辞〕一般社団法人 立山黒部ジオパーク協会の山岡勇太氏および国立研究開発法人 日本原子力研究開発機構の小松哲也氏には、それぞれの専門から多くの助言をいただいた。ここに記して感謝したい。

図4　ダイナミックな時空を表現した立山黒部ジオパークのロゴマーク

(27) 朝日町、入善町、黒部市、魚津市、滑川市、上市町、立山町、舟橋村、富山市の九市町村であり、富山県の約三分の二という広い範囲が立山黒部ジオパークである。

〔参考文献〕

藤井昭二『大地の記憶 富山の自然史』桂書房、二〇〇〇年
町田洋・松田時彦・海津正倫・小泉武栄編『日本の地形五 中部』東京大学出版会、二〇〇六年
竹内章「富山県東部地区における地震を発生させる断層について」黒部川扇状地、Vol. 三一、五六―六三頁、二〇〇六年
田村糸子・山崎晴雄・中村洋介「富山積成盆地、北陸層群の広域テフラと第四紀テクトニクス」地質学雑誌、Vol. 一一六 補遺、一―二〇頁、二〇一〇年
富山大学・地域地盤環境研究所「沿岸海域における活断層調査 呉羽山断層帯（海域部）成果報告書」二〇一一年
富山県「呉羽山断層に関する調査成果報告書」一九九七年
吉山昭・柳田誠「河成地形面の比高分布からみた地殻変動」地学雑誌、Vol. 一〇四、八〇九―八二六頁、一九九五年

column

安政飛越地震の被害と鎮魂

高野靖彦

富山県の五大河川（黒部川、常願寺川、神通川、庄川、小矢部川）は全国屈指の急流で知られる。なかでも「暴れ川」と呼ばれる常願寺川は、河口部と源流部の標高差が約三〇〇〇mもあるが、流路延長五六㎞とかなり短い。これまで何度も氾濫《はんらん》をくり返し、流域に住む人びとを苦しめた。西番《にしのばん》、中番《なかのばん》、下番《しものばん》という地名は、洪水を番（監視）する場所の意味と伝わる。西番にある正源寺《しょうげんじ》は、洪水を鎮める祈祷寺として天正二（一五七四）年に創建され、天井の「鳴き竜の絵」（富山市指定文化財）は富山藩の第十代藩主前田利保《としやす》が城下町を洪水から守るために藤原守胤《もりたね》に描かせたもので、龍が大声で鳴き、洪水の危険を知らせたとの伝説が残る。

幕末の安政五年二月二六日（一八五八年四月九日）未明、跡津川断層を震源とする推定M七・三〜七・六の巨大地震が越中（富山県）に襲いかかった。安政飛越地震である。飛騨北部（岐阜県）を中心に、越中、加賀（石川県）、越前（福井県）などに家屋倒壊や圧死者、土砂災害などの甚大な被害をもたらした。越中および飛騨北部では全・半壊の家屋が約二七〇〇戸、圧死者が約二八〇人を数える。越中の平野部では、液状化現象に伴う家屋・土蔵の全・半壊の倒壊被害が多く、山間部では山崩れに巻き込まれた死者が多くみられた。

この激震で立山カルデラの大鳶山《おおとんびやま》・小鳶山《ことんびやま》が崩壊し、常願寺川上流に大量の崩壊土砂が堆積し、川をせき止め、大小の湖ができた。三月一〇日（新暦四月二三日）と四月二六日（六月七日）にせき止め部が決壊し、平野部に大土石流となって押し寄せた。溺死者一四〇人以上、流失・全壊家屋一六〇〇戸以上という大惨事となった。翌安政六年に再び大洪水が発生し、加賀藩は家屋を失った左岸側の二五〇余戸の人びとに対して右岸側の高原野（立山町）へ移住するよう命じた。

常願寺川流域には直径四〜八mの「大転石《だいてんせき》」と呼ばれる四〇数個の巨石が点在している。これらは安政大洪水で上流部から運ばれてきた巨石であり、その破壊力がいかに凄まじかったかを今日の私達に伝える貴重な遺産である。現存する大転石で最大のものは「西大森の大転石」と思われる。高さが八m以上あり、洪水の際、流れてきた巨石が破損した堤防に埋まり右岸側の被害を少なくしたといわれる。大正四（一九一五）年、西大森住民は巨石の上部に水神の石碑を建てた。「大場の大転石」は十万貫石とも呼ばれ、推定重量四〇〇tとされる。「流杉の大転石」には明治二（一八六九）年、八竜冠をかむり、右手に剣、左手に羂索《けんさく》（縄状の仏具）をもつ水天像が彫られ、「水除水神 村方安全」と刻んである。

こうした大転石や水難防除の水神とは別に、犠牲者の供養碑も多く残されている。明治二三（一八九〇）年（三

写真1　西大森の大転石（上：水神、下：大転石）

写真2　大場の大転石（十万貫石）

三回忌)、広田・針原用水で作業中に洪水に呑み込まれた人夫の供養碑が新庄広田用水公園に建立された。また、昭和三八(一九六三)年、岩屑なだれで埋没した立山温泉滞在の三六人の供養塔が念法寺《ねんぼうじ》と立山温泉跡に建立された。

写真3　石倉町の延命地蔵尊

富山市を流れるいたち川沿いには、多くの地蔵尊像や観音像などがまつられている。安政大洪水で一面の泥海となり病人が増加した際、流れてきた地蔵尊像を石倉町の町人が供養したところ病人が快方に向かったと伝承される。この地の湧き水は「延命地蔵の水」と呼ばれ、万病に効く水として名が広まった。石倉町の霊水は龍の口から、泉町の霊水は鯉の口から湧き出て、多くの人びとが水を汲みに足を運ぶ。安政飛越地震から派生し、今もなお根付く信仰がここにある。

富山県の歴史は「洪水との闘いの歴史」と言っても過言ではない。越中富山の先人は、恵みと災害をもたらす河川に向き合い、災害犠牲者の鎮魂につとめ、たゆまぬ努力と工夫を重ねてきたのである。

〔参考文献〕
廣瀬誠『地震の記憶　安政五年大震大水災記』桂書房、二〇〇〇年
『一八五八飛越地震報告書』内閣府中央防災会議災害教訓の継承に関する専門調査会、二〇〇九年
高野靖彦『安政飛越地震の史的研究 自然災害にみる越中幕末史』桂書房、二〇一八年

富山と砂防、そして世界遺産を目指すまで

原　隆史

1　すべての山や斜面は崩れようとしている

読者のみなさんは、大雨や地震のときに斜面が崩れて、全国で沢山の被害者が出るたびに胸を痛めているのではないだろうか。「どうして土砂災害はなくならないの」とか、「国や県は何をしているの」などと考えているのかもしれない。

しかしながら、高いところにあるものが下に落ちるのと同じように、斜面が崩れるのは自然なことである。どれくらい自然かというと、みなさんが誰かを好きになるように自然なことなのである。そして誰かを好きになると、何かをきっかけに声をかけようとかお付き合いしたいと思うのではないだろうか。斜面も一緒で、大雨や地震などをきっかけに、

「それ今だ！」と言って（もちろん言葉には出さないし、気持ちだけでも崩れたりしないが・・・）斜面は崩れるのである。

　また、崩れるのは勾配が急な斜面（以下「急斜面」）ばかりではない。たしかに急斜面が崩れやすいのは事実である。たとえば大雨が降ると、どこの急斜面でも崩れる危険性がある。この急斜面が雨や地震で崩れることを「土砂崩れ」や「山崩れ」という。しかしながら、一方で勾配の緩い斜面（以下「緩斜面」）も崩れたいという気持ちは急斜面と一緒なのである。このため緩斜面は、急斜面を羨むばかりではなく、崩れるための努力もしている。どんな努力かというと、たとえば大雨や地震のときに崩れようとする力がかかるが、緩斜面なので急斜面のように一気に崩れることはない。それでも図の上に示すように斜面の中にキズが発生し、大雨や地震が繰り返されると、その度にこのキズが徐々に増え、やがては図の下のように繋がって斜面の中に潜在的なすべり面が作られる。そして数年から数十

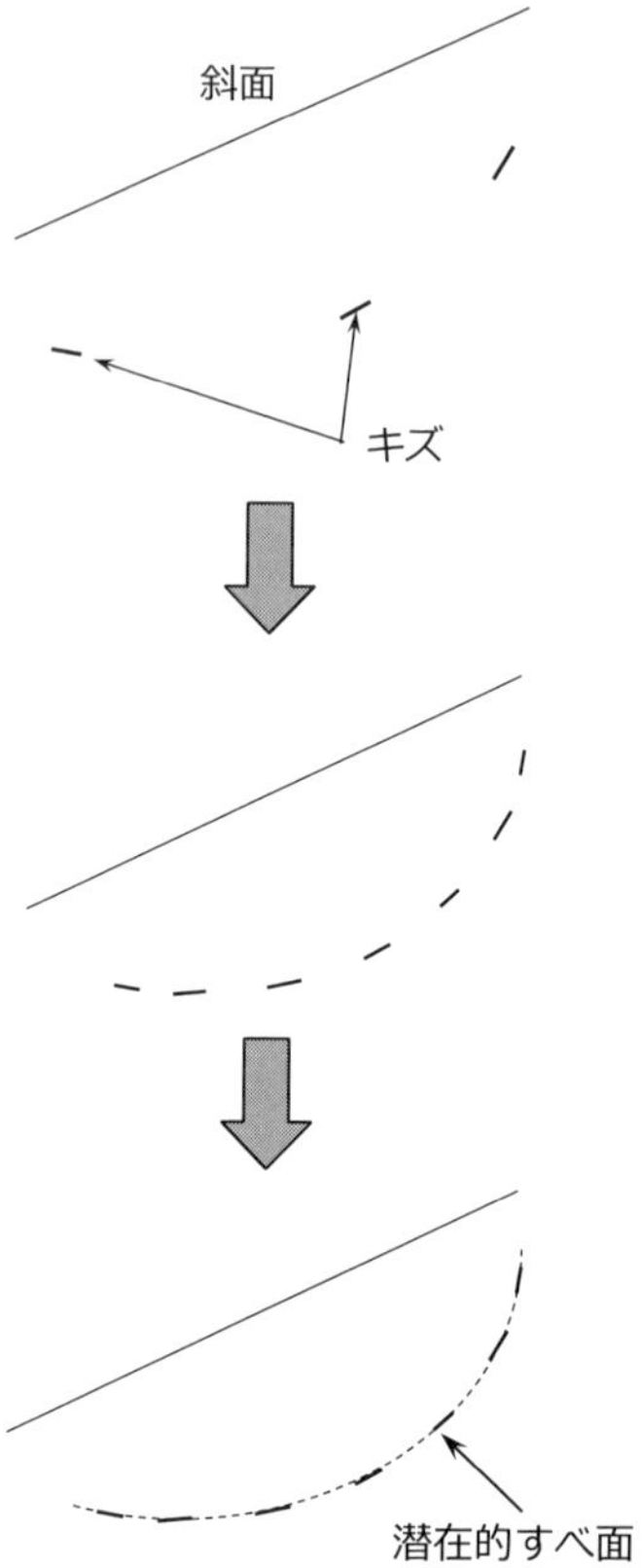

図1　地すべりのメカニズム

年かけて斜面が動くのである。これを「地すべり」という。まさに地すべりは、緩斜面の「虚仮の一念岩をも通す」みたいに動くのである。

このように斜面が崩れるのは自然なことであり、これはわが国から山がなくなるまで続くと言っても過言ではない。

それでも自然なことだからといって、斜面が崩れるのを看過することはできない。特に山国であるわが国では、斜面の下に沢山の人が住んでいるし、道路や鉄道だって通っている。だから土木では自然に立ち向かう。自然に立ち向かって斜面が崩れないようにしたり、崩れても下の人や交通に影響が出ないようにしたりしている。自然に立ち向かうとは無謀なことだが、やらなければならないのである。

ここで、土砂災害を防止することを「砂防」、このための対策事業を「砂防事業」などという。この「土砂災害」とは、土砂崩れによる災害、地すべり災害、土石流災害（沢や川の上流側で土砂崩れが発生し、崩れた土砂が沢や川の水と一緒に下流側に流れ下り、下流に甚大な被害を及ぼす災害）などを総称している。

ちなみに「災害」とは、何か（大雨、地震、その他）が起こり、周囲がどうにかなって（土砂崩れや土石流など）、人や社会経済に被害を及ぼすことをいう。このため、山奥で土砂崩れがあっても、人や社会経済に悪影響を及ぼさなければ災害とはいわない。この意味で、周囲がどうにかなりそうなときに、人や社会経済への影響を最小限に留めるため、避難を促したりこのための情報を提供したりすることも重要な防災対策のひとつであり、これは一般に「ソフト対策」と呼ぶ。一方、周囲がどうにかなるのを防ぐ対策、あるいは周囲がどうにかなっても、砂防施設のように土石流が人や社会経済に被害を及ぼすことを防ぐ対策を「ハード対策」という。国や県の防災費用に限りがあることや技術的な観点から、ハード対策には長い時間がかかるという状況、さらには、異常気象などから土砂災害の増加が懸念される昨今では、ソフト対策とハード対策との有効な両立が必要不可欠となっている。

2 富山と砂防

富山県では、土砂災害対策のうち、土石流が人や社会経済に被害を及ぼすことを防ぐハード対策の砂防堰堤（砂防ダムともいう）がとても有名である。そこで、ここでは砂防堰堤についいて述べることとする。

まずは富山県の河川の特徴について述べる。富山県には急勾配の河川が多く、特に常願寺川は平均河床勾配が三〇分の一（三〇m進んで一m下る）と、世界で最も急な河川と言っても過言ではない。その昔、ある有名な海外の河川技術者が「これは川ではない、滝だ」と言ったとか言わなかったとか、それほどまでに勾配の急な河川なのである。このような河川の上流で土砂崩れが起こった場合、石や土砂が水と一緒にものすごい勢いで流れ下ってくるため、その恐ろしさをみなさんも想像できるのではないだろうか。事実、常願寺川には大きな石がゴロゴロあり、大雨が降るとこれらの石が流されて石と石がぶつかって火花が散ると言われている。

一八五八年四月九日に飛越地震というマグニチュード七クラスの大きな地震があり、かつての大鳶山と小鳶山が完全に崩壊して、立山カルデラに大量の石や土砂が流れ込んだ。

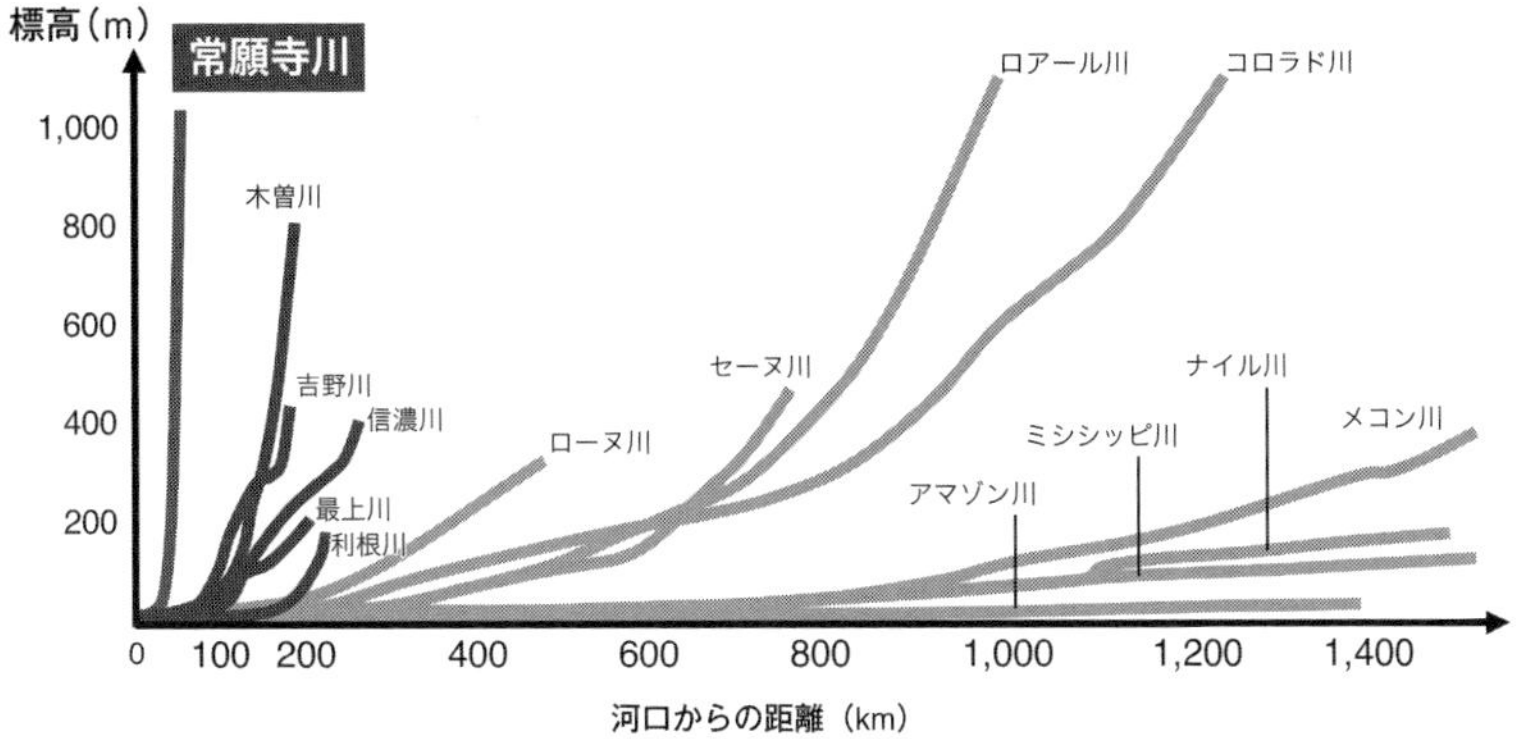

図2　世界の主な河川の勾配（提供：国土交通省立山砂防事務所）

この土砂は約四億㎥とされ、これが真川・湯川（常願寺川の上流河川）の流れをせき止め、天然ダム（川がせき止められ、上流側に河川の水が貯まること）が形成された。そして、同年四月二三日と六月七日に川をせき止めていた石や土砂が崩れ、川の水と一緒に大規模な土石流が発生し、富山平野に甚大な被害を及ぼしたのである。立山カルデラとこのときの富山平野の被害範囲、この際に流された巨礫のひとつ（直径約六ｍ）を図と写真に示すが、このような石が土砂や水と一緒に流れ下ってくるので、それがどれだけ恐ろしいことだったのかを想像してみていただきたい。なお、これらの巨石は現在も残っているので確認することができる。「水神として祀られているもの」もあるので、みなさんも時間があるときに見に行ってみてはどうだろうか。

ここで問題なのは、飛越地震で堆積した立山カルデラの石や土砂が、先の土石流で全部流されたわけではないということである。現在でも、まだ約二億㎥ともいわれる土砂が残っていて、それが少しずつ崩壊し何度も災害を起こしている。したがってこのための防災対策をしない限り、富山では安心して暮らせないし、立山はとても綺麗かつ魅力的な観光地で富山の自慢だが、観光客は怖くて富山に来ることもできない。

そこで、このための対策として始めたのが砂防事業である。しかし、大自然に立ち向かって砂防堰堤を建設するというのは簡単なことではない。まず、普段に人が行くようなとこ

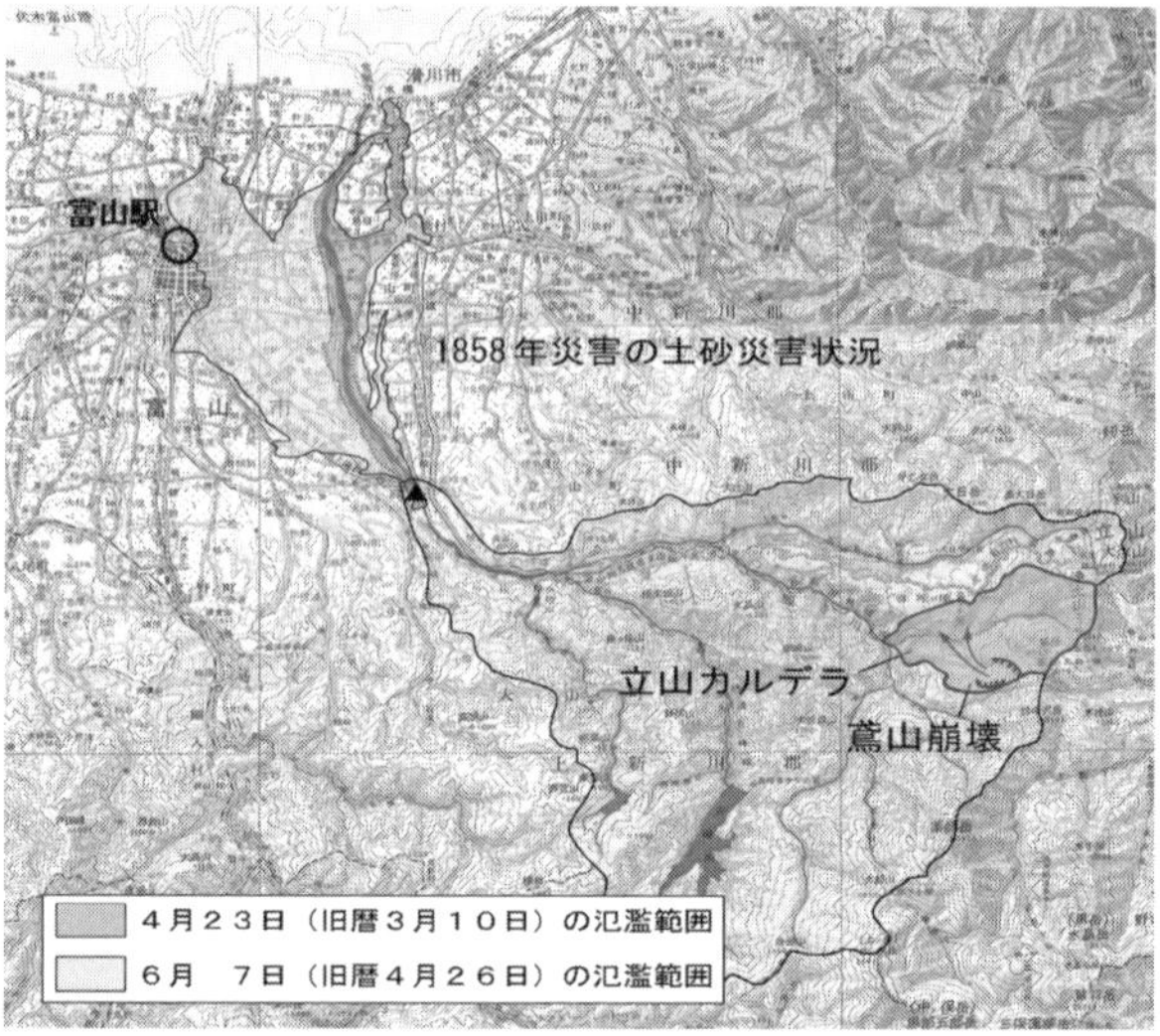

図3　1858年の土石流災害（提供：国土交通省立山砂防事務所）

図4　流れ下った巨礫のひとつ（提供：国土交通省立山砂防事務所）

ろに建設するものではないため、工事用のトロッコ軌道など現場へ行くための施設を作るところから始める。同時に立山近傍は豪雪地帯で、冬期は約八mもの積雪があるため、冬にはせっかく作った現場へ行くための施設や現場事務所を撤去しなければならない。また、周辺は火山灰が堆積した弱い地盤が多いため、ここへ砂防堰堤を建設しても、大自然から考えるととても華奢な物となってしまう。さらには、大量に堆積した石や土砂の対策なので、建設しなければならない砂防堰堤はひとつや二つでは足りず、沢山必要だということである。そして対策のための施設なので、土石流などが流れ下る位置に建設しなければならない。すなわち、危険な箇所に建設するということである。飛越地震の後も土砂流出被害が度重なったため、一九〇六年に富山県が国の補助を受けて砂防堰堤の建設を始めたが、厳しい状況のもと人力での石積みで造られた施設が出水で破壊されたこともあり、一九二六年からは国の事業として行われている。危険な箇所に建設することは先に述べたが、人命第一で工事をするため、現在は立山カルデラの様子をカルデラ内各所に設置されたカメラにより二四時間体制で監視され、不測の事態が発生した際は山道を使っての避難やヘリコプターによる避難の体制が取られている。このように、難工事でありながら大自然と戦っている富山の砂防事業は、世界的に有名になっているのである。

その後、一九三七年には日本最大級の貯砂量約五百万㎥の本宮砂防堰堤（国の重要文化財）が完成し、一九三九年には一〇年の歳月をかけて白岩砂防堰堤（国の重要文化財）が完成した。白岩砂防堰堤は、本堤の高さ六三mと七基の副堤からなる複合体堰堤で落差は一〇八mあり、その規模はともに日本一である。ここで副堤とは、本堤の落差が大きい場合に、下流部の洗掘（本堤からの落水で河床が掘られる現象）を防止して基礎を保護する構造物

図5　本宮砂防堰堤（提供：国土交通省立山砂防事務所）

図6　白岩砂防堰堤（提供：国土交通省立山砂防事務所）

図7　多枝原砂防堰堤群（提供：国土交通省立山砂防事務所）

である。この副堤を七つも有することからも、白岩砂防堰堤の規模の大きさが分かると思う。このように立山カルデラの砂防事業は、初期の事業だけで二つの日本一を有している。

もちろん建設している砂防堰堤はこれらだけではなく、多枝原砂防堰堤群や泥谷砂防堰堤群（国の重要文化財）など、平成二九年までに一一七基の砂防堰堤が建設されている。このため一九六九年の豪雨の際には、常願寺川上流の多枝原谷等では土石流が発生し、称名川・真川等で渓岸崩壊（山間を流れる渓流の護岸が崩壊すること）が数多く発生したものの、富山平野には大きな被害を及ぼすことはなかった。また、これ以降も富山平野には大きな被害は発生していない。このような富山での安全・安心の向上は、現在の富山の住民増加や経済発展、観光客の増加の一助になっている。

しかしながら、立山カルデラには、現在もなお黒部ダムの総貯水量とほぼ同じ約二億㎥の大量の土砂（流出すれば富山平野を一〜二m埋没する量）が堆積していると言われており、砂防事業はこれからも継続していかなければならない。

3　人の命は何より大事、だから防災文化だって人類の重要な世界遺産だ！

言わずもがなだが、人の命は何より大切である。それでも災害は、不条理に人の命を奪ってしまう。我々はそれを許せるわけがない。たとえ相手が自然だとしても許すことはできない。地球上に人類が誕生したのは、地球の歴史からいうと最近だが、我々が生きていくためには、地球の自然と戦うとともに共生していかなければならないのである。

わが国は「災害大国」というありがたくない名称で呼ばれることがある。とても悔しいけれど、事実だって言われると何も言えずに唇を噛みしめる、そんな経験はみなさんにもあると思う。国土の約七〇％が山で、毎年一〇〇〇件を越える土砂災害や水害に見舞われている。近年は異常気象の影響も相まって、ゲリラ豪雨や上陸する台風の数・強度ともに増加し、これらの災害はさらに増えると予想されてもいる。おまけにわが国は、四つのプレートがせめぎ合うところに存在する「地震大国」でもある。しかし、わが国の国民はこの国土を愛し、ここで生きていこうと災害と戦って来た。強大な自然、そしてその困難に立ち向かうという観点で、その代表が先に述べた富山の立山砂防なのである。そこで、ここでは立山砂防の歴史的価値として、学術と景観・環境の両面からもう少し詳しく述べる。

学術的価値としては、なんといってもその技術力である。立山カルデラ一帯の降水量は、雨と雪を合わせると年間約五〇〇〇㎜以上で、一般に世界で最も雨が多いと言われているマーシャル諸島をも上回る。飛越地震の後では、この雨が先に述べた天然ダムを決壊させ、その土石流が富山平野に甚大な被害を及ぼしたのだ。このため砂防堰堤を建設するためには、この雨が大量に流れているところに造るので、水の処理が大きな問題だった。特に先に写真で示した白岩砂防堰堤では、一〇八ｍの落差で、ほぼ断崖絶壁と言ってもおかしくないところに堰堤を建設するため、滝のように流れてくる水を仮排水路で何とかしなければならなかった。冬は積雪で仕事ができないので、夏期に建設すると述べたが、夏期はもともと雨が多い上に雪解け水が加わるため、雨のたびに大量の水と土砂が流れてくる中での仮排水路の建設だったのである。想像を絶する困難があったことだろう。

また、技術力という観点では、個別の堰堤の考え方や流域全体で土石流災害を防ぐ砂防システムという考え方でも様々な工夫がある。個別の堰堤の考え方とは、たとえば先の白岩砂防堰堤の写真で、水が右岸側（河川では上流を背にして右岸・左岸という）を流れていることが見て取れるが、これは左岸の地盤がよくないことから流水による浸食を防ぐため、右岸側に水を流しているのである。これを実現するためには、物理的にそうなる工夫が必要だが、ここでは左岸に方格枠（長さ二mの鉄筋コンクリートの角材を井桁状に組んで中には石を入れ、急な斜面に沿ってこれを階段状に重ねた構造）を設置して河床を上げ、護岸工（水ぎわの侵食を防止するための構造物）をコンクリート堰堤の左端部から左岸上流の岩のある所まで設置し、流水が右岸側へ流れるようにしたのである。

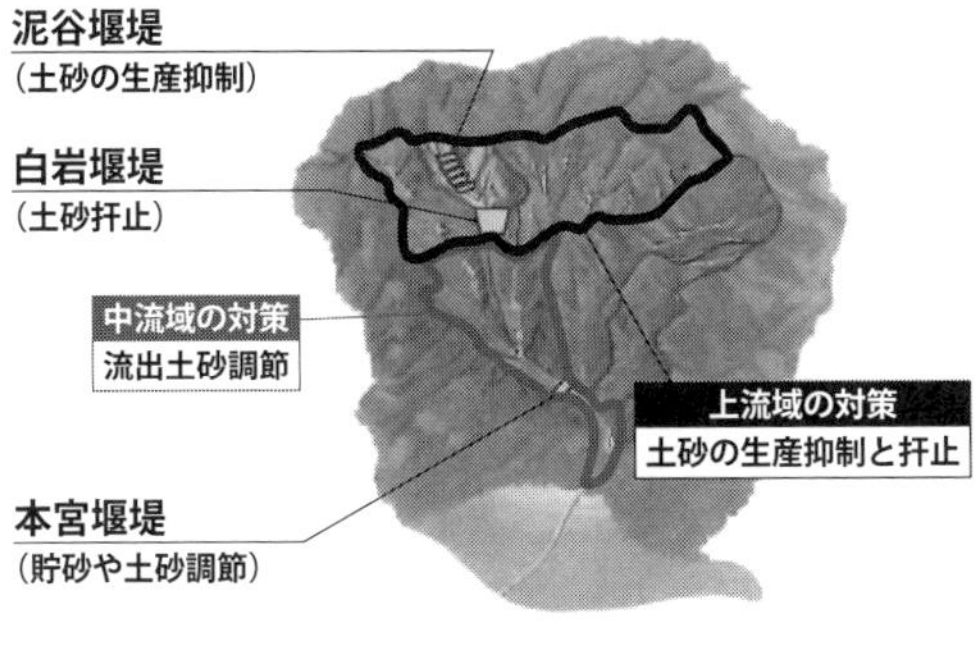

図8　水系一貫の総合的砂防システム

流域全体で土石流災害を防ぐ砂防システムとは、流域全体をひとつの防災対策と捉えるということである。たとえば常願寺川では、一番上流にある泥谷砂防堰堤群で土砂が出てくるのを抑制し、それでも出てきた土砂を白岩砂防堰堤でできるだけせき止め、そして中流にある貯砂量約五〇〇万㎥の本宮砂防堰堤で一時的に堆積させて調整するといったように、全体として水系一貫の管理システムを構築するものとなっている。なお、ここで述べた泥谷砂防堰堤群と本宮砂防堰堤は、平成二一年に重要文化財に指定された白岩砂防堰堤とともに、常願寺川水系を一体的に治める治水対策の礎になった施設であり、わが国の治水史上価値が高いこ

図9　泥谷砂防堰堤群の完成直後と現在の状況（提供：国土交通省立山砂防事務所）

とから、あらためてこの三堤を「常願寺川砂防施設」として平成二九年に重要文化財に指定された。

一方、景観・環境面としては、たとえば泥谷砂防堰堤では渓岸や渓床の浸食を食い止める機能から、この急流を安定化させることで徐々に緑が復元し、現在は上空から見ると周囲と溶け込んでいることが分かる。白岩砂防堰堤でも方格枠を先に紹介したが、方格枠では階段状に積み重ねることにより植物の葉が堆積しやすい構造になっており、このため今では、先に掲載した写真に示すように方格枠の上は緑が豊かで、「どこに方格枠があるの？」と思われた方は多いのではないだろうか。このように立山砂防では、自然に立ち向かうばかりではなく、自然との共生も考慮して計画し建設されてきた。

この節のタイトルで「人の命は何より大事、だから防災文化だって人類の重要な世界遺産だ」と記載したが、立山砂防の偉業によりこれが実現しようとしている。なぜなら、この節の冒頭でも述べたとおり、我々人類が地球上で生きていくためには、自然と戦い共生していかなければならないからである。立山砂防の防災システムは、世界の中でも極めて厳しい条件の中にありながらも、富山平野を守り続けてその効果を立証するとともに、自然と社会との共存が持続可能な形で確保できることを証明しており、「世界でも例を見ない土木構造物」だからである。さらには、同システムは多様で困難な条件下でしっかりと機能しているため、世界のどこでも機能すると考えられ、世界の同様な防災に対し立山砂防がそのよい事例となるように、世界遺産登録は不可欠であると専門家からも評価されている。この例として、二〇一八年に世界二七の国と地域から四九二人の砂防技術者、研究者、行政関係者等の参加で、国際防災学会によるインタープリベント二〇一八という国際会議が富山で開催された。そこで出された「富山宣言」の抜粋を参考として示す。

(インタープリベント：「地質・地形・環境・森林・気象・水文・土木等を取り入れた学際的な防災」の略称、本部オーストリア)

「富山宣言」(抜粋)

立山砂防は、これまで長い間富山を守ってきており、

① 災害が多い日本で生まれた防災の総合技術、

② 最も厳しい自然環境のもと、総合的な水系管理技術の近代におけるひとつの到達点、

③ 世界中の中山間地に適用しうる普遍性のある防災技術、

であると考えられる。

そのため、立山砂防は顕著な普遍的価値を有しており、今後世界の人々の参考となるよう、人類共通の遺産として共有していくべきものである。

現在、立山砂防の世界遺産化は、「自然と共生した世界に誇れる防災遺産・立山砂防」というコンセプトで、国内外での学会や研究会において、立山砂防の価値や魅力の発信に努め、世界遺産登録に向けた理解が得られるよう国内外へのアピールを積極的に進めているところである。

災害大国と言われながらも、懸命に自然と戦いそして共生し「防災大国」を築き上げる様を後世へ、しいては、世界中で自然と戦い続ける国の方々へ、「世界遺産化」を通じて伝えていけることを切に願っている。

〔参考文献〕
『立山の砂防─日本近代砂防の原点─』国土交通省 北陸整備局 立山砂防事務所（パンフレット）
『立山砂防の世界文化遺産を目指して』国際防災学会 インタープリベント２０１８開催報告書、富山県世界遺産登録推進事業実行委員会（パンフレット）

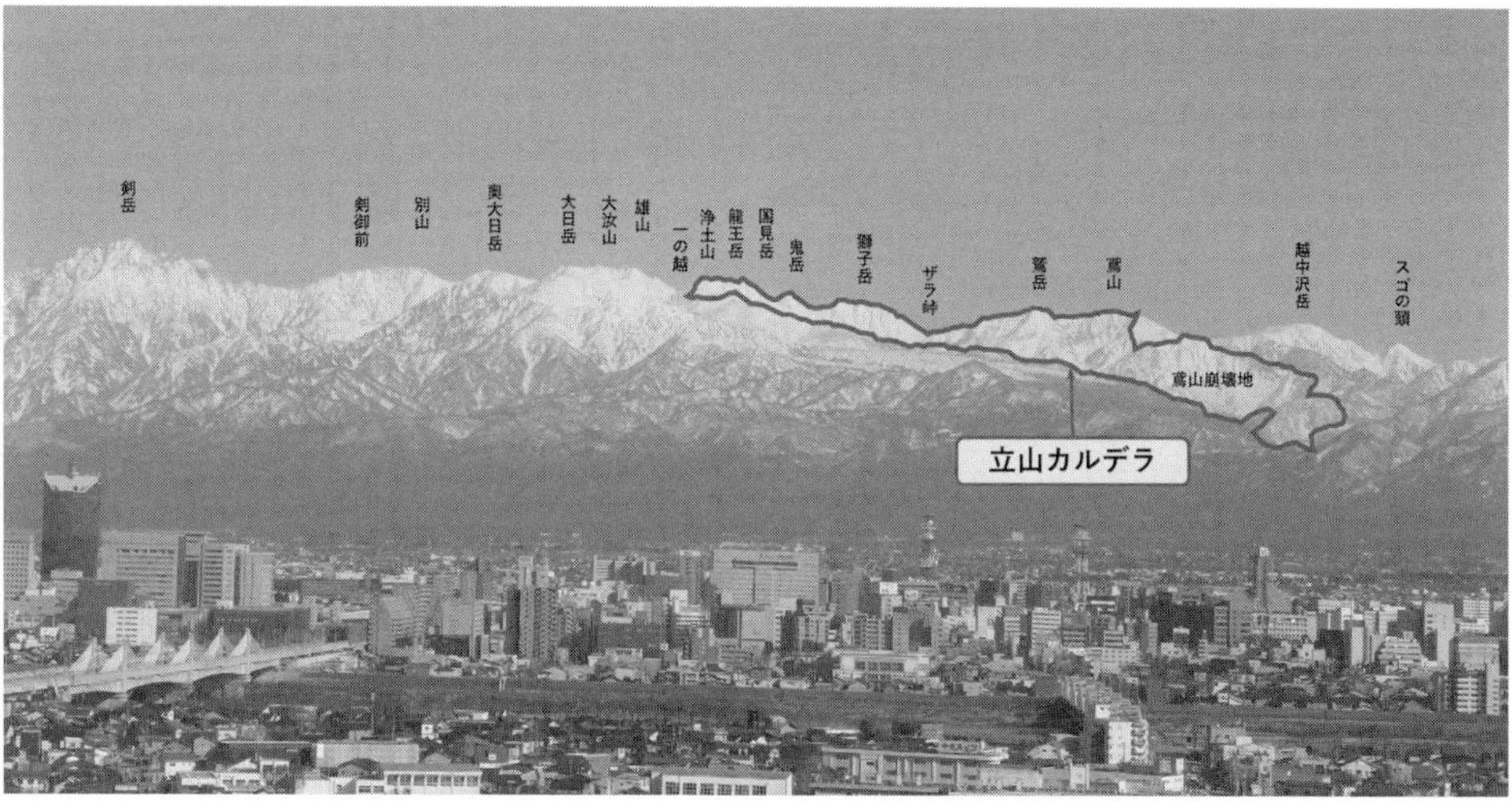

富山市と立山カルデラ（写真提供：安江健一、加筆：原隆史）

column

大火事の歴史と復興

阿久井康平

富山のまちは度々大火災に悩まされてきた歴史がある。変わりゆく富山のまちを語るにあたり、その背景や復興の経緯を理解しておく必要がある。

大空襲による富山市街地の被害と復興

富山市街地では、江戸期から近代にかけて再三の大火災に見舞われてきた。

とりわけ、昭和二〇年八月一日から二日にかけて市街地を襲った富山大空襲は、広島、長崎を除く地方都市へ

写真1　富山市街地の空襲被害（1945年8月）[1]

写真2　戦災直後の西町付近（1945年8月）[1]

写真3　富山駅前のヤミ市（1947年頃）[2]

の空襲で最も大きな被害をもたらしたとされている。富山県庁や富山電気ビルなどが僅かに残る以外、ほとんどの民家や建造物が焼失する大被害となった（写真１・２）。

戦後に見られた市街地での生活は、焼跡のトタンや瓦を寄せ集めたバラック生活を余儀なくされ、食料・物資不足の耐乏時代が続いた。富山駅前では食料品や日用品を扱うヤミ市が軒を並べ、戦災復興の経済、人々の生活を支えた（写真３）。

戦災復興、高度経済成長、安定成長期、バブル期と崩壊、そして人口減少時代に至る七〇年以上の歳月を経て、いま富山市はコンパクトシティの先進地として国内をはじめ世界からも注目を集める都市にまで発展している。

魚津大火による魚津市街地の被害と復興

富山県東部に位置する魚津のまちも度々火災に悩まされてきた。昭和三一年九月一〇日に発生した魚津大火で

図１　魚津市火災復興土地区画整理予想図[3)]

写真４　竣工後の中央通り商店街（1958頃）[3)]

写真５　中央通り商店街での賑わい（1958頃）[3)]

は市街地の広範囲が焼失した。大火による被害のあった地域は魚津の旧市街地として位置づけられる地域であり、県下有数の密集市街地でもあった。また、被害の大きかった周辺一帯は、商店街を形成していた。江戸期の町人街形成から大正期から昭和初期に拡大し、地域の買物、魚津神社への参拝をはじめ客足を集める市内指折りの盛り場、賑わいの場として栄えた場所でもあった。

当時のわが国では、都市不燃化運動が進められており、火災復興土地区画整理に伴って魚津中央通り商店街では全幅員一五メートル（道路幅員九メートル、歩道幅員片側三メートル）の道路、沿道には総延長五六〇メートルの防火建築帯が築造された（図1、写真4・5）。

焼失した市街地は、昔日の面影をとどめることなく変貌し、全国でも有数の延長一五一二メートルを誇る防火建築帯、二二メートル幅の幹線道路やまちを縦横断する街路網の出現など、近代都市に様相を一変した[4]。

商店街の防火建築帯の設計は、日本不燃建築研究所の今泉善一であったことが明らかにされている[5]。今泉は、多くの防火建築帯の設計を手掛け、魚津はその晩年のものとされている。煉瓦タイルで連続性を強調したファサード、建築計画上の間口幅や間取りに応じて柔軟なデザインに対応可能としたコンクリート部材、千鳥状の手摺など細部のデザインまで配慮され、街並みの形成まで昇華された特筆すべき事例として捉えることができる。わが国の多くの防火建築帯が老朽化で次々と撤去・解体されるなか、いまを生きる希少な事例[6]である（写真6）。

一方、時代とともに中央通り商店街もまた、中心市街地の空洞化に伴うシャッター街化に直面してきた。しかし昨今、商店街における新たな営みの担い手、若手世代の台頭が目覚ましい。特有の空間において、出店や営みを支える制度の拡充、旧来から継承される営みと新たな営みの融合による潮流が生まれている。

平成三〇年度より開設された富山大学都市デザイン学部では、開設年度から地域の課題や魅力の発掘の意見交換など、地域とともに商店街活性化に向けた取り組みを継続している（写真7～9）。日常時やイベント時における道路空間の利活用、商店街・建築群空間のデザイン、エリアマネジメントなどといった様々な観点や可能性から商店街活性化の更なる発展に向けた検討、意見交換を実施している。

商店街を核とする地域の次代を見据えるとともに、今後新たにどのような風景が育まれていくのかを継続的に捉えていきたい。

写真6　現在の魚津中央通り商店街

写真7　学生のフィールドワークの様子

写真8　地域と学生の意見交換

〔出典〕

1）八尾正治編『ふるさとの想い出写真集明治大正昭和富山』国書刊行会、一九七八年、三六頁
2）北日本新聞社編『写真集富山県１００年』北日本新聞社、一九八九年、二八七頁
3）魚津市『魚津大火復興50周年記念誌魚津大火の記録』二〇〇六年
4）魚津市役所『魚津市史下巻現代のあゆみ』一九七二年、一四八頁
5）ＢＡ編集部（神奈川大学中井邦夫研究室内）『ＢＡ横浜防火帯建築研究―魚津特別号―』二〇一七年、七七頁
6）日本建築学会 都市計画委員会 生きた景観マネジメント小委員会編・阿久井康平著『営みとともにある生きた景観の継承と変化―魚津中央通り商店街を対象に―』二〇一九年、六七―七〇頁

写真9　ハロウィンin中央通り2019での道路空間利活用の試行

第2部

富山の歴史

「日本海文化」論の遺跡を訪ねる

髙橋浩二

はじめに

一九八一〜一九九四年にかけて富山市は一〇回にわたり「日本海文化を考える富山シンポジウム」を開催した。畿内中心史観からいったん離れて地域の歴史を掘り起こすとともに、地域間の関係を考えることを意図するもので、各地における同企画の先駆けとなった。

かつて地域の総称として、太平洋側は「表日本」、日本海側は「裏日本」と呼ばれたが、[(1)]シンポジウム等を通じて、江戸時代以前には船による交通や輸送の比重が高く、朝鮮半島や大陸へ開けた日本海側の重要性が一般に認識されるにつれ、しだいに「裏日本」という表現は用いられなくなり、「日本海文化」という言葉が浸透していった。

（1） 明治以後、首都東京を中心に鉄道網が発達し近代化がすすむ太平洋側に対し、産業基盤の形成が立ち遅れる日本海側をさす表現で、中央と辺境という観念が込められている。

それでは、「日本海文化」とはどのような内容のものか。シンポジウムを主導した藤田富士夫は、「日本海沿岸には、筑紫、出雲、丹後、越、陸奥などそれぞれの地域を単位とした固有の文化があります。それらは生業などの生活で日本海と深く関わっているとともに、日本海をルートとしてネットワーク化する潜在力を有する文化として成立しています。それらが〝日本海文化〟」と説明している。(2) つまり「日本海文化」とは、日本海沿岸の地域に根ざした基層文化といえるようなものであり、また日本海ルートを介した交通・交流によって、地域を越えて広がる要素をもつ文化と解釈することができる。ここでは、これら「日本海文化」論に登場する主な遺跡を巡りながら、歴史の旅へと出かけてみよう。

(2) 藤田、二〇〇四年、一一八頁。

1 ヒスイ製品のふるさと——朝日町境《さかい》A遺跡

鮮やかな緑色で透明感のあるヒスイは、現在では宝石や鑑賞石として珍重されている。また、二〇一六年には日本を代表する石として、初めての「国石」に選定された。ヒスイは日本海文化論において高い頻度で取り上げられる、重要な考古資料である。

日本におけるヒスイの産地は一二箇所ほど知られている。しかし、緑色透明な部分を多く含み、かつ装飾品を作るのに十分な大きさの原石を産出する地はかなり限られており、先史・古代に用いられたヒスイを採集できたのは新潟県糸魚川市の小滝《こたき》川や青海《おうみ》川、そして県境の町、富山県朝日町の宮崎《みやざき》・境《さかい》海岸であったと考えられている。(3) 姫《ひめ》川の支流である小滝川上流の小滝川ヒスイ峡や、青海川上流の橋立《はしだて》ヒスイ峡を訪れるとヒスイの巨大な岩

(3) 寺村、一九九五年、三七～四三頁。

塊を見学することができる。この場所は国の天然記念物になっており、さらに二〇〇九年にはユネスコの世界ジオパークに日本で初めて認定された。宮崎・境海岸では産地が見つかっていないが、小滝川や青海川へ流れ出たヒスイが河川を下って日本海へ流出し、海岸に流れ着くのである。あいの風とやま鉄道の越中宮崎駅を降りるとすぐ目の前が宮崎・境海岸で、「ヒスイ海岸」と呼ばれて親しまれており、今でもヒスイを拾うことができる。

写真1　宮崎・境海岸

　この海岸線から南側の丘陵へ約四〇〇mの所に位置するのが境A遺跡である。ここに北陸自動車道が開通したのは一九八八年で、越中境パーキングエリアの建設に伴い、一九八四年から翌年にかけて発掘が行われた。遺跡からは竪穴住居跡が三四棟見つかっている。縄文時代中期前葉に営まれはじめ、中期中葉から後葉にかけて増加するものの、後期前葉には急激に減少してしまう。以降、竪穴住居跡は認められなくなるが、後期から晩期の遺構や遺物も確認されており、人々の足跡がたどれる。

　遺跡からはヒスイ製[4]の大珠《たいしゅ》と呼ばれる装身具や玉類をはじめ、磨製石斧や縄文土器などが大量に出土している。興味深いのは大小さまざまなヒスイの原石（二〇三七点）と加工途中の未成品（約八一五九点）が合わせて約一万一九六点、重量にして約六五四kgも出土していることである。加工時に出た剥片《はくへん》・砕片《さいへん》も相当数にのぼるという。この他にも色調が白いものや材質が劣るものなど玉類にはなりにくいヒスイの円礫が二一七七点も出土してお

（4）境A遺跡の調査報告書ではヒスイは硬玉と記されている。富山県教育委員会、一九九〇年・一九九二年

写真2　境A遺跡出土のヒスイ製装身具および玉類とその未成品（左上2点が大珠の完成品）
写真提供：富山県埋蔵文化財センター

り、敲石《たたきいし》と呼ばれる手持ちのハンマーに用いられた。これらに対して完成品は大珠二点、管玉《くだたま》一点、垂玉《たれだま》一六点、丸玉《まるだま》六九点の、合わせて八八点と極端に少ない。完成間近の未成品や欠損品を含めても四二七点という少なさである。それはなぜか。原石や未成品、剥片類、そして敲石のような道具が大量に見つかる反面、完成品がほとんど残らないのは、他の場所へと運ばれてしまったためである。つまり、ここはヒスイの原石を運び込み、加工を行っていた一大製作地なのである。境A遺跡では宮崎・境海岸で採れる蛇紋岩《じゃもんがん》製の磨製石斧も同じく大量に製作されていたことが分かっている。このような遺跡は糸魚川市の長者ケ原《ちょうじゃがはら》遺跡などでも確認されており、産地ならではの現象と言える。

　縄文時代におけるヒスイ製品は、北は北海道礼文島の礼文町船泊《ふなどまり》遺跡から、南は沖縄本島最南端の糸満市兼城《かねぐすく》第Ⅱ遺跡まで運ばれている。縄文人たちは舟を漕ぎ出し、日本海を北や西へ、そしてさらに南へと移動していたのである。また、長野・山梨県や新潟県中越地方を抜けてそれぞれ関東地方へむかうルートなども想定されている。(5)

（5）寺村、一九九五年、一二三〜一二五頁。

船泊遺跡出土品は長さ七・三cmを測る長楕円状の大珠で、淡い緑白色地に鮮やかな緑色部が混じる。また、青森市三内丸山《さんないまるやま》遺跡からは円塊状・円盤状の大珠四点の他に、孔あけ途中のもの、表面を磨いただけで孔があけられていないもの、原石片など合わせて約五〇点もの突出した数が出土している。隣接の遺跡からは、大きさ一一cm、重さ八五〇gもの原石片も見つかっている。これらの出土品は、ヒスイ産地から離れるにしたがって出土数が徐々に減少したり、小型化したり、石質が粗雑化していくようなものではなく、単なる物々交換でリレー式に運ばれたのとは異なる形態の交易があったことを物語っている。

では、なぜこれほど遠くの地までヒスイが運ばれたのだろうか。ヒスイは他の石には認められない緑色かつ透明という特徴をもち、しかも産地が限られている。それゆえに、石材が豊富な産地周辺ではありふれたものでも、遠く離れれば離れるほど希少価値が高まったことが考えられる。加えて、ヒスイはカッターの刃でも傷がつかないくらい硬く（モース硬度七）、また他の石器に比べて割れにくい堅い性質をもち、打ち割り方や孔のあけ方を知らない者にとっては、特殊な技術が用いられた特別な石器と言うこともできる。

縄文時代において、産地や製作遺跡が判明し、このように遥か遠くの地まで運ばれたことが確実に分かる資料は極めて少なく、境A遺跡の出土品は物や人の移動などを研究する上でひじょうに重要である。なお、境A遺跡の出土品はその一部が一九九九年に国の重要文化財に指定され、富山県埋蔵文化財センターで所蔵されている。

2　東限の四隅突出型墳丘墓《よすみとっしゅつがたふんきゅうぼ》――富山市杉谷《すぎたに》四号墳

富山県のほぼ中央部に、富山平野を東西に二分するように北東側へむかって連なる標高一〇〇m余りの山がある。呉羽《くれは》丘陵である。丘陵の東には飛騨山脈を源に富山湾へ注ぐ神《じん》通《づう》川やその支流が流れる。この呉羽丘陵の南端、丘陵周縁部に沿って築かれているのが杉谷古墳群であり、古墳群からはこれらの河川や、川沿いに展開する富山市街地が見渡せる。いまこの場所には、富山大学医学部・薬学部（旧富山医科薬科大学）及び附属病院等が建ち並び、キャンパスの南から東側にかけて広がる竹林や樹林帯の中に、一一基の墳墓・古墳からなる杉谷古墳群が残されている。また、四号墳及び七号墳と五号墳の間にはかつて杉谷A遺跡が存在したのであるが、発掘後この場所には道路が建設された。

一九七四年、富山市教育委員会によって杉谷古墳群の中の杉谷一番塚古墳と二番塚古墳、三番塚古墳、四号墳などが発掘調査された。とりわけ四号墳は、北陸では前例のない、特異な形態の墳墓として全国的に知られるところとなった。杉谷四号墳の墳丘は高さが三m余りで、一辺が約二五mの正方形に近い形をしているが、発掘してみると、墳丘東側の隅部が長さ約一二mも突き出ており、ここに突出部《とっしゅつぶ》が付くことが明らかにされたのである。また、突出部の周りにはその形に沿って、周溝《しゅうこう》と呼ばれる溝が先端へいくほど幅を狭めながら巡っており、北側隅部にもこれと同じような形で周溝が巡ると考えられることから、この位置にも突出部が付くことが分かった。この結果、周溝を含めた一辺の大きさが、四七〜四八mになることが明らかにされた。墳丘の北西側から西側と、南側隅部は後世に削られてしまったが、元々はここにも突出部が付いていた可能性が考えられる。

このような四隅が放射状に突出する方形の墳墓のことを、「四隅突出型墳丘墓」と呼んでいる。発掘当時、四隅突出型墳丘墓は島根県を中心に「出雲文化圏」に形成された特異な墓制と考えられており、出雲文化圏以外で初発見のものとしてたいへん注目を集めた。杉谷四号墳は、「日本海文化を考える富山シンポジウム」開催の一つのきっかけともなったものであり、後に調査者の藤田は島根県宮山《みややま》Ⅳ号墓と突出部の特徴が共通することなどから、日本海ルートを介した出雲と越との直接的な交流を指摘した。(6)

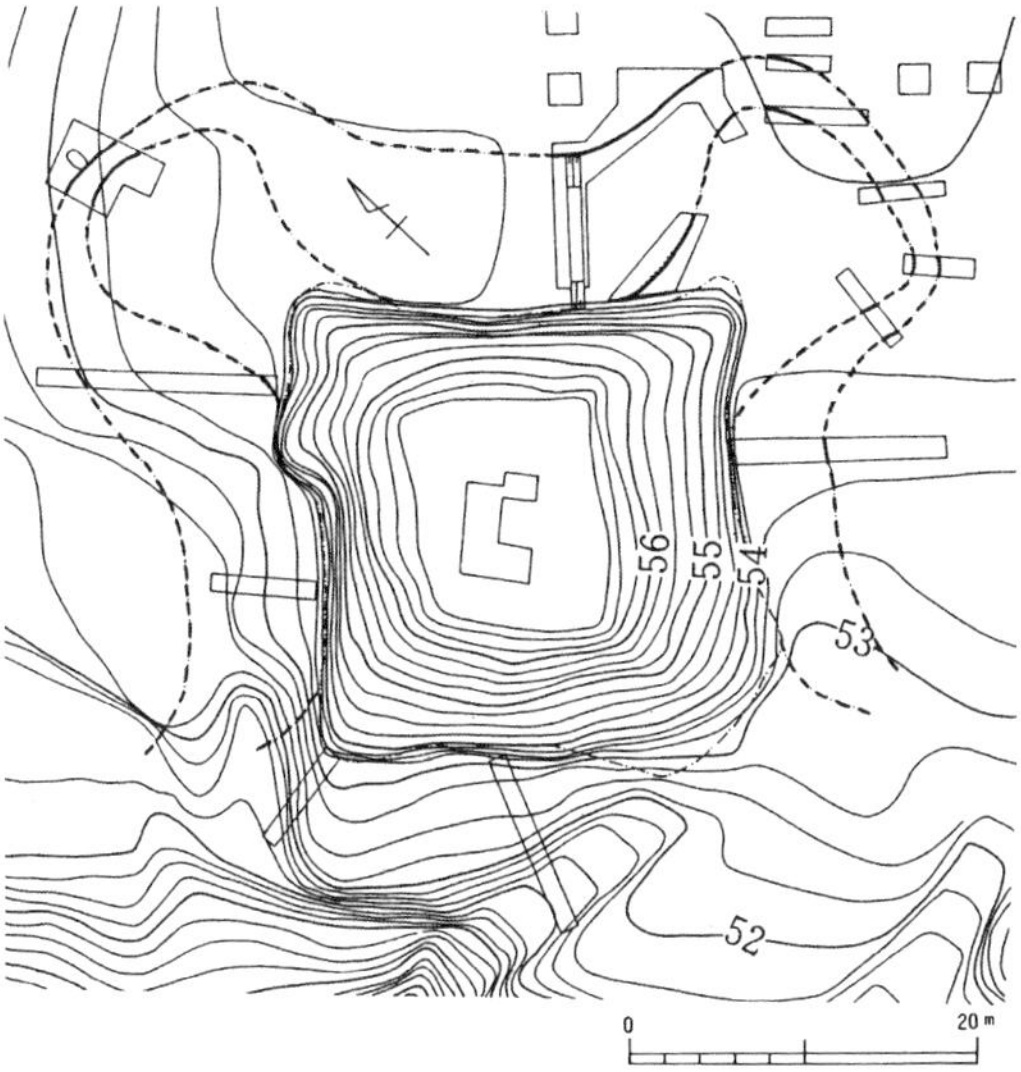

図1　杉谷4号墳（出典：渡邊、2007年）

その後、一九八九年には南に隣接する富山市羽根《はね》丘陵でも、富崎《とみさき》墳墓群の中に四隅突出型墳丘墓が発見され、一九九九〜二〇〇〇年にかけて富崎一号墓・二号墓・三号墓、六治《ろくじ》古塚《こづか》、鏡坂《かがみざか》一号墓・二号墓の発掘が行われた。また、石川県でも白山市一塚《いちづか》二一号墓、福井県でも福井市小《お》羽山《ばやま》二六号墓や三〇号墓、同市高《たか》柳《やなぎ》一号墓などが相次いで発掘された。現在では福井県に八基、石川県

（6）藤田、一九九〇年、八〜一〇頁。

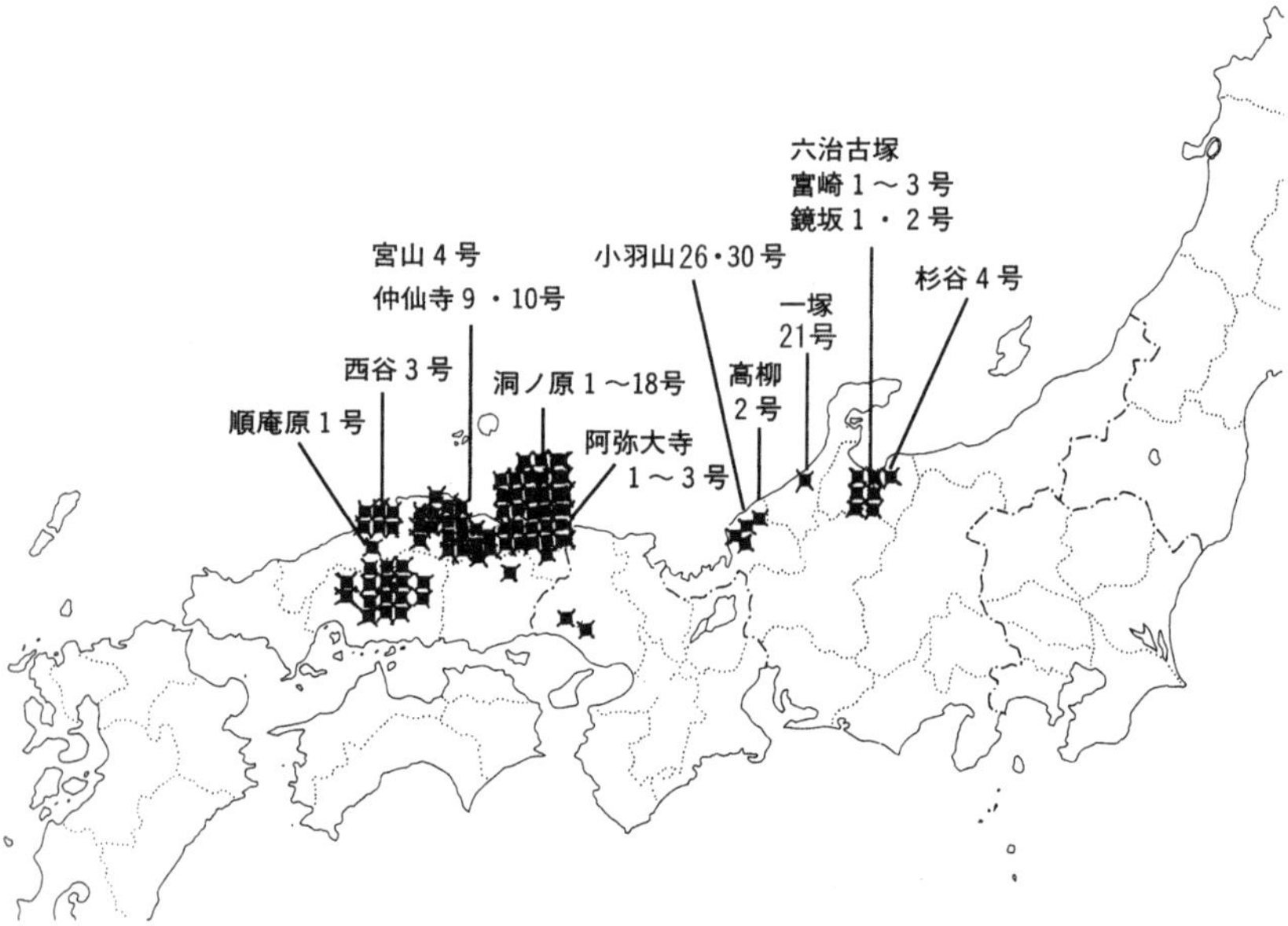

図2　四隅突出型墳丘墓の分布（出典：藤田、2004年を一部改変）

に一基、富山県に七基が確認されており、呉羽丘陵と羽根丘陵の四隅突出型墳丘墓が最も東側に分布するものとなっている。

　四隅突出型墳丘墓は、広島県及び岡山県北部の中国地方山間部から山陰地方にかけて多く分布しており、北陸の例を含めると全国で九六基が確認されている。[7] 研究がすすみ、いまでは弥生時代につくられた墳墓と考えられている。四隅突出型墳丘墓は、弥生時代中期後葉において、墳丘斜面に石を貼《は》った方形墳墓のうち、四隅の稜線上に列状に石を並べたものからはじまる。そして、後期前半になると突出部が明確につくられるようになり、しだいに突出部の長大化がすすみ、終末期には突出部

（7）島根県古代文化センターほか、二〇〇七年、二〇七～二一四頁の四隅突出型墳丘墓一覧による。

の先端が大きく広がった最終段階のものが現れる。また、弥生時代後期後葉からは山陰で盛行するようになるとともに、方形部の長辺が四〇mを越える超大型のものが築造されはじめる。北陸へ分布が広がるのもこの時期からである。同じ日本海側でも但馬や丹後、若狭では確認されていない。

　山陰の四隅突出型墳丘墓は、方形部が長方形台状で、斜面に石を貼り、裾まわりに列状に石を巡らすのを原則とする。これに対し、北陸のものは貼石《はりいし》や列石《れっせき》を欠く。北陸で最も古いのは弥生時代後期後葉の小羽山三〇号墓である。山陰のものと同じく長方形台状で、突出部が通路状に延びており、また埋葬施設上に朱を用いる儀礼に使った磨石《すりいし》や土器を集積するなど、同時期の島根県西谷《にしだに》三号墓と共通する点が多く認められる。一方、杉谷四号墳や羽根丘陵の四隅突出型墳丘墓は、方形部が正方形台状をなす。また、杉谷四号墳の突出部は、先端が極度に広がった最終末の形に変化している。羽根丘陵のものは突出部先端が袋状に肥大化して独自の発展を遂げており、山陰のものとはかなり異質である。このことから、小羽山三〇号墓は山陰のものとの直接的関係が指摘できるが、杉谷四号墳や羽根丘陵のものは、小羽山三〇号墓を介して間接的影響の下につくられたと考えられている。(8)

　他の墳形も含めて、同時期の墳墓としては北陸最大級の杉谷四号墳であるが、副葬品は未調査で分かっていない。ただし、南西一〇〇mに近接する杉谷A遺跡では、一辺が約九〜一一mの二号墓や三号墓から、長さ四五㎝の素環頭刀《そかんとうとう》と呼ばれる鉄製の刀が各一点とガラス玉などが見つかっている。また、他の同規模やさらに小型の墓からも鉄や銅の矢じり（鉄鏃《てつぞく》や銅鏃《どうぞく》）などが出土している。このことから推測すると、規模が大きく、他地域との関係がうかがえる杉谷四号墳には、より豊富な品が副葬されていると考えられる。この頃、

（8）渡邊、二〇〇七年、二〇三頁。

写真3　杉谷Ａ遺跡の出土品（上2点が素環頭刀、右下がガラス玉で、ガラス玉を縫い付けたチョーカーは復元品）
写真提供：富山市教育委員会

北部九州ではさかんに鉄製品が作られ、北陸でも工具などの製作がはじまっていたが、素材となる鉄は中国や朝鮮半島からの輸入に依存していた。そのため、刀のような大型の鉄製武器は流通量が限られ、日本海側を東へすすむほど数が減少していくものであった。そのような貴重な鉄製武器などを遠隔地から入手できるだけの力をもった有力者がこの地に存在したことを杉谷四号墳や杉谷Ａ遺跡は示している。

その後、古墳時代前期には、羽根丘陵にいずれも六〇m級の前方後方墳である勅使塚《ちょくしづか》古墳と王塚《おうづか》古墳が相次いで築かれるが、杉谷古墳群や周辺にはこれに匹敵する規模の古墳は認められない。このことから、羽根丘陵の勢力を中心とするまとまりが、富山平野に形成されるようになったと推定している。杉谷四号墳に眠る有力者の栄光も、この頃には翳《かげ》りはじめたようである。なお、杉谷古墳群や杉谷Ａ遺跡の出土品は富山市考古資料館に一部展示されている。

3　日本海に臨む大型古墳――氷見市柳田布尾山古墳《やないだぬのおやま》

富山県の県庁所在地は富山市、また奈良時代に越中国府が置かれた場所は高岡市の伏木《ふしき》である。では、県内最大の古墳が築かれた場所はどこか。答えは、氷見市である。富山県の北西端、能登半島の付け根部に位置し、日本海に面する東側を除いて三方が山に囲まれており、富山平野や砺波平野と比べて平野面積もけっして大きくはない。現在の人口も県内六番目の五万人弱であり、氷見市と聞いて意外に思われる人も多いだろう。実は、古墳（弥生時代の墳墓を一部含む）の確認数が県内で最も多いのも氷見市である。

写真4　柳田布尾山古墳（奥に見えるのは日本海〈富山湾〉）
写真提供：氷見市立博物館

一九九八年六月、土砂採取や宅地造成が目前まで迫る氷見市柳田の丘陵上で、古墳時代前期の柳田布尾山古墳が発見された。墳長一〇七・五mで富山県では最も大きく、前方後方墳としては日本海側最大である。近くには、奈良時代に布勢《ふせ》の水海《みずうみ》と呼ばれた潟湖《せきこ》がかつて広がり、古墳はこの潟湖と日本海に側面をむけて築かれた。残念ながら埋葬施設は失われていたが、幸いにも墳丘は破壊を免れ、発見から二年半後に国史跡となった。また、一九九九年には同じく氷見市で阿尾島田《あおしまだ》A一号墳が発見された。こちらは約七〇mの古墳時代前期の前方後円墳で、規模では県内第二位、前方後円墳としては県内最大である。

周辺には、柳田布尾山古墳から約四㎞南東の雨晴《あまはらし》海岸沿いに国史跡の桜谷《さくらだに》古墳群がある。雨晴の地は、行政区画では高岡市に含まれるが、二上山《ふたがみやま》で隔てられており、地勢的には氷見側に属すると考えたほうがよい。日本海を見下ろす台地に築かれ、一号墳は約六二mの前方後方墳、二号墳は約五〇mの前方後円墳で、古墳時代前期の石釧《いしくしろ》五点などが見つかっている。石釧は大和政権から各地の有力者に分け与えられたものである。さらに六世紀には、この時期では県内最大級の約四三mの前方後円墳で、北部九州起源の横穴式石《よこあなしきせき》室《しつ》を地域で最初に採用した朝日長山古墳が築かれる。副葬品も金銅《こんどう》製の冠《かんむり》など豊富で、県内では数少ない埴輪《はにわ》も出ている。藤田は桜谷古墳群を、海を舞台に活躍した海人《かいじん》集団のもの、朝日長山古墳を海に君臨した王者のものとするなど、以前からこの地域に注目していた。(9)

「日本海文化を考える富山シンポジウム」開催の頃には加賀との境に位置する小矢部市で、当時としては県内最古と考えられた前方後円墳である谷内《やち》一六号墳などの発掘が相次いで行われており、この地域における古墳時代遺跡の調査・研究の重要性が高まっていた。このような状況を一変させたのが柳田布尾山古墳の発見であり、ここにおいて氷見も小矢部と並んで有力者の古墳が築かれた地として、いっそう注目されるようになった。

弥生時代にはじまった水田農耕による生産力の増大が、有力者の勢力拡張を助長したと

(9) 藤田、一九八三年、七一～七二頁、八一～八二頁。

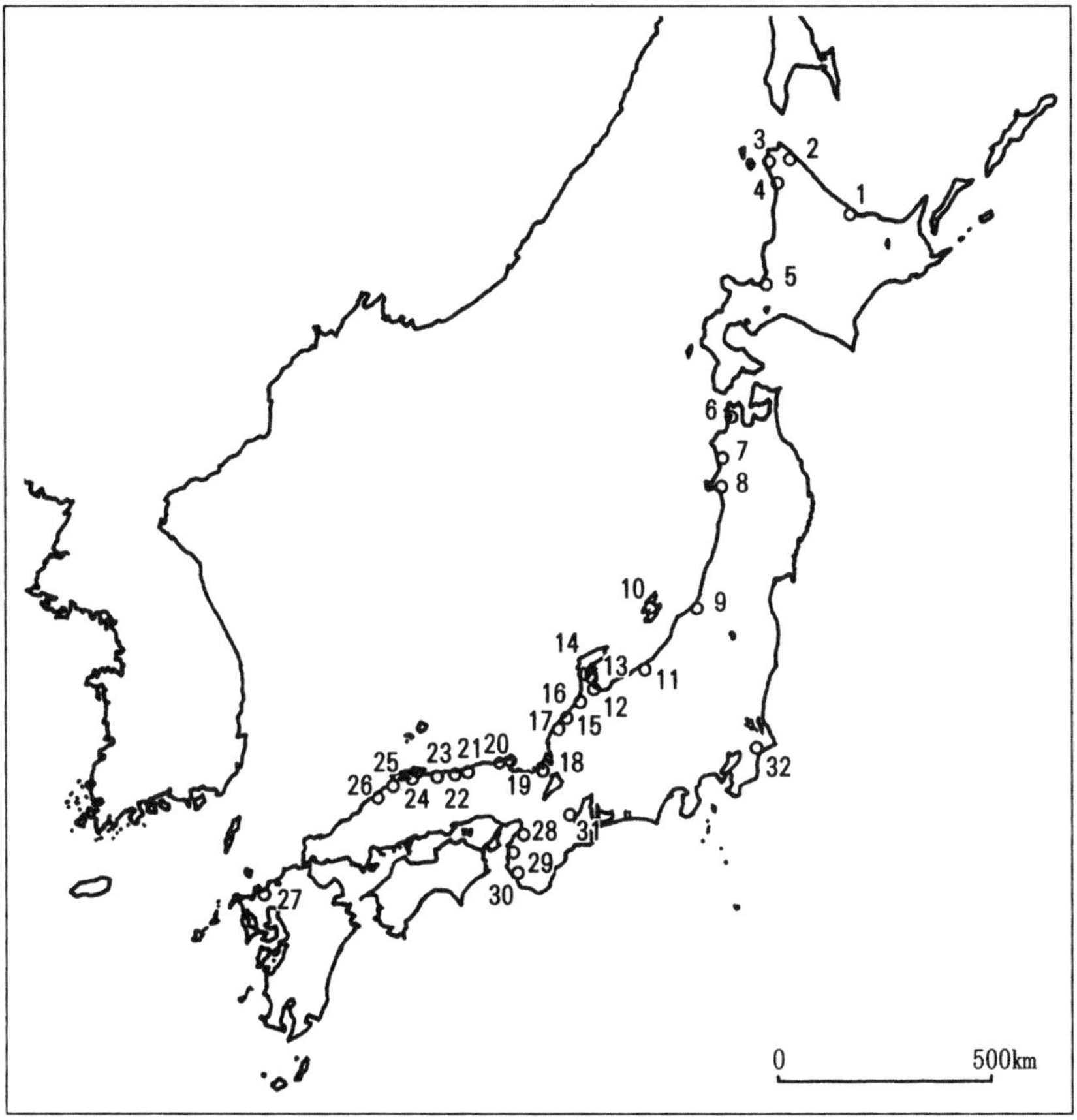

1 サロマ湖
2 クッチャロ湖
3 大沼
4 ペンケ沼など
5 石狩川河口
6 十三湖
7 米代河河口
8 (八郎潟)
9 (紫雲寺潟)
10 真野湖・加茂湖
11 朝日池など
12 放生津潟
13 (十二町潟)
14 邑知潟
15 河北潟
16 柴山潟
17 九頭竜川河口
18 三方湖
19 (竹野潟)
20 (浅茂川潟)
21 湖山池
22 東郷池
23 (淀江潟)
24 宍道湖・中海
25 神西湖
26 (波根湖)
27 (唐津潟)
28 (河内潟)
29 (紀伊潟)
30 (和田不毛)
31 宮川河口
32 (椿海)
(　) は消滅したもの

図3　主な潟湖の分布（出典：髙橋、2004年）

考えられることから、一般的に面積が広い平野により大型の古墳がつくられたとイメージされることが多い。しかし、富山の場合は、富山平野や砺波平野ではなく、中小河川沿いに小規模な平野が見られるだけの氷見・雨晴地域に、より大型の古墳が築かれている。また、当時は先述のように布勢の水海が存在しており、現在と比べて平野面積はさらに狭くなる。布勢の水海は、越中国守の大伴家持《おおとものやかもち》が舟を遊覧し詠んだ万葉歌に登場することでも有名な潟湖である。江戸時代に入ると干拓され、農地への転用がすすんだが、いまでも十二町《じゅうにちょう》潟としてその名残をとどめている。

潟湖（ラグーン）は、海岸の一部が砂州状に発達し外海と切り離されてできた汽水性の浅い内海で、外洋にさらされないため水域は穏やかで安定し、天然の港として絶好の立地を示す。太平洋側と比べて、日本海側には多数の潟湖が存在し、かつ数十㎞ごとに（離れても一五〇〜二五〇㎞程度）点在するという特色が指摘されている。[10] 造船技術や航海技術の未発達な時代、海上交通や交流のための船を停泊する上でまたとない立地環境と言えるだろう。

日本海沿岸では潟湖の周辺や海沿いなど、海に臨む場所に重要な古墳が築かれることが少なくない。丹後に目を移すと、日本海側最大の京都府網野《あみの》銚子山《ちょうしやま》古墳（一九八ｍ）と第二位の同府神明山《しんめいやま》古墳（一九〇ｍ）は、かつて浅茂川《あさもがわ》潟や竹野《たけの》潟があった地を見下ろす場所に築かれている。また、北陸最大の福井県六呂瀬山《ろくろせやま》一号墳は、潟は見られないが、近くを流れる九頭竜《くずりゅう》川を下れば日本海へ通じる位置の丘陵にある。能登では羽咋市の邑知《おうち》潟から七尾湾にかけて、邑知地溝帯《おうちちこうたい》[11]に沿って雨《あめ》の宮《みや》一号墳や二号墳、小田中親王塚《おだなかしんのうづか》古墳などの古墳が数多く築かれており、この地を抜けるルートの重要性が浮かび上がってくる。そ

（10）潟湖には、現在は消滅したものの地形的見地などから推定できるものがある。潟湖に関する主な文献には森、一九八六年がある。

（11）両側をほぼ平行する断層崖で区切られた細長い低地で、幅約三〜四㎞、長さ約二五㎞にわたる。

表1　富山における地域別の古墳の概数（出典：髙橋、2016年を一部改変）

2015. 12. 25作成

古代郡域	地域名称	古墳数	前方後円墳数	前方後方墳数
射水	氷見・雨晴	392(9)	16	7(2)
射水・砺波	高岡	310	5	16
砺波	小矢部	81	4	1
	上記以外	26(1)	2(1)	—
射水	射水	86	2	—
婦負	呉羽	114(1)	5	9
	上記以外	4	—	—
新川	白岩川・上市川流域	33(3)	2	3(3)
	上記以東	6	—	—
合計		1052(14)	38(1)	36(5)

＊　上記の古墳数には消滅したものも含まれている。（　）は墳形が不明確なもので内数。また、弥生時代の墳墓が一部含まれる。

して、このルートをさらに延伸して海岸伝いに、あるいは分岐して峠を越えれば、氷見へと通じる。

表1のように県西部の氷見・雨晴地域、高岡地域、小矢部地域から呉羽丘陵のある呉羽地域までは多くの古墳が築かれているが、ここを越えると新潟県上越市まで分布がまばらとなる。富山県の古墳約一〇五二基のうち、実に約八五％が県西部に集中する。階層的に上位の有力者の古墳である前方後円墳や前方後方墳の数も同様である。県東部の新川郡域には北アルプスを源に氾濫を繰り返す急流河川が多いのに対し、西部は中小河川の下流域に水田農耕に適する比較的安定した平野が形成されている。土地の開発がすすんだ所では、水田農耕に欠かせない水の供給や共同作業を通じて結びつく人々を

統率する有力者がいち早く成長し、しだいに有力者どうしの間にも差がつきはじめる。このように、開発の進展の差に原因する有力勢力の形成状況が、古墳の数、また古墳の形や規模と深く関わるものと考えられる。県西部の中でも氷見・雨晴地域は、水田農耕からの経済力に加えて、潟湖を擁し、海を介した交通・交流の拠点でもあり、その掌握が有力者の勢力拡張へつながった可能性を指摘しておきたい。柳田布尾山古墳はそのことを如実に物語っている。

おわりに

日本海沿岸を移動した人々の足跡を一つひとつ訪ねて歴史を掘り起こすことは、富山におけるクニや文化の成り立ちなどを考える上でひじょうに重要である。さらには、境界を軽々と飛び越えて移動した人々の交流の歴史を知り、学ぶことは、日本や東アジアの歴史を多面的に検討することにもつながる。ぜひ実際に遺跡や博物館、資料館等を訪問して、歴史のロマンに思いをはせてほしい。

〔参考文献〕

島根県古代文化センター・島根県埋蔵文化財センター『四隅突出型墳丘墓と弥生墓制の研究』二〇〇七年
髙橋浩二「日本列島と日本海―南北自然資源の偏在と混交―」『日本海／東アジアの地中海』桂書房、二〇〇四年
髙橋浩二「呉羽丘陵の前方後円墳とその意義」『富山市考古資料館紀要』第三五号、富山市考古資料館、二

〇一六年
寺村光晴『日本の翡翠―その謎を探る―』吉川弘文館、一九九五年
富山県教育委員会『北陸自動車道遺跡調査報告 朝日町編5 境A遺跡―石器編―』一九九〇年
富山県教育委員会『北陸自動車道遺跡調査報告 朝日町編7 境A遺跡―総括編―』一九九二年
藤田富士夫『日本の古代遺跡 13 富山』保育社、一九八三年
藤田富士夫『古代の日本海文化』中公新書九八一、一九九〇年
藤田富士夫「地域学の先駆的実践〝日本海文化シンポジウム〟」『地域学から歴史を読む』大巧社、二〇〇四年
森 浩一「潟と港を発掘する」『日本の古代 第3巻 海を越えての交流』中央公論社、一九八六年
渡邊貞幸「まとめに代えて―四隅突出型墳丘墓概説―」『四隅突出型墳丘墓と弥生墓制の研究』島根県古代文化センター・島根県埋蔵文化財センター、二〇〇七年

column

万葉歌人大伴家持のいた越中国

鈴木景二

『万葉集』全二〇巻のうち、最後の四巻は大伴家持の歌日記と呼ばれている。そこには、天平一八（七四六）年七月から天平勝宝三（七五一）年七月まで、彼が越中国守として国府に駐在していた時期の歌が含まれている。この時期には隣接する能登半島も国域に含まれていたので、富山県と石川県能登地域の古代の様相が歌と詞書という形で伝えられた。

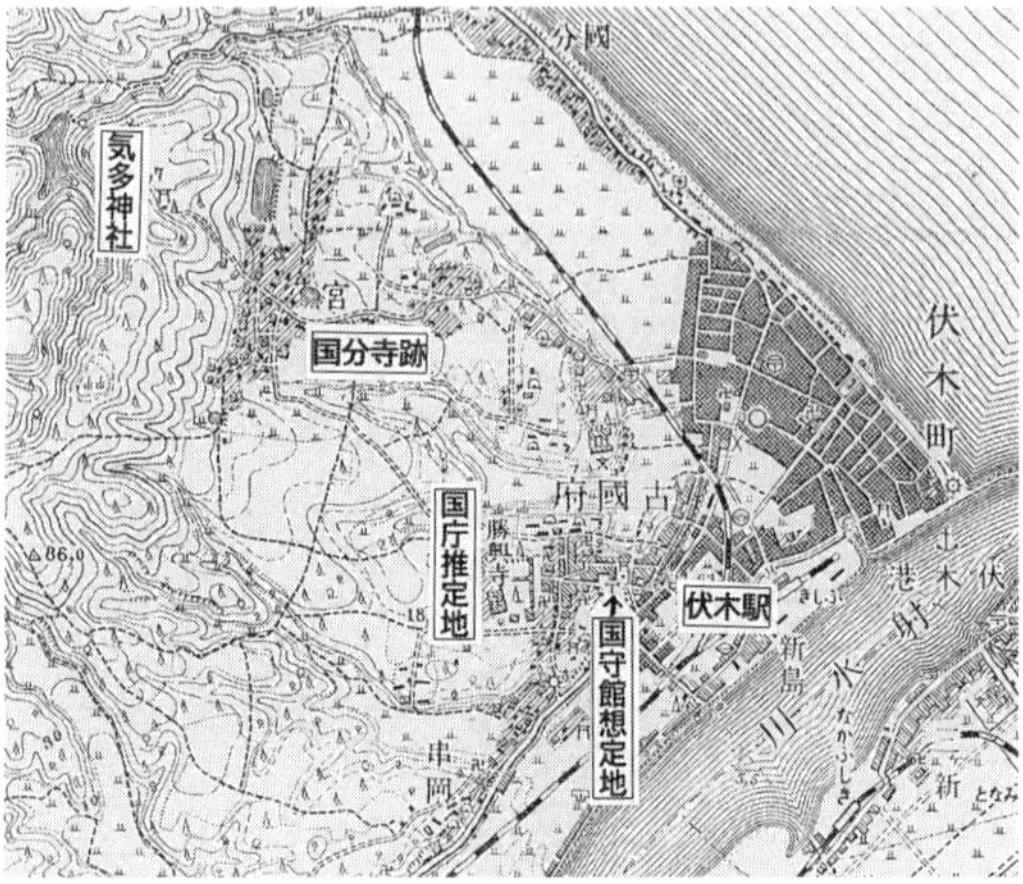

図１　国庁推定地付近の旧地形図

写真１　越中国庁址の碑と勝興寺本堂

国府の諸施設は、高岡市伏木《ふしき》の台地上に展開していたと考えられている(図1)。儀式の場である政庁(国庁)は、巨大な本堂や書院（いずれも国宝）が建ち並ぶ勝興寺《しょうこうじ》の境内にあった可能性が高く（写真1）、門前近くから大型の建物跡が見つ

写真2　国守館址想定地（高岡市伏木気象資料館）

かっている。国庁の正殿は都の天皇を象徴するもので、元日には国守が下僚を率いてこれに拝礼し、そのあと地元豪族である郡司等と饗宴が行われた。その周辺には、事務作業を行う曹司《ぞうし》や給食施設の厨《くりや》、税物などを納める正倉群、さらに国司等の宿舎である館《たち》が配置されていたはずである。『万葉集』には館での歌会の様子が記されている。位置はいずれも未詳だが、家持は寝床で射水川（現在の小矢部川）の船頭の舟歌を聞き、下僚の館の客屋からは海が見えたというから、各館は国庁のある伏木台地の東辺、富山湾の小矢部川河口付近を見下ろすような地点にあったらしい。高岡市伏木気象資料館の場所が家持の館の故地と想定されている（写真2）。家持は国府から東方の立山連峰を遠望し、「たちやま」は夏でも雪をいただく神の鎮まる山だと讃えている（巻一七　四〇〇〇）。

　奈良時代後半に建てられたらしい越中国分寺跡（県指定史跡）には、金堂跡かとされる土壇が現存する。その西の山裾の気多《けた》神社の境内からは奈良時代の土器片が出土した。神社の背後の二上山もふくめて国府関係の宗教空間のあり方を考えてみる必要がある。また、国府近くには古代北陸道が通り、公用の馬を常備する駅家《うまや》があったらしい。

　現在の新湊の沿岸とみられる奈古浦《なごうら》の船人を詠んだ歌「東風　いたく吹くらし　奈呉の海人の　釣りする小舟漕ぎ隠くる見ゆ」（巻一七　四〇一七）の「東風」には、わざわざ越の俗語で東風を「あゆのかぜ」というのだと注をつけて方言を詠み込んでいる。富山湾の古代海人の世界を想像させる歌である。家持は、氷見市域の布勢の湖にも遊覧している。湖の範囲も推定されていて、国司の行動とその範囲をうかがうことができる。

国司には管内を巡察する業務があり、家持も天平二〇（七四八）年春に、国府（射水郡）から砺波《となみ》・婦負《ねい》・新川《にいかわ》郡の順に旅をしている。訪ねた先の各郡の役所（郡家《ぐうけ》）の所在地は未詳だが、高岡市にある木曽義仲ゆかりの弓の清水《しょうず》から、常国《つねくに》遺跡付近を通る上使街道（県道九号線）は、婦負郡家と砺波郡家を結ぶ古代道を踏襲している可能性が高く、家持が通行した道とみなされる。

家持は能登にも出向いている。氷見から西へ山を越えて羽咋《はくい》郡気太神宮に参拝し、再び山を東に越えて、能登・鳳至《ふげし》郡、そして半島の先端の珠洲《すず》郡に至り、そこから船で国府へ戻ったようである。この旅でも要所で歌を詠んでいるが、地元の情景や産物を讃えるそれらの歌謡は、何らかの儀礼に関係する可能性が指摘されている。

このほかにも富山には、古典に関わりのある遺跡・遺物がある。射水《いみず》市赤田《しあかんだ》Ⅰ遺跡で見つかった草仮名《そうかな》墨書《ぼくしょ》土器である。九世紀後半の水辺の祭祀・饗宴の遺跡から出土した土器に、漢字から平仮名に変化する途上の仮名を書いた稀有な実物資料で、そのころ嵯峨天皇皇子源明ら嵯峨源氏が越中国司になったことにより、最新の平安貴族文化がもたらされたと考えられている。

越中の古典に関わる話題は多様で、この小文ではとても紹介できない。高岡市伏木の高岡市立万葉歴史館や、富山市の県立の高志の国文学館を訪ねてほしい。

〔参考文献〕
『市内遺跡調査概報』二四　高岡市埋蔵文化財調査概報第七五冊、二〇一五年
鐘江宏之『大伴家持』日本史リブレット、二〇一五年
鈴木景二「国府・郡家をめぐる交通」『日本古代の交通・交流・情報』一、二〇一六年
鈴木景二「出土仮名文字資料の研究」『人文知のカレイドスコープ』富山大学人文学部叢書1、二〇一八年

立山信仰と登山文化

加藤基樹

はじめに――立山の自然と信仰の芽生え

立山とは富山県と長野県の境にまたがる北アルプスの一部「立山連峰」をさす。今日「立山」と言えば、主峰「雄山《おやま》」（標高三〇〇三ｍ）を中心とする山々の総称を指すことが一般的で、「立山に登る」というのは、雄山山頂に祀られる雄山神社の峰本社への参拝を意味するほどになっている。この雄山と大汝山《おおなんじやま》、そして富士の折立山《おりたてやま》の三山をもって「立山本峰」というが、かつては雄山・浄土山・別山を「立山三山」と呼んだ時代もあった。

立山の特徴は、日本屈指の高山の一つであるだけでなく、山中に「地獄」があるとされたことにある。火山活動の影響により、地面のいたる所から火山ガスの噴気があがり、熱

図1　地獄谷越しに立山本峰を望む(画像提供：中田広幸)

湯が沸きかえり、異臭がたちこめている自然景観「地獄谷」は、古くから「立山地獄」と呼ばれた。一方、日本一の落差を誇る称名滝や、標高二〇〇〇m付近にひろがる弥陀ヶ原から大日平にかけて、およそ一〇〇〇もの大小の池（池塘《ちとう》）が点在し、ラムサール条約に登録されるなど、立山は雄大で植生豊かな自然景観を備えており、地形的にも大変特徴的な山である。

さて、立山は古くから山麓住民の生活と密接に関係していた。わが国には、水をもたらすのは山に止住《しじゅう》する神のはたらきとする「水分神《みくまりのかみ》」への信仰がある。[1] 立山からも富山湾に注ぐ常願寺川をはじめとする河川がいくつもあり、立山もまた水源と考えられた。また燃料や建築用材などの物資、あるいは動植物の採取・調達の場として山麓住民の生活にとって重要であった。このように生活上、立山の恩恵にあずかる反面、山中における遭難や急峻な河川がもたらす水害などの実害とそれらに対する潜在的脅威によって、立山の特殊な自然景観を舞台として、人びとの心に、神仏が坐《まし》ます山として畏怖と畏敬に満ちた信仰が育まれていった。

（1）『古事記』、『続日本紀』などに、流水の分配をつかさどる神の存在が示される。

1　立山を信仰の山として道を拓く――立山開山伝説

立山は、悠然毅然たるその雄大な自然景観ゆえに、古くから人びとの崇敬を集めていた。その名が歴史に登場するのは、大宝元（七〇一）年の立山開山伝説（縁起）である。現代語訳にして紹介しよう。

越中守佐伯有若の子佐伯有頼少年が、父が大切にしていた白鷹で鷹狩りをしていたところ、その白鷹が飛び去り、そのゆくえを失ってしまった。これを知った父は激怒し、有頼を勘当、有頼は一人で白鷹の探索に出かけることになる…。懸命に探していたところ白鷹を発見、そろりと捕まえようとした時、一頭のどう猛な熊が出没し、白鷹はこれに驚きふたたび飛び去ってしまった。白鷹を捕まえ損ねた有頼は、熊を憎らしく思い、射殺そうと、熊に矢を放った。すると矢は熊の胸に深く命中したものの絶命には至らず、熊は立山の山へ山へと逃げ去ってしまった。有頼は熊からしたたり落ちた血の跡をたよりに、夢中で後を追いかけながら立山山中に分け入り、とうとう熊を室堂（二五〇〇m）の玉殿窟に追い詰めた。有頼は勇んで刀を抜いて、熊にとどめをさし、白鷹を連れ帰ろうと窟に入ったところ、そこにはなんと胸に矢が深く刺さり血を流す金色の阿弥陀如来が立っていたのである。有頼はここで初めて自らがひと時の冷静さを失い、自らの都合で矢を射た熊が実は阿弥陀如来であったことに気づいた。有頼は

図2　重要文化財「銅錫杖頭附鉄剣」（立山博物館蔵）

知らなかったとはいえ、仏に傷を負わせるなど言語道断とばかり、罪深さのあまり自害しようとした。しかし阿弥陀如来は有頼に語りかけ、自ら姿を変えて立山へ有頼を導いたのだと説き、有頼に僧侶となることを勧め、修行して立山への信仰の道を拓けと託宣し、姿を消した。有頼はこれに感動して発心し、そののち出家して慈興上人となり、厳しい修行の末、立山を開き、立山信仰を人々に弘めた…。

という物語的開山縁起である。この立山開山の伝説は、江戸時代成立の「立山縁起」諸本で大同小異に記され、主として『立山曼荼羅』という絵画に投影され、立山の宗教者（衆《しゅ》徒《と》）の活動のなかでよく語られることが知られる。しかし、これは一〇世紀初頭に実在した「越中守佐伯有若」の名に仮託したという見方もあり、この縁起の成立時期は判然としていない。そうは言っても、剱岳や大日岳の山頂で平安時代のものと推定される銅錫杖頭や鉄剣が見つかっており、山中を修行の場とした宗教者（ヒジリ）の錫杖供養や禅定修行などの活動の痕跡が確認されているので、早くから、開山伝説の素地は形成されていたとみられる。

　わが国で平安時代以降、盛んになってきた「浄土教」という仏教の教えの一つがある。

浄土教は各地の霊山に阿弥陀信仰をもたらした。立山も例外ではなく、やがて阿弥陀如来の霊験や西方極楽浄土往生が説話の中心となっていった。死後に極楽往生をとげるには、自らの罪を自覚し、その罪を払わねばならないと説かれた。平安時代末期の仏教説話集『今昔物語集』には、「日本国の人、罪を造りて多くこの立山の地獄に堕つ」と記されたように、立山には地獄があるとひろく周知され、やがて立山の地獄谷は、罪による悪果を自覚体験させるものとして機能し、民衆のあいだでも修行の場としてさらに盛んになった。今日に続く立山登山の事実上の萌芽期といえよう。

そもそも、日本を代表する「地獄」は立山にある、と京の都に住む貴族や僧侶らのあいだで認識された理由は判然としていない。しかし、養和元（一一八一）年の「後白河院庁下文案」（『新熊野神社文書』）によると、京都に勧請された新熊野神社の社領としての荘園二八箇荘のなかに、「立山」と「彦山」（英彦山）が含まれていることが手がかりになる。この二つの山の位置関係は、京都からみて鬼門（北東）と裏鬼門（南西）の方角にあたると解釈されるのである。それゆえに立山の地獄谷こそが地獄であり鬼のすみかであると信じられ、鎌倉時代には、芦峅寺集落に閻魔王をはじ

図3　重要文化財「銅造帝釈天立像」（立山博物館蔵）

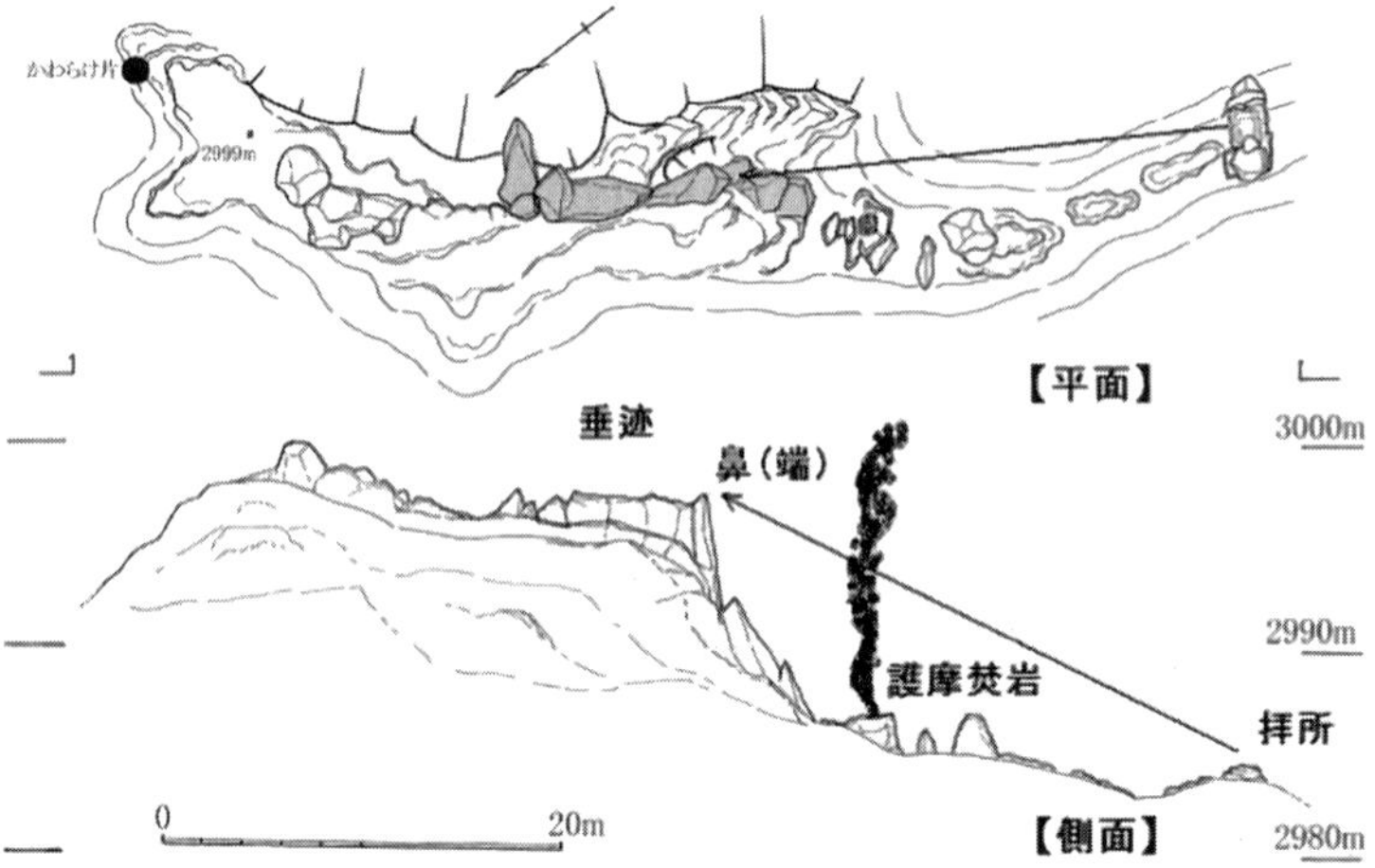

め冥府彫像五尊が国家鎮護、境界の守護神として安置されたと考えられる。[2]

一方、立山別山もまた、仏教でいうところの世界の中心にそびえる山「須弥山《しゅみせん》」になぞらえて、別山の頂上は須弥山の山頂の「忉利天上《とうりてんじょう》」の世界なのだと信じられた。かつてブッダの母（摩耶夫人《まやぶにん》）は、地獄に堕ちる身である女性でありながら、ブッダを産んだ功徳によって、死後、帝釈天のすむ忉利天上へおもむき、仏法を聞いたと仏典で説かれている。[3] これにちなんで、鎌倉時代には、帝釈天は仏教的作善《さぜん》（善行）を観察するほとけとして信仰されたので、[4] 作善行の随一である法華経を写経（如法経供養）し、これを経筒に見立てた帝釈天像の像内に籠めて、別山頂上に安置したとされる像が現存している（国指定重要文化財・立山博物館蔵）。古代の立山というのは大陸で成立した道教や神仙思想の影響を受けつつ、わが国固有の民俗信仰を基盤とした山

（2）『立山×地獄』立山博物館、二〇一六年

（3）「摩訶摩耶経」

（4）『立山と帝釈天』立山博物館、二〇一四年

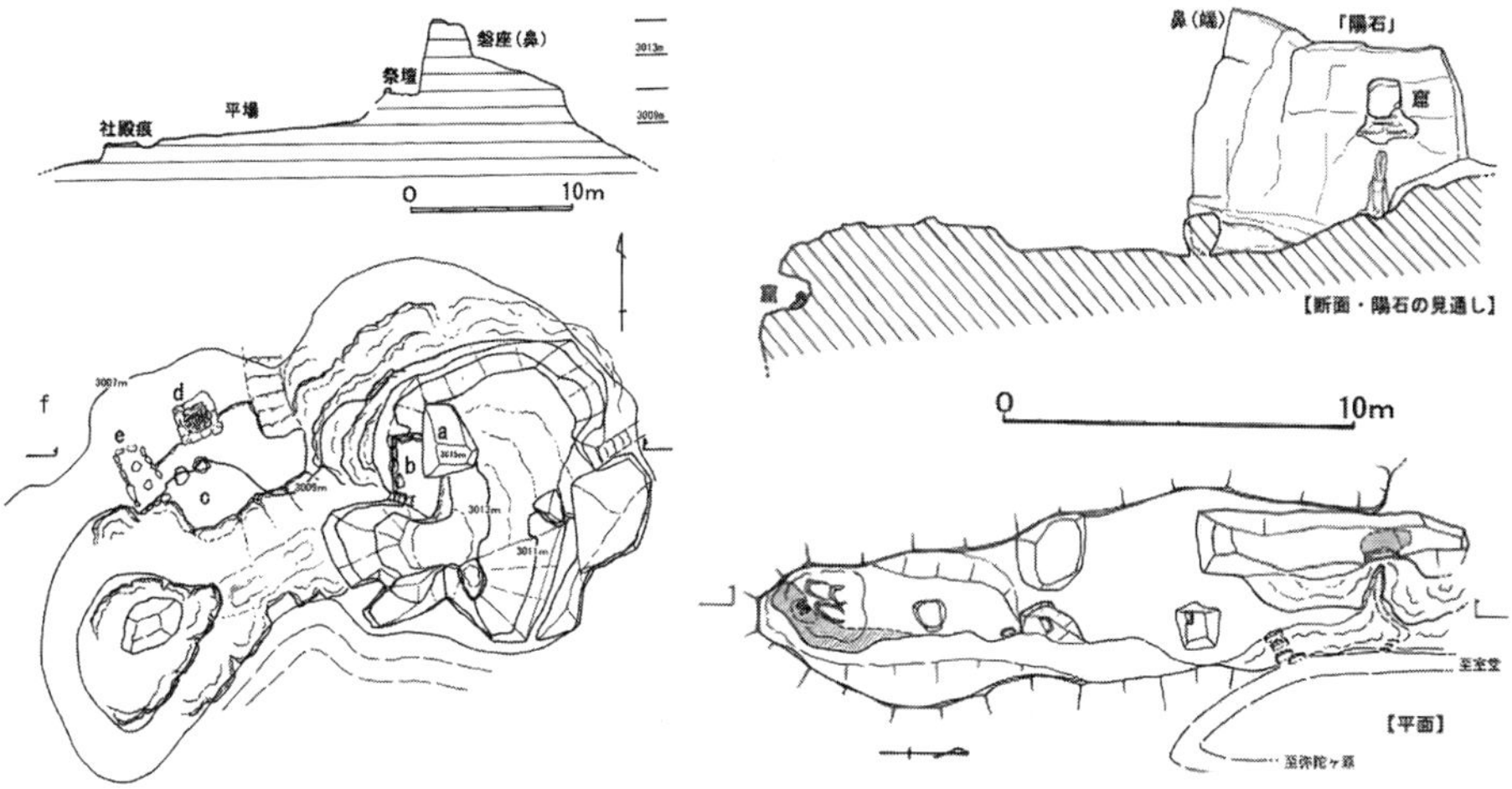

図4　立山祭祀遺跡実測図［左から「大汝山頂上」、「獅子が鼻」、「富士の折立頂上」］（作図：山本義孝）

岳宗教から出発し、その後、浄土教や天台教学（本覚《ほんがく》思想）など諸宗教の影響を受けながら、江戸時代の立山信仰が形成されていった。

2　忘れられた山岳修験の足跡

立山は、厳しい「結界《けっかい》」で仕切られた「聖域」だった。明治時代以前には、目には見えない結界で分けられ、身分を越えて、聖域だという認識が共有されていたのである。

その聖域に入り、あえて苦しい行を積む宗教者（ヒジリ／山伏／修験者）がおり、中世においては、村落に住む人々は自らの地域社会の安穏を求めて、こうした宗教者に「滅罪」を委ね、災害を払い、福をもたらすことを期待した。間違いなく「立山」もまたその現場であったが、その実態についてはあまりよく知られていないのが現状である。

立山博物館では、全国各地の修験道による霊山における宗教活動の実態を「立山」に照らし、立山山中の山岳信仰遺跡を読み直す調査を山本義孝氏（日本山岳修験学会理事）とともに実地調査を実施した。立山山中において、いくつかの巨石を中心に検討を行い、その周辺を調査し、実測図を作成した（図4）[5]。

その中で富士ノ折立、獅子が鼻、大汝山の巨石は、神仏を降ろして礼拝《らいはい》の対象とした「磐座《いわくら》」（垂迹岩《すいじゃくいわ》）で、図に示したように、磐座に神仏を降ろしその場を祭祀場（修行場）とするために、護摩焚き場と籠り行の窟との関係もみえることが明らかになってきた。すなわち立山山中に密教の両界曼荼羅の金剛界の世界（大日如来に結縁するための九つの世界）を投影し、山中に結界を張って、まるでチェックポイントのように、いくつもの行場を設けて修行した可能性がある。この他にも、後に触れるように、立山山中の名所、旧跡として江戸時代に語られた場所は、すでに中世において修験道の祭祀場（修行場）であったであろうとみられている。

ただし、こうした推論を証明するには、やはり遺物による考古学的な考証が伴わなければ根拠に乏しい。今後も引き続き調査と研究を積み重ね、学問領域を超えた調査研究によって、古代・中世の立山信仰が明らかになってくることが期待される。

こうした山伏、修験者らの山中修行は、決して仏教の経典に基づく教理や教学をはじめとする哲理だけで、立山を信仰の対象としたのではない。平安時代頃から、修験者によって立山の自然景観を活かしながら、切実な精神的救済のための信仰の対象や場として、岩や樹木、瀧や洞窟などを組織的に聖地としていくなどの取り決めが設けられ、共有された

（5）山本義孝『立山における山岳信仰遺跡の研究』立山博物館、二〇一〇年

のである。

3　宗教集落の形成と加賀藩による登山路の支配

今日、立山の雄山山頂に「峰本社」を構える雄山神社は、その遥拝施設として山麓に成立した中宮祈願殿（芦峅寺集落）と前立社壇（岩峅寺集落）の三社から成り立っている。明治時代初期の神仏判然令までは、祭神は—文献によって少しずつことなるが—伊邪那岐命《いざなぎのみこと》と天手力雄命《あまのたぢからおのみこと》の二柱で、それぞれ本地仏は阿弥陀如来と不動明王とされ、立山大権現（立山両大権現ともいう）として祀られていた。神仏習合（混淆）時代は、わが国の姿かたちのない神々の正体は仏であるという考え方に基づくもので、わが国では外来の仏が、日本の神として権《かり》に現れたとして、ながく立山でも山中のとどまる神々は仏菩薩の姿で表現されていた。

江戸時代になると立山は、金沢に拠点をおいた加賀藩前田家の支配下にあった。加賀藩は藩境の警備上の観点から、今の富山県側、芦峅寺と岩峅寺両集落の宗教者に宗教的特権を与える一方、立山登拝を目的として入山する人びとの監視役を担わせ、この集落を通ってしか、立山に登山することを許可しなかったのである。やがて全国から立山信仰で登拝に訪れた人びとの宿泊の世話をするため、芦峅寺《あしくらじ》と岩峅寺《いわくらじ》両集落では、宿坊を構えての活動が盛んになっていった。江戸時代には芦峅寺集落に三三軒、岩峅寺集落に二四軒もの宿坊が林立した。宿坊を経営する一方、衆徒は立山信仰を奉じて独自の宗教活動、すなわち

図5　重要有形民俗文化財「立山信仰用具」のうち「立山曼荼羅」（吉祥坊本）（立山博物館蔵）

『立山曼荼羅』の絵解きによる布教をはじめ、立山午玉札などの護符の配札、血の池地獄からの女性の救済を説いた「血盆経《けちぼんきょう》」や死者を葬る際に経文の功徳によって罪を軽くする装束「経帷子《きょうかたびら》」の頒布、立山開山伝説に基づく阿弥陀如来を表現して像の胸に穴を穿った「矢疵《やきず》の阿弥陀如来像」を用いて、遠隔地で結縁を促す出開帳などを行った(6)。もとより江戸時代以前は、立山は大きく雄大な山ゆえ、芦峅寺・岩峅寺両集落を通るルート以外にも、大岩日石寺や信濃大町など山麓にいくつも登拝口があったとみられ、それぞれに宗教集落が形成されていたことが想定されている。

（6）　これらの活動を示す資料は、「立山信仰用具」として、一九七〇年、国指定重要有形民俗文化財に指定されている。さらに二〇二〇年、これに一六〇点の民俗資料の追加指定が行われた。立山博物館蔵

4 媼《うば》尊と山の神

かつて立山山麓の宗教集落であった芦峅寺には、明治初期の神仏判然令に伴う廃仏毀釈によって破却され、今日に伝わらない御堂があった。それは「媼堂」と称して、芦峅寺を流れる姥谷川の左岸に建っていた入母屋造りで唐様の御堂である。この堂を「媼堂」と呼ぶのは、ここに本尊格の三体と、諸国六六カ国にちなんで安置された六六体、計六九体もの媼尊（芦峅寺地区では「おんばさま」という）が祀られていたからで、現存する像のうちの一体の像底には永和元（一三七五）年の墨書銘があり、媼尊信仰は少なくとも南北朝時代にさかのぼることができる。(7) 媼尊像は、上半身裸形の老婆で、片膝を立てて座っている姿が特徴的である。平安時代前期成立の国宝「神功皇后座像」（薬師寺鎮守八幡宮蔵）にも、「小野小町坐像」にも、三途の川の「脱衣婆《だつえば》」にも通じる像容をしている。

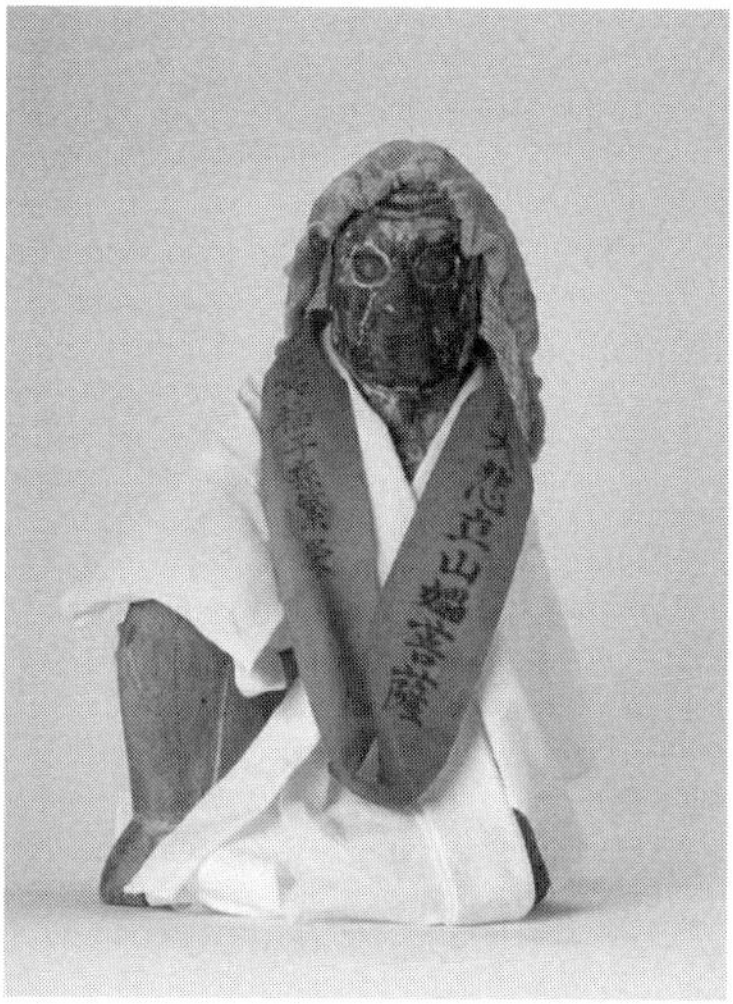

図6　富山県指定文化財「媼尊坐像」（芦峅寺閻魔堂蔵）

　現存する数体の媼尊像は、姥谷川の対岸に現存する閻魔堂において、毎年、集落の婦人会によって、媼尊像の

（7）詳しくは『うば尊を祀る』立山博物館、二〇一七年

装束を更新するお召し替え行事が行われている。こうした民俗行事や伝承内容などから、媼尊は古代から女性神で、子どもをたくさん生み、恐ろしい性格の「山ノ神」として信仰されてきたと解釈されている。

媼尊は、戦国時代の越中国主佐々成政や加賀藩初代藩主前田利家をはじめ、地域の権力者からも信仰を得ていたと考えられている。

さらに媼尊は立山の天候を予言する存在でもあった。文政年間頃の道中記(8)によると、立山登拝に訪れた人びとのなかには、宿坊の主がその経験をもとに「明日は山の天候が崩れるから逗留したほうがよい」と登拝の順延を提案しても、強引に登山しようとする者が多かったようである。しかし登山準備のために芦峅寺に宿泊した人びとには、必ず媼堂の参拝を促したが、その際、媼尊の顔が白く見えれば、良い天気に恵まれ登拝してよしといい、一方、媼尊の目が炎のごとく光れば、天候が悪化し山は荒れるなどといって、媼尊を介して山中での安全をはかる役目も担っていた。山をよく知る宿坊の主らが媼尊のろうそくの位置を調整するなどしていたのだろう。

(8) 『立山参詣記』(個人蔵)

5　この世とあの世の境界

明治時代以前まで立山は女人禁制であった。立山に登拝し、地獄めぐりや山中での籠《こもり》行《ぎょう》などの修行を行う擬死再生が行えたのは、男性に限られていた。かつてそれを破って無理に登山した若狭のトウロ尼ら女性が、山の神の怒りにふれて杉の木(美女杉)や石(姥石)

に姿を変えられたという語りをもって、そのタブーが信じられていたのである。

芦峅寺集落は立山の入口にあたる集落で、ちょうど集落を流れる姥谷川は、山の世界との境界と考えられていた。この姥谷川には「布橋」(「天の浮橋」ともいう)と呼ばれた橋が架かり、立山山中への交通路としての機能のほか、宗教的に意味のある橋で、経典に説かれる仏教数字を意識した仕様の壮麗な橋であった。この橋は、加賀藩の御普請によって修繕や架け替えが行われていたので、明治以降は、資金の供給源が絶えて朽ちてなくなり、その脇に新たな県道が敷設された。現在、架かっている布橋というのは、昭和四五年にかつての仕様をもとに復元された橋である。宗教民俗学的立場からの考証によると、この場所の景観は、民家のある集落側は「この世」、山側の世界は「あの世」であり、まさに「布橋」はこの世とあの世を渡す架け橋だと解釈されている。

図7　現代に復元された「布橋灌頂会」イベントの様子

明治時代以前の仏教信仰の多くは、人びとの死生観に罪や穢れが問題にされ、罪や穢れを抱えたまま死ぬと、死後、冥府の閻魔王の裁きにあって、地獄へ堕とされてしまうのだと信じられていた。江戸時代には、熊野比丘尼や善光寺聖らが、地獄絵を携えて、全国に唱導・布教を

図8　『立山曼荼羅』（日光坊Ａ本）に描かれた布橋灌頂会の様子

行ったので、民衆のあいだにひろく地獄思想が浸透し、これが家の永続にも関わる問題としてとらえられたので、自発的な信仰生活を求めようと自律的精神が芽生えた。こうして生前の罪滅ぼし（滅罪）や、先祖供養による先祖の滅罪が盛んになっていく。こうした社会的状況下において、格好の罪滅ぼしの場である立山には、大勢の人々が信仰を寄せていった。

　ところが、女人禁制で立山に登れない女性たちは、この世での罪滅ぼしができない存在だと説かれた。立山芦峅寺集落の衆徒らは、そのための法会・儀式を考案し、それが閻魔堂と布橋と媼堂を舞台とした「布橋《ぬのばし》灌頂《かんじょう》会《え》」である。無本山天台宗であった立山衆徒ならではの、他に例のない仏教諸宗派の教義を取り込んだ独特な儀式が成立したのである。同儀式は、秋の彼岸の中日に行われ、女性たちは死装束である白衣をまとい、菅笠をかぶり、目隠しをして、式衆に導かれて閻魔堂から布橋を渡って媼堂まで、三筋に敷かれた白布で作られた白道《びゃくどう》を歩いて渡ったという。媼堂では「十念《じゅうねん》」を受けることで仮に死んだことになり、再び橋を渡り返し、新たに再生するという生まれ清まりの儀式（擬死再生儀礼）

だと解釈されている。[9] この際「血脈《けちみゃく》」という呪術的な札が授与され、健康と往生が約束されると信じられた。諸国から多数の参詣者が訪れたとされているが、その実態は史料的によくわかっておらず、今後の研究課題も多い。

おわりに——立山の近代化

立山は、明治時代以降、登山の様相も大幅に変貌を遂げた。明治初年頃の神仏判然令を受けて、立山の景観も様変わりし、立山山中に安置されていた複数の仏像・仏具も廃棄・売却された。女人禁制の制度は一八七二（明治五）年に解除され、翌年七月二七日には、広島の女性を含む家族が登山した記録が確認できる（『立山禅定止宿覚帳』）。また江戸時代には立山登山の年齢制限もあったが、これも解除され、七〇代の男性の登山がしばしば散見するようになっている。特に大正時代になると、人びとの暮らしも大幅に変化し、「中流」階級の、いわゆる大衆の労働形態が変容し、余暇のすごし方が問われるようになり、人びとの目は登山にも向けられ、登山ブームが沸き起こった。[10]『富山日報』や『富山新報』には近代大衆化傾向のなかで立山登山者の増加と立山をめぐる鉄道網などのインフラ整備に関する記事が散見する。[11]

明治から昭和初期にかけての立山経営の詳細を記した『一山社年中議事録』[12]によると、時代の下った一九一六（大正五）年における登山者数は四一二九人であったことが記されており、このほか追書にも一九二二（大正一一）年には四〇三四人、一九二三（大正一二）

（9） 五来重「庶民信仰における滅罪の論理」『思想』第六二二号、一九七六年

（10） 布川欣一『山道具が語る日本登山史』山と渓谷社、一九九一年

（11） 『大衆、山へ―大正期登山ブームと立山―』立山博物館、二〇〇八年

（12） 芦峅寺一山会文書のうち（現芦峅寺雄山神社宮司元大仙坊所管）。翻刻は高瀬保編『越中立山古記録』第四巻（立山開発鉄道株式会社創立四十周年記念出版、一九九二年、立山開発鉄道株式会社）に全文掲載

年は三〇五六人、一九二四（大正一三）年は六一八三人、一九二五（大正一四）年は五一三五人、一九二六（同一五（昭和元））年は三七二二人、そして昭和二年は三七〇五人の登山者があったことがわかる。もとよりこの人数がどこでどのように数えられた数値であるかについて注意が必要であるが、年により約三〇〇〇人の開きがみられる。

佐伯幸長氏によれば「昭和初期頃までは一般登山者といえば殆ど村々町々の青年若連中が七、八割を占めて、例年経験のある団長幹部が引率して登山した」[13]という。

これはいわゆる「成人登山」といわれ、明治時代になって習俗化した現象である。すなわち越中男子は、立山開山伝説の有頼伝説になぞらえて、一六歳前後の年齢になると、「立山参り」をするのがしきたりとされた。立山登頂を果たせば、一人前の若者として社会的に承認され、婚姻の資格も生じたというものである。

また江戸時代の立山には、「中語《ちゅうご》」と呼ばれる、いわゆる「立山ガイド」がいた。「中語」は、立山登拝者に対して神仏と俗人の媒介者を意味した立山山中の案内人であった。芦峅寺の伝承によると「明治初期までは坊家に夫々特定の者が附属していた」とも「中語を頼まぬ者はいなかった」と伝わる。明治維新期には、「中語」は総じて九〇名ほどおり、芦峅寺、岩峅寺、宮路、上滝のほか、近隣の向新庄、千垣、本郷、黒牧、松倉などにも存在していた。「中語」は複数の異なる出身地域の登拝者集団を一度に率いることもあったが、単発の案内がほとんどで不安定な稼業であったと思われる。明治中期になると「立山中語人夫同盟規約」が結ばれ、今日につながる制度の再整備がはかられ、新たなスタートを切った。

一九五二（昭和二七）年、富山平野から立山連峰を横断して黒部湖に達し、さらに後立山連峰を横断して長野県大町市にいたる山岳観光ルートとして「立山・黒部アルペンルー

（13）佐伯幸長『立山信仰の源流と変遷』立山神道本院、一九七三年

ト」の観光開発が計画され、同四六年全線が開通した。延長約八六㎞。これにより、富山県側からは、立山町の千寿ヶ原を起点として、美女平までケーブル路線、美女平からバス路線を利用して室堂（標高二五〇〇ｍ）まで手軽に到達でき、立山登山は身近で簡便なものになった。一方、関西電力による黒四ダムの建設が進められ、その資材運送道路として大町トンネルが開通し、長野県側からも黒部湖と黒部平間の地下ケーブル、黒部平と大観峰間ロープウェー、さらに立山直下を貫く大観峰と室堂間の立山トンネルを利用して立山に至ることができるようにもなった。その後、富山地方鉄道立山駅から称名川沿いに美女平に登る自動車道路（自家用車の乗り入れは不可）が完成したことにより、富山駅から室堂までの直行バスが運行され、ますます手軽に室堂平へ到達でき、また室堂平には室堂・地獄谷・雄山をつなぐ遊歩道や案内標識が整備されるなど、立山は年間一〇〇万人の観光客を迎える一大観光地となった。

明治時代以降、黒部湖までの立山山域が芦峅寺地内となった。これにより享保年間に建設された日本最古の山小屋「室堂」を保存・継承しつつ、弥陀ヶ原や天狗平、室堂平や立山稜線に山小屋やホテルが整備され、芦峅寺を中心とする立山山麓の人々によって、登山者らの山での安全を守り、登山の利便がはかられている。

このように今日では、立山雄山登頂と雄山神社峰本社参拝が大変簡便になったが、しかし立山の長い歴史や宗教文化からいえば、かつての宗教景観の変容が進み、かつての芦峅寺や岩峅寺をはじめとする山麓集落の宗教的機能をほぼ失われ、宿坊もすべて絶えてしまった。それでも霊山立山とそれを支え信仰した先人のこころの断片は、アルペンルートと併走するかつての参詣道の道端に今でも名所・旧跡として残っている。

column

佐々成政の悪評を広めたのは前田家か？——

萩原大輔

佐々成政《さっさなりまさ》（生年未詳～一五八八年没）は、織田信長の馬廻《うままわり》として頭角を現し、姉川の戦いや長篠の戦いなどで鉄砲隊を指揮して活躍、越中国主に任じられて富山城を本拠に構えた戦国武将だ。その成政ゆかりの旧跡「磯部《いそべ》の一本榎《いっぽんえのき》」が、富山縣護國神社の裏手、旧神通川《じんづうがわ》の松川《まつかわ》沿いに現在も残る。彼には早百合《さゆり》という寵愛する妾《めかけ》がいた。これを妬む者が、早百合が成政の家臣と不義密通を働いたと讒言《ざんげん》したところ、激怒した成政は事の真偽を確かめることなく、早百合と一族もろともを皆殺しにしたという。「磯部の一本榎」は、彼女がその黒髪を枝に括りつけられて吊るし斬りにされたと伝わる悲劇の舞台だ。写真2は昭和戦前期に出された絵葉書で、「佐々成政の愛妾早百合寃死のローマンス場」として紹介されている。なお、写真3が史跡の現況だ。そして、無実の罪によってこの場所で殺された早百合が成政を呪う悪鬼へ化し、ついには成政を破滅へ追いやったというエピソードは、「早百合伝説」と呼ばれている。この逸話は、成政の短慮や残忍さを語るものであり、彼の後に越中を治めた加賀藩（前田家）が、わざと広めたものだと言われてきた。

写真1　佐々成政像（富山市郷土博物館蔵）

　しかし、そもそも「早百合伝説」を初めて取り上げた歴史資料は何だろうか。筆者が調べた限り、堀麦水《ばくすい》（一七一八年生～八三年没）が江戸時代中期に著した『三州奇談《さんしゅうきだん》』とみられる。

写真2　絵葉書　磯部の一本榎

写真3　現況　史跡「磯部の一本榎」

彼は金沢の俳人で、加賀藩の関係者ではない。また、成政の死から百数十年以上も経ってようやく書き留められたエピソードなのだ。さらには、取るに足らない奇談の一つとして紹介されている点も注意すべきだろう。同書では、側室の名は「さゆり」と平仮名で書かれ、密通した相手も「竹沢某《なにがし》」とあるだけで下の名は明らかでない。しかも、この『三州奇談』は出版されなかったため、あまり巷間には広まらなかった。

結論から述べると、「早百合伝説」の浸透に大きな役割を果たしたのは『絵本太閤記《えほんたいこうき》』だと思う。一七九七年から一八〇二年にかけて全八四冊で完結した同書は、虚実入り交じる内容を持つ豊臣秀吉の一代記だが、コミカルな挿絵と巧みなストーリーで、たちまちベストセラーとなった。実はこの中で成政が早百合を殺した件も詳しく述べられており、そこでは「早百合」と漢字で記し、「竹沢熊四郎」と下の名も加えるなど、伝説の細かな肉付けが進んでいる。

そして、この『絵本太閤記』の大ヒットをうけて、同書の挿絵を元にした浮世絵版画が作られ始め、「早百合伝説」に基づいたものも刷られていく。一八九〇年になると、同伝説をテーマにした歌舞伎狂言「富山城雪解清水《ゆきげのきよみず》」が、東京の新富座《しんとみざ》で初演を迎える。成政役は初代市川左団次《さだんじ》、早百合役を四代中村福助《ふくすけ》がつとめ、時のスーパースターが競演する作品の題材に選ばれるほど、世に知られる逸話となっていたのだ。つまり、絵本や浮世絵、歌舞伎など、大衆向けのメディアによって流布していったのである。

かたや、前田家側が「早百合伝説」を広めようとした確かな証は見つかっていない。むしろ好ましいイメージを植え付けた面さえ浮かび上がる。例えば、成政が真冬の北アルプス越えという偉業を果たした「さらさら越え」。加賀藩のお抱え医師だった小瀬甫庵《おぜほあん》が編み、一六二六年に出版された『太閤記』では、織田家への忠義から「さらさら越え」を行ったとして、成政を絶賛している。この『太閤記』は人気を博して版を重ねたことから、「さらさら越え」の壮挙は、ほかならぬ前田家の関係者による著作で、世に発信されたといえよう。

このほか、富山の水害を減らすために成政がいたち川の開削を命じた逸話が残る。それを初めて記したのは、加賀藩の支藩である富山藩の藩校で教官を務めた、野崎雅明《のざきまさあき》が一八一五年に著した『肯搆泉達録《こうこうせんだつろく》』だ。よって、同じ前田家の関係者によるものと考えてよい。この書では、成政と利家の争いの経過を説く中で、いたち川の話に言及する。そこから見えてくるのは、領民のために土木インフラを整えようとする成政だ。

にもかかわらず、なぜか前田家が「早百合伝説」を広めたと断じる説は、今なお根強い。「佐々と前田」という戦国時代に端を発する「富山と金沢」のライバル意識が、根も葉もない決めつけを招いているのではないかと勘ぐるのは筆者だけではあるまい。

〔参考文献〕

萩原大輔『武者の覚え　戦国越中の覇者・佐々成政』北日本新聞社、二〇一六年
萩原大輔「佐々成政ゆかり「磯部の一本榎」と翁久允」『とやま文学』三六　富山県芸術文化協会、二〇一八年

富山売薬の歴史と地域への影響

——須山盛彰

1　富山売薬前史

売薬については、日本各地にそれぞれ特有の霊薬が伝わっていて、宗教的、迷信的な伝説を持つものが多い。富山の場合も、立山信仰に絡んだ話があり、富山売薬の起源を立山信仰に求める説がある。すなわち、立山信仰を勧める活動をしていた芦峅寺《あしくらじ》・岩峅寺《いわくらじ》の衆《しゅう》徒《と》たちが全国に布教する一方で、死者に着せる経帷子《きょうかたびら》を立山の護符と一緒に配置し、その代金は翌年に使った分だけもらうという経済活動をしていた。そしてこの人々は、長旅の必需品として地元でとれる腹薬のよもぎ練りや三効草《さんこうぞう》（みやまりんどうの根）・黄蓮《おうれん》・熊胆《くまのい》などを持ち歩き、世話になった旅宿のお礼にしたりしていた。これらの効き目のある薬は旅先の人々に喜ばれて商品となり、立山衆徒の重要な収入源となっていった。また、衆徒たちの活動の成果として、全国から立山参りの人々がやって来たが、その時、芦峅寺・岩峅寺の宿坊で使われた「諸国配札帳」や「旦那場帳(1)」といわれるものが、後の売薬の得意先の権利を記した「懸場帳《かけばちょう》」と似た性格を持つとされている(2)。

時代が下って室町時代には、富山に薬種（薬の材料）を商う「唐人《とうじん》の座(3)」があったという。また、富山を描いた歴史書『富山之記』によれば、江戸初期の富山城下に関する記述のなかで「薬種の類は、沈香、じゃ香、薫陸香《くんろくこう》、人尽《じんじん》、甘草、桂心、肉桂」など二四種の薬種が記されている。このように江戸時代の初期までには、富山で薬種の販売が行われ、合《あわせ》薬《ぐすり》(4)がつくられていたことが推測できる。

2　富山売薬の成立と展開

狭義の富山売薬(5)は、江戸時代、元禄（一六八八〜一七〇四）のころ、富山藩二代藩主、前田正甫《まさとし》によって始められたとされている。

富山藩は、寛永一六（一六三九）年、加賀百万石の三代藩主、前田利常の次男利次が加賀藩から一〇万石を分けられて誕生した。利次は農業中心の藩の経営を考え、牛ヶ首用水などの開削による新田開発に力を入れた。しかし、藩の創設以来財政は赤字で、累積の借財が年々増加する状況にあった。延宝三（一六七五）年には京都・金沢・富山領内の借財高が四八〇〇貫目に陥り、家中より借知（藩士の知行の借用）が始まり、同時に領民からの

（1）護符などを配った得意先の情報を記した帳面。

（2）米原寛「先用後利の大事業」（県民カレッジテレビ放送講座テキスト二〇〇一年刊『売薬』収載）

（3）中国からの渡来人が開いていた唐物類を扱う店棚のこと。発生は京の都で、富山の地には室町時代に薬種商人の唐人の座があった。

（4）数種の薬種（生薬）を調合してつくられた薬。

（5）「富山売薬」は富山藩領の売薬を指し、同じ越中でも加賀藩領の売薬は「加賀売薬」、加賀売薬は地域によって滑川売薬、射水売薬、高岡売薬などと呼んでいる。

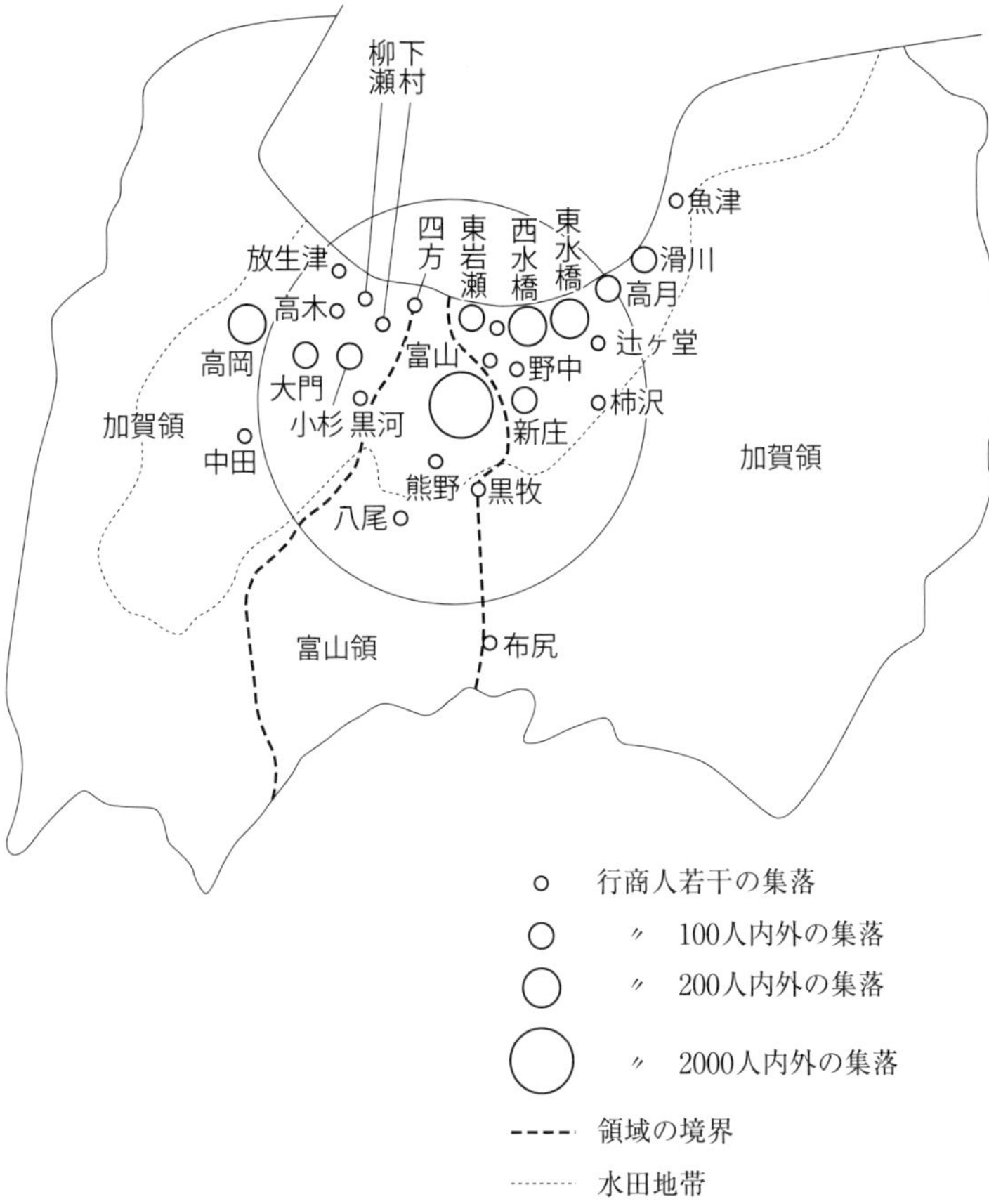

図1　富山藩領と売薬商人の出身地（植村元覚著『行商圏と領域経済』による）

年貢率増加も行われた。[6]

富山藩二代藩主前田正甫は、このような財政難を打開する一つの策として、「他領商売勝手」（領地外でも商売してよい）を許し、売薬・蚕種《さんしゅ》（蚕の卵を紙の上に産み付けさせて販売する）・八尾和紙の三つの産業を督励した。蚕種行商は「八尾蚕種」として広まり、全国の四分の一を販路とするほどに発展した。蚕種行商は、年一回の回商で、前年の代金をもらう先用後利の商法で懸場帳の仕組みも売薬と類似していた。

売薬の方は、正甫自身の薬趣味も関係して、効き目のある薬の製造に力を入れた。正甫は備前岡山の医師、万代常閑《ばんだいじょうかん》[7]を招いて「反魂丹《はんごんたん》」[8]を御前調合させ、処方も書きださせた。反魂丹はよく効き、江戸城で急病になった大名を救ったとの逸話もあり、[9]各大名から販売を頼まれたことも事実らしい。

はじめのうちは万代常閑の反魂丹を仕入れて売薬行商が始まったが、後に富山の町に住む薬種商、松井屋源右衛門《げんうえもん》によって製造されることになった。富山売薬が他藩へ行商を行った最初は、寛永年間（一六二四〜一六四三）肥後の国への行商である。また、万治年間（一六五八〜一六六〇）には豊前から豊後・筑後に、さらに肥後にも行商を広げている。行商は富山町の商人、八重崎屋源六が中心となり、元禄の頃には中国筋や仙台方面へも出かけている。

富山藩は、文化一三（一八一六）年に、売薬人の統制管理、薬種の仕入れおよび合薬製造の管理、他藩との交渉などを業務とする「反魂丹役所」を設置し、藩の銘品として保護育成した。売薬を保護する代償として御役金を賦課し、弘化元（一八四四）年には一八四一両余り、幕末の安政四（一八五七）年には、二八八九両に及んでいた。[10]

（6）水島茂「富山藩政史の諸問題」『富山史壇』五〇・五一合併号、一九七一年

（7）もず・じょうかん　との読みもある。

（8）食あたり・腹痛などに特効のある懐中丸薬。万代常閑が富山へ伝えたのは、延寿反魂丹と言われるものであった。

（9）この話は元禄三（一六九〇）年のこと、江戸城で腹痛をおこしたのは岩城三春（いわしろみはる）藩の藩主とされているが、公式記録にはなく、反魂丹由緒書きなどをもとに明治期にまとめられた「富山反魂丹旧記」が基になっている。

（10）米原寛「反魂丹役所の機能と構造」『富山史壇』六二・六三合併号、一九七六年

3　富山売薬の製造と販売

富山売薬業界では、富山反魂丹の元祖は松井屋源右衛門、売薬行商の祖は八重崎屋源六と信じられ、反魂丹処方を伝えた万代常閑と売薬を興した前田正甫を恩人として、この四人への感謝祭を毎年行っている。

松井屋源右衛門は富山藩誕生のころは、富山町の有力町人で町年寄格の人物で、前田正甫が製薬に乗り出した時の協力者の一人でもあった。万代常閑に書き出させた反魂丹の処方書きは松井屋源右衛門に渡され、反魂丹の製造と販売が命じられた。

八重崎屋源六の先祖は、婦負郡《ねいぐん》八重津石瀬《やえづいわせ》（現富山市西岩瀬）の地侍であったが、のち富山に出て商人となった。源六は父、源兵衛に続き松井屋の手代を統率し、自らも薬などを売り広めていた。そして、元禄三（一六九〇）年に初めて反魂丹を持って売薬行商に出て以来、源六およびその手のものが販売を担うことになった。

反魂丹は、処方があれば誰にでも手軽に作れるという薬ではない。江戸時代の反魂丹の処方は二三味《み》(11)と言って、原料となる生薬は二三種にも及び、一つひとつの成分について酢で煮るとか半焼きにするといった加工が必要で作りにくい薬であった。それでも、薬の原料である薬種を売薬株持人（売薬する権利を持った人）が買い入れ、決まり通りにきちんと作れば、同じ品質の反魂丹を富山藩領で大量に生産することができた。製薬の道具は、はかり・ふるい・一定数の丸薬をはかり取るさじ・薬草をきざみ、粉にするやげん（薬研）・

（11）二三味の反魂丹の製法は明治期に一たん絶えてしまい、後で再現しても一三味のものしかできていない。

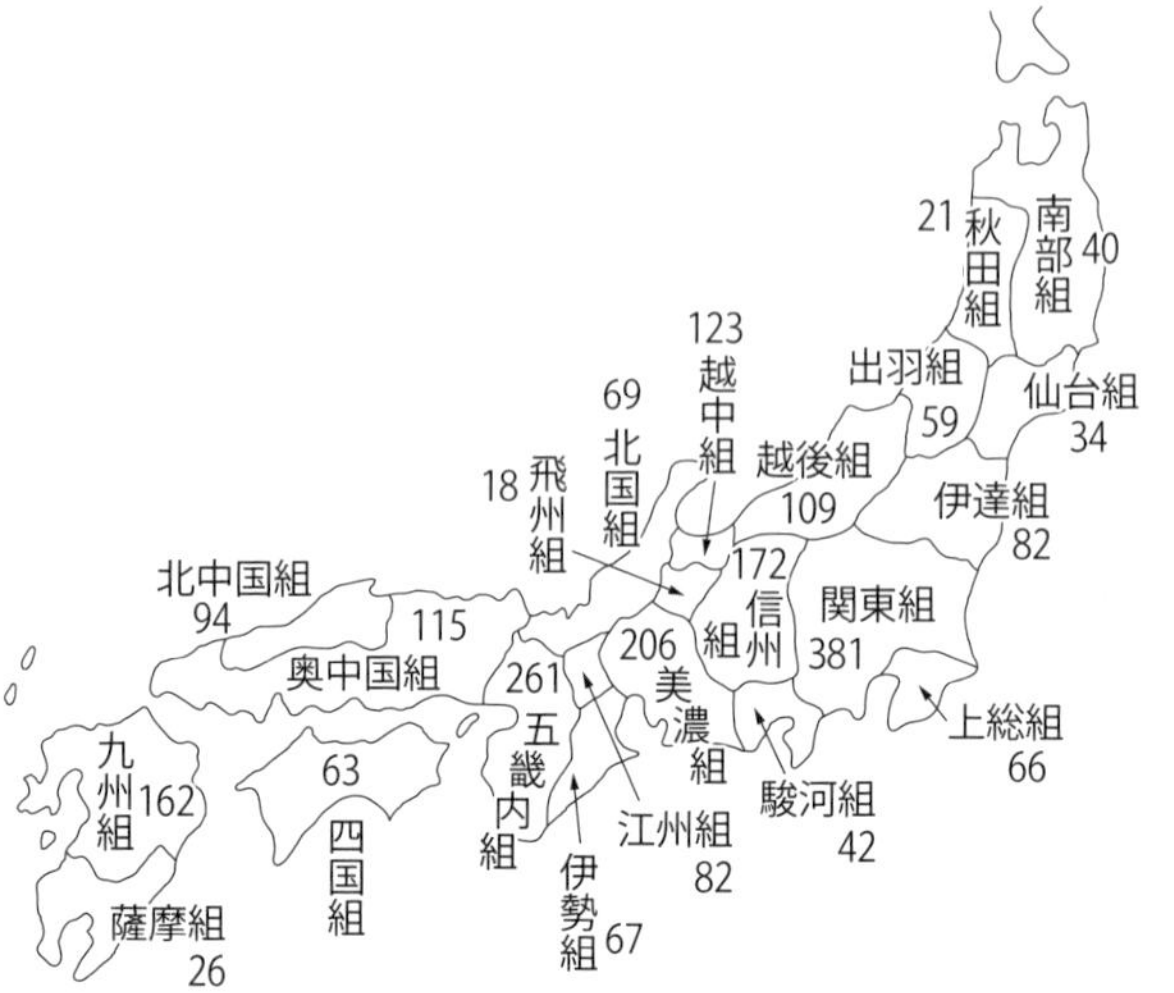

図2　嘉永6年における富山売薬行商人の仲間組（植村元覚著『行商圏と領域経済』による）　＊図中の数字は行商人数

膏薬《こうやく》を煮るほうろう引きの鉄鍋など、用途により多数あった。富山売薬の最初の商品は反魂丹など四・五品であったが、富山売薬業者は漢方医学の研究も進め商品の数を増やしていった。

一方、売薬行商も最初から順調とは行かなかった。八重崎屋源六らが反魂丹を持って初めて行商に出た元禄の頃は、大坂・京都・江戸などの市で芸などをして売り広めた時代、各地の祭りで反魂丹を売りながら村に得意先を作る地道な努力が続けられた。宝暦年間（一七五一～六三）には富山売薬の名が全国に知られるようになった。次の明和年間（一七六四～七二）には二一組の仲間組ができ、富山反魂丹売薬の形ができあがった。

富山売薬は、仲間組と向寄《むかいより》という組織をつくっていた。仲間組は出かけて行く地方ごと、向寄は出かける藩ごとに売薬が集まる組織で、向寄は富山藩との交渉、仲間組は旅先藩との交渉にあたり、自分たちの利益の確保に努めた。一方、仲間組では富山売薬の信用を落とす行為がないように厳しい取り決め（示談）を定めた。その主な内容は、旅先で喧嘩や賭け事、薬の安売り、決められた場所以外での宿泊、薬以外の品物の取り扱い、お金の無駄遣いの禁止などであった。守らないと直ちに荷物を富山へ返送するなどの厳しい措置が取られた。

富山売薬は、「懸場帳」という独特の顧客台帳を用いるようになった。[12] 得意先の住所・氏名、あらかじめ預けておく薬の数と定価、薬の入れ替え年月日、掛売金額などを記載し、ほかに近所の地理など参考になる書き込みがしてある。配置人はこれを持参して得意先を訪れ、使用量を調べて代金を受け取る。[13] また古くなった薬を回収し、改めて薬を置き直す。

一人の売薬行商人では運べる商品の量はわずかである。それで連人《つれにん》と呼ばれる荷物かつぎを連れて旅に出るのが普通であった。連人は売薬行商の見習いであって、やがて暖簾分けしてもらい一人前の売薬行商人になっていくのである。

このような製造と販売の特色を持った富山売薬は、地理的条件、陸上・海上交通や市場などの関係により、九州と中国が先駆的で、次いで日本海沿岸地域、近畿、東北、関東などに普及していった。こうして天保（一八三〇〜）の頃には文字通り全国至る所に販路を拡大したのである。

(12) 富山売薬行商の始まりは元禄（一六八八〜）以前であるが、懸場帳は宝暦五（一七五五）年になって初めて記録に出てくる。懸場とは、売薬人が回商する区域のこと。

(13) これが、先用後利と言われる販売法。

4　北前船《きたまえせん》交易と売薬行商の拡がり

江戸時代の売薬行商人は、初めは北陸街道を歩いて近畿・東北・関東地方へ、飛騨街道を歩いて東海地方へと出かけていたが、江戸時代後期には富山湾岸の四方・東岩瀬・水橋・滑川・新湊から荷物を船に乗せて、北は北海道、南は四国や九州・沖縄まで、全国各地へ向かった。売薬人が利用した船は「北前船」と呼ばれ、北海道や東北・北陸の物産を日本海から下関を経て大阪へ運ぶ西回り航路の船であった。この北前船は大坂から薬種を運び入れるための重要な交通手段でもあり、富山の薬種商の中には北前船の船主となる者もあった。

ところで、売薬行商は順調なことばかりとは言えなかった。売薬行商は他領での行商であるから、富山藩の許可を得るとともに旅先の藩で販売許可を得なければならなかった。しかし、他藩にとっては今でいう貿易の輸入にあたり、藩経済の立場からは保護・統制の必要があった。藩財政がひっ迫することが多かった江戸時代後期には、各藩は自国産の奨励に努め、専売制度を設けるなど、輸入を極力抑える保護貿易主義に傾いていった。その結果、全国を行商する売薬商人は各地でたびたび営業の差し止めを受けた。売薬人はこの営業差し止めを何らかの形で解除したり、あるいは差し止めを未然に防ぐために、それぞれ旅先藩の立場を考慮し、藩経済に利益になるような方策を行わねばならなかった。

その好例として、薩摩藩領内における売薬行商の場合を見てみよう。薩摩は本州の最南端に位置し、琉球あるいは中国（清国）との密貿易が盛んで、藩外からの人や物の流入には警戒が厳しかった。薩摩売薬は富山町の有力町人、密田《みつだ》家[14]が差配していた。

密田家差配の「越中薩摩組」の売薬人たちは、薩摩藩の地理的特徴を生かし、蝦夷松前の昆布を薩摩藩主に献上し、さらに琉球貿易や中国との出合貿易[15]の交易品とする昆布を、薩摩組が富山で雇い入れた船で大坂から蝦夷、薩摩に運行した。これが昆布貿易と言われ

（14）密田家の当主は代々密田林蔵を名乗ったが、薩摩売薬で仲間組の中心となったのは、六代・七代林蔵であった。

（15）江戸初期の頃にあった日明貿易のこと。

るもので、薩摩藩と富山売薬の秘密裡にして継続的な回漕業であった。こうした蝦夷からの昆布輸送に要る資金として、薩摩藩主から総額五〇〇両の助成（借入金）を受けていた。昆布六万斤を仕入れ、一万斤は薩摩藩主へ献上、残り五万斤は薩摩藩で買い上げるというものであった。こうした政策は当時としては奇想天外なもので、それだけに想像を絶する困難を克服して行われた貿易であった。薩摩藩以外の藩においても、織物・熊皮・真綿・カステラ・卵など、当時の貴重な品を出入りの藩に贈ったり、交易に用いたりした。

5 明治以降の富山売薬の動向

明治時代に入ると富山売薬は大きな試練の時期を迎えることになった。幕末の開国により洋薬の輸入が始まったことと、薬に対する行政の方針が目まぐるしく変化したことが、富山売薬に大きな影響を与えた。

明治政府の医薬行政を直接担当したのは、蘭学者と外国人医師であったが、彼らの目には漢方薬のように「木の皮や草の根を煎じて飲むとか、動物の臓器や骨角を服用する」ことは、いかがわしいものと映った。そのため厳しい監視や指導を受けることになった。医薬行政は、初め旧幕府の医学所であった大学東校《ひがしこう》(16)によって行われた。次いで、文部省に、さらに内務省にと移っていった。大学東校のとき売薬営業の鑑札が発行され、文部省のとき薬の薬味、分量、用法、効能を申告させられたが、富山の売薬業者たちの多くは努力して乗り切り、営業を続けることができた。

(16) 東京大学の前身。幕末の医学所が医学校を経て、明治二(一八六九)年に改称したもの。その後、東京医学校を経て、明治一〇年に東京大学医学部となった。

しかし、明治一〇（一八七七）年の課税は、富山売薬にとって存亡をかけたものとなった。政府は明治一〇年一月から「売薬税」を新設した。これは、薬剤一方《ひとかた》につき一年二円を鑑札を交付された売薬業者および請売業者・売薬行商人が納めるというものであった。その理由は「売薬はあまり効き目がなく、日用必需品とは言えない。ところがその利益は不当に多く、場合によりもうけが十数倍ということすらある」としていた。これによる政府の収入は約九万円と、当時の財政収入の〇・一七％を占めたが、富山売薬にとっては大きな打撃であった。

さらに、明治一六年一月からは「売薬印紙税」が課せられた。これは全ての薬に定価を付記し、その一割の額面の収入印紙を貼らせることにしたものである。薬を配置し、配置した分の全てに[17]一割の印紙税をかけたので、売薬税と合わせ、業者は致命的な打撃を受けた[18]。

富山売薬の業界は一丸となって、撤廃の陳情運動を続けた。それに合わせて、業界そのものの近代化への努力も続けた。まず、富山の売薬業者の有志で明治九年に、製薬会社・広貫堂を設立した。これまで行っていたそれぞれの家で調合するやり方を止め、品質が一定でより効く薬を作るのが目的で、化学薬品も取り入れた製薬を目指した。

次いで、売薬振興のための教育機関を設立する運動をおこし、明治二六年に共立薬学校という私立の学校をつくり、これは後に富山市立から富山県立になり、さらに官立後に富山薬学専門学校（現富山大学薬学部）となって、製薬の近代化と行商人の知識の向上に役立った。

このような結果、売薬印紙税について、明治一九年になって未使用の売薬の印紙は交換

（17）富山売薬は先用後利であったので、全てが売れるとは限らず、矛盾があった。

（18）明治一五年と一六年で比較すると、生産額は八分の一、行商人は九七〇〇人から六〇〇〇人にとそれぞれ減少している（富山県『富山県薬業史通史』一九八七年刊）。

できることになり、その分負担が軽減された。売薬業者はさらに、印紙税の完全撤廃の運動をするため、明治四一年に富山県売薬同業者組合を結成した。大正一五年になってようやく四〇年余りにわたった売薬印紙税が廃止され、富山売薬は再び勢いを得た。

しかし、これで売薬の苦難の時期が終わったのではない。昭和初期の経済恐慌以降、国家が海外進出を進めると、それにともなって海外売薬[19]に努めたが、太平洋戦争の敗戦とともにすべてを失うといった打撃を受けた。

昭和二二（一九四七）年、戦前の売薬統制が解かれ、自由に薬を製造し配置できるようになった。しかし、終戦から数年間はインフレがひどく、特に先用後利の商法の富山売薬の経営は苦境に追い込まれた。昭和二五年、朝鮮戦争が起こり、戦争による特需のため経済は活発となり、配置売薬も売り上げを伸ばした。昭和三〇年代に入ると、薬業界全体の生産が活発となり、富山売薬も著しい伸びを続けた。しかし、三〇年代中頃から伸び悩みをみせてきた。その原因はいくつかあり、その一つは、大手医薬品メーカーが急成長したこと、二つ目は農業協同組合が家庭薬配置を始めたこと、三つ目は昭和三四年から始まった国民皆保険制度の実施であった。

一方、このような状況の中で、富山売薬の宣伝も積極的に進められ、昭和四〇年代の高度経済成長期には、富山売薬の近代化への基本的な方向が打ち出された。また、昭和五一年からのＧＭＰ（医薬品の製造及び品質管理に関する基準）の実施も中小の製薬業者や配置販売業者に大きな影響を与えた。

平成二八（二〇一六）年における全国の配置用医薬品生産額は一七三億円であり、そのうち富山県は九六億円と全国生産の約五割を占めている。

（19）　海外売薬は輸出売薬とも言われ、明治末から大正期に盛んとなり、中国・米国・インド・朝鮮などへ進出した。

6　近代産業を育てた富山売薬

本項では富山売薬が地域に及ぼした影響について考察する。図３（産業の樹）は、売薬を中心に富山の産業が育っていったことを模式的に示している。木の大本は江戸時代に興った売薬業者と古くからの農業者（地主）が支えている。明治以前は藩の決まりで、売薬などが蓄積した資本を他に投じることは禁じられていた。明治を迎えるとその束縛が外れ、売薬業者は金融機関をはじめ、水力発電・鉄道・各種製造業・出版や印刷・教育などの幅広い分野に進出した。昭和・平成へと時代が進むにつれて、産業の姿が電子機器・バイオテクノロジー・ITなどと変化しても、そのルーツが売薬に求められるものや、売薬の影響を受けたものが数多い。

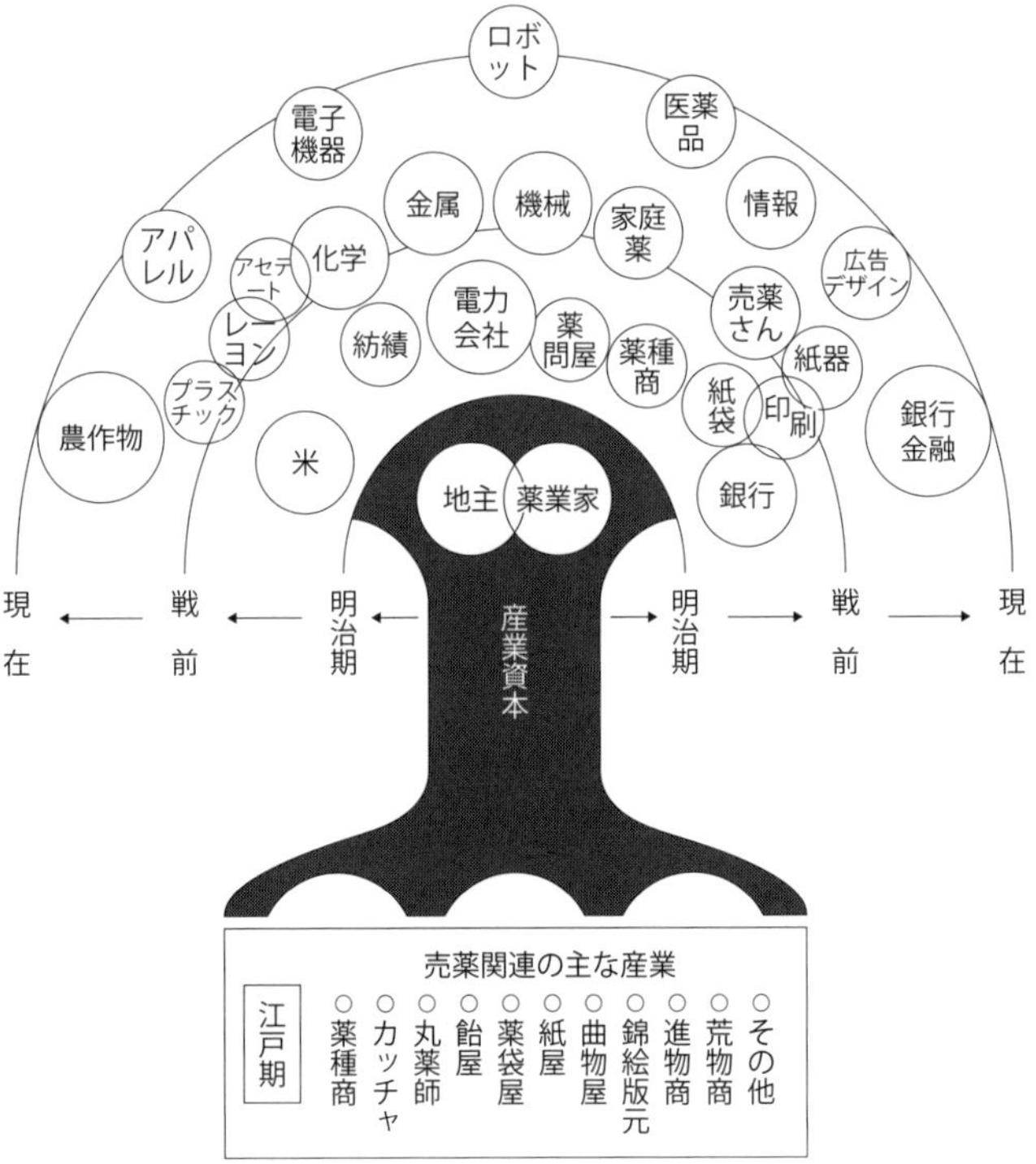

図3　富山売薬が支える産業の樹

売薬資本が中心となってできた富山の銀行

明治九（一八七六）年、国立銀行条例が改正されて、秩禄公債《ちつろく》（士族に交付された公債）なども銀行資金にすることが認められると、全国的に国立銀行設立の動きが活発になった。富山の場合、ほかの地域とは違って士族より売薬業者が熱心に設立準備を進めた。

明治一一年に富山第百二十三国立銀行が設立されたが、役員には士族のほか売薬業者が加わった。

明治一七年に富山第百二十三国立銀行は、金沢市にあった金沢第十二国立銀行[20]と合併し、富山第十二国立銀行として本店を富山に置いて営業するようになった。同行は、その後十二銀行となり、さらに経緯を経て現在の北陸銀行へと続いている。

水力発電から各種製造業へ

薬種商の金岡又左衛門が、明治三〇年に富山電灯を設立し、三二年に大久保発電所を建設して一五〇キロワットの電灯用電力を富山の町へ送電したのが、富山県の水力発電の始まりであった。富山電灯への出資の中心になったのは売薬業者であった。

富山電灯は、その後、工業用電力の開発にも力を入れ、企業統合や戦後の電力再編成などを経て現在の北陸電力に発展している。

一方、富山県内では豊富で安い電力が利用できるため、明治末期以降、紡績・化学・金属・機械などの近代工場が次々と設立され、売薬業者はこれらの諸会社の設立に参画したり、株主の形で関わったりするものが多かった。

（20）士族中心で資金面に弱さがあった。

薬業関連産業の発展

富山売薬は関連産業が多く、原材料を供給する薬種商を中心に、製薬用具、包装用紙、容器、進物用品など多くの商売が成立していた。表1は江戸時代に起源をもち明治中期以降、大正期頃までの売薬関連業者数を調査したものである。

明治期以降は、これらの売薬関連業者も独自に事業を展開したり、兼営で他分野に進出した。その主なものは、明治中期に出現したガラス瓶製造業者で売薬容器以外の需要が多くなり、戦後はプラスチック容器製造も加え、多様に展開している。また、金属容器についてもブリキ缶・アルミ缶の開発から一般容器の製造が中心になっている。そのほか、印刷や包装関係では極細文字や特殊文字などの特殊印刷が発展し、薬袋や薬函も進化して売薬用以外の「印刷紙器」の分野が開発された。

表1　富山売薬の関連業種の業者数（明治中期以降〜大正期頃まで）

業　種	業者数
薬種商	42
売薬搗屋	3
製丸師	8
箔商	6
製飴所	7
砂糖商	13
膏薬製造業	5
紙商	16
煎薬振出用布袋製造業	6
曲物業	10
売薬錫容器製造業	9
ブリキ製罐業	15
晒蛤貝商	4
薬瓶製造業	15
コルク製作所（輸入商）	4
度量衡器商	7
丸薬量器商	1
刷毛製造販売業	3
小間物・荒物商	1
売薬進物商	24
錦絵（売薬版画）版元	5
印判版木彫刻師	30
合羽商	4
荒物商	4
売薬懸場帳仲買業	15
ボール函製造業（又は紙函）	21
ブリキ製売薬預箱製造業	9
合計業者数	287

（資料）村上清造著『富山売薬とその周辺』の文中より作成
（注）富山市内の業者のみ

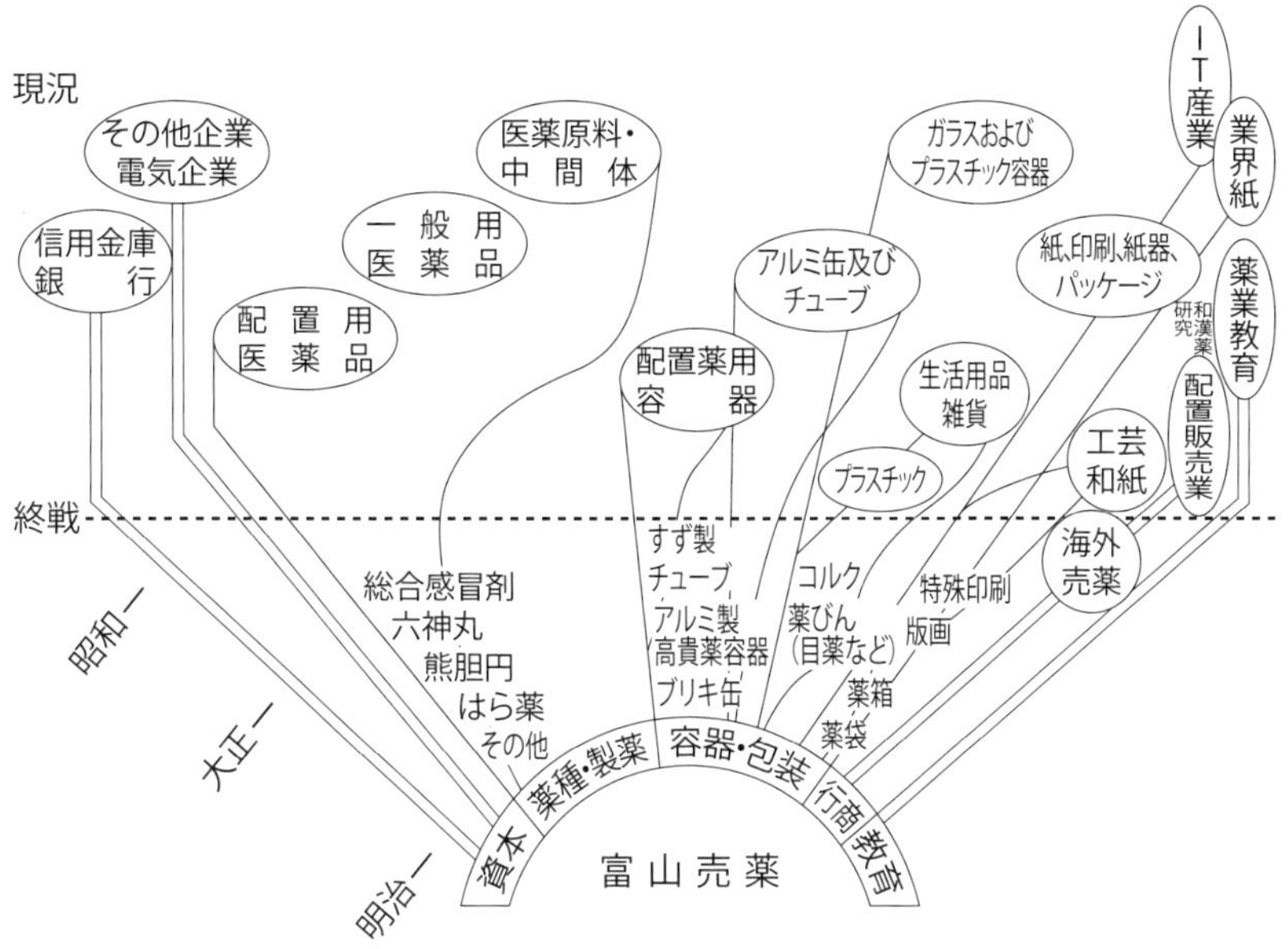

図4　富山売薬が育てた富山の産業

まとめとして、富山売薬およびその関連産業が明治以降、富山の産業に及ぼした具体的な状況を模式化して表したのが図4である。売薬資本や売薬関連の産業が特色ある富山のものづくりを支えていることがわかるであろう。

〔参考文献〕

植村元覚『行商圏と領域経済』ミネルヴァ書房、一九五九年
村上清造『富山売薬とその周辺』富山県民会館、一九八三年
富山県刊『富山の売薬文化と薬種商』一九八六年
富山県刊『富山県薬業史　通史』一九八七年
須山盛彰「富山売薬が育てた富山のものづくり」『商工とやま』五九〇～五九二、二〇〇八年

column

江戸時代の富山湾と漁師の「目」

中村只吾

あなたは、海から陸を眺めたことがあるだろうか。…ある、いい景色だった、と。それはよかった。けれどもそれでは、漁師はつとまらないかもしれない。少なくとも一昔前ならば、その可能性が高い。

たとえば船で海に出て、自分が今、どの場所にいるのか、漁場はどこなのか、どのようにして確かめることができるだろうか。簡単なことだ、GPSを使えばよいではないか、という向きもあるかもしれない。では、そうした道具がないならばどうすればよいのか。

その答えは、江戸時代の古絵図が、さらにいえば、江戸時代の漁師たちが教えてくれる。左頁の図を見てほしい。いわゆる「くずし字」で書かれた部分には、筆者による判読を添えている。そのため、どのような言葉が記されているか、それ自体はおわかりいただけるものと思う。それでは、それらの言葉と絵とで一体何をどのように表しているか、となるといかがであろうか。

この絵図は、一六五二（慶安五）年の「後大岸網場《うしろおおぎしあみば》につき納得証文」という古文書より抜粋したものである。場所は、越中灘浦《なだうら》地域（現氷見市域）の地先海面である。ここには、当時の台網という定置網の設置場所が描かれているのである。

富山湾は、冬の風物詩となっている寒ブリをはじめ、豊かな恵みをもたらしてくれる場である。この湾と漁業との関わりは古い。たとえば、江戸時代から明治四〇（一九〇七）年頃までは、主に藁台網《わらだいあみ》という定置網を、秋・夏・春の三季ごとに設置し、それぞれブリ、マグロ、イワシを捕獲対象としていた。魚種によって海岸からの距離、水深、海底の状況、潮流などから捕獲に最適な場所が網場（漁場）となった（上野二〇〇四）。

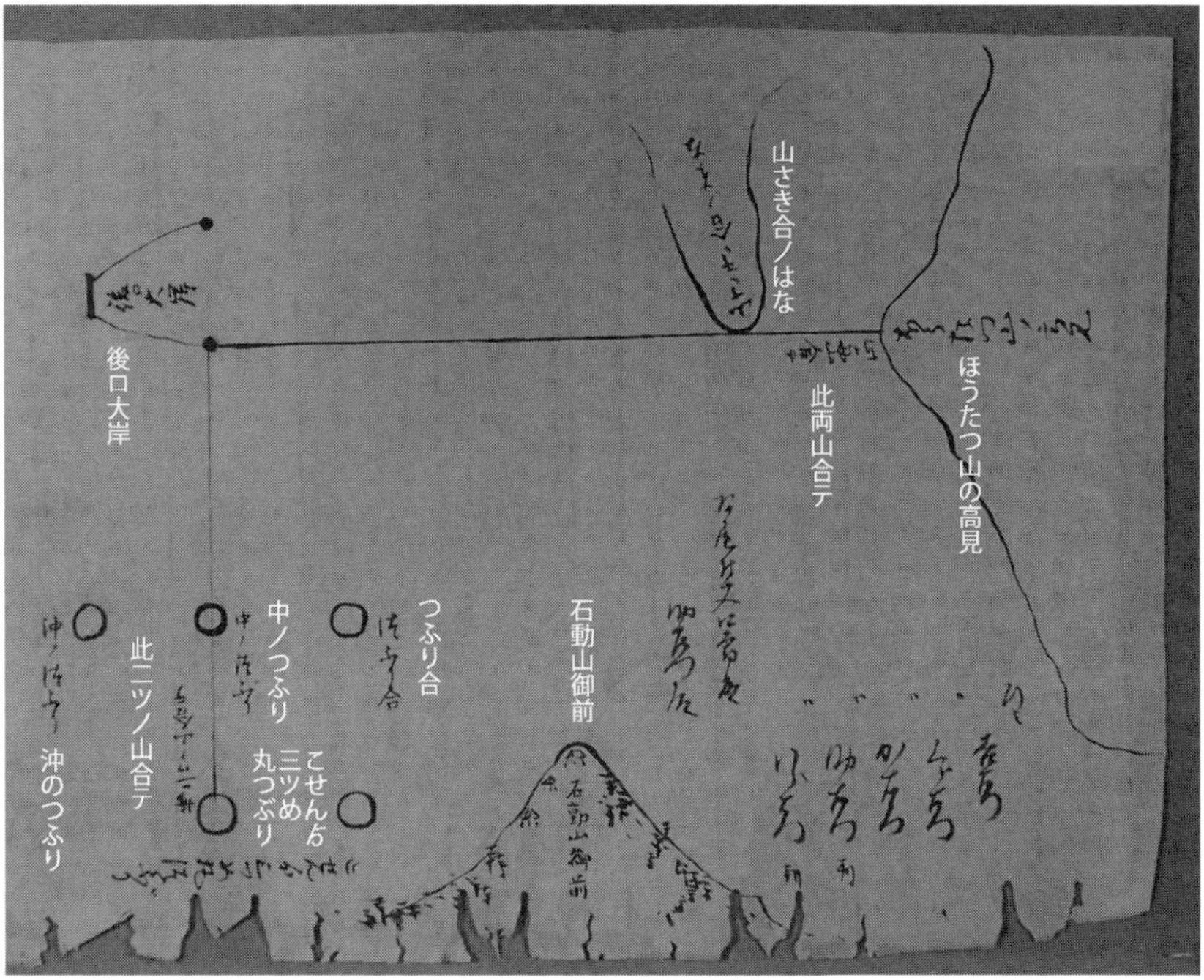

慶安5（1652）年「後大岸網場につき納得証文」より抜粋（「嶋尾文書」富山県公文書館所蔵複写本・1-22、原本は氷見市立博物館所蔵）

GPSのような機械がなかった当時、漁師たちはどのようにして網の設置場所を見定めていたのであろうか。上の絵図には、そのことについての知恵や技術が表れている。その時、海を生活の舞台とする漁師の「目」は、海そのものではなく、陸に向けられていた。海から陸上の目印がいかに見えるかによって、場所を確認したのである。その方法は、「山目《やまめ》」「山だめ」と呼ばれた。図においては、「後《うし》口大岸」という台網の設置場所に関する陸上の目印が示されている。一方は宝達《ほうだつ》山《さん》側、もう一方は石動山《せきどうさん》側という二つの方角の目印から伸びた直線の交点が設置場所となっている。ただし、間接的な目印によるおおよその境界であり、回遊魚は潮に乗って移動するため、隣接する網との競合による争論も頻発したという。そうした争論を契機に、上のような絵図が作成されたのである（上野二〇〇四）。

このような陸上の目印の見え方をもとに位置を確認する方法は、越中灘浦に限らず、全国各地にみられ、「山合わせ」「山当て」などとも呼ばれる。厳密さに欠けるところもあったのかもしれないが、漁師たちは決していい加減に網の設置場所などを確認していたわけではない。漁の成果、ひいては生活に関わる重要なことであり、そこには、その当時の与えられた環境・条件内で生み出された知恵や技術が存在した。数年前、別の地域の古い漁師さんから、自分は今でも漁の際に「山合わせ」をすることがある、いくらGPSでもズレがある、というお話をうかがった。小型船舶操縦士の学科教本にも、類似した方法が記載されており(一般財団法人 日本船舶職員養成協会二〇一六)、今なお有用性を持つ、普遍的な方法といえるのである。

昨今では、陸でも海でも、位置確認においてGPSの使用が当然となっている。大変便利であるが、そうした機器がなくともできる、ということにもまた意味があろう。一見すると地味なことかもしれないが、今こそ見直しておくべきものがそこにあるように思われる。経験や勘にもとづく技術、身体と連動した知恵の世界には、文明の利器とは違った豊かさがある。そして、海に生きる漁師の「目」は、海にばかりではなく、陸にも向けられることで成り立つものであった。そのことがまた興味深い。

なお、紙幅の都合もあり、図のさらに詳しい読み解きについては、また別の機会に。あるいはぜひ、ご自身で漁師の「目」に挑戦してみてほしい。

〔参考文献〕

上野務「一〇 網場絵図」氷見市史編さん委員会(編)『氷見市史8 資料編六 絵図・地図』氷見市、二〇〇四年
一般財団法人日本船舶職員養成協会(編著)『小型船舶操縦士 学科教本Ⅰ』(第五版)一般財団法人日本船舶職員養成協会、二〇一六年(初版二〇一三年)

富山県ができるまで

山根　拓

1　廃藩置県

二〇一三（平成二五）年、富山県は置県一三〇周年を迎えた。ここから逆算すると、富山県は一八八三（明治一六）年に設置されたことになる。しかし、明治の代になり廃藩置県が断行されたのは、一八七一（明治四）年である。この間の一二年間、「富山県」はどんな運命を辿ってきたのだろうか。

一九世紀後期、幕藩体制が終わり明治の代になるとともに、江戸が改称された東京には明治政府が樹立された。新政府は全国の統治体制を急ピッチで整えようとした。一八七一（明治四）年七月一四日、明治政府の木戸孝允・大久保利通や板垣退助・大隈重信・岩倉具視らが主唱し推進して、廃藩置県が施行された。これは、新政府による府藩県三治制（一八六八（明治元）年：この場合の「府県」は近世の幕府直轄地、皇室領、社寺領、佐幕諸藩の朝廷接収領であり、廃藩置県後の「府県」とは異なる）や版籍奉還（一八六九（明治二）年：諸藩主が土地（版）と人民（籍）に対する支配権を朝廷に返還し、知藩事《ちはんじ》（明治政府の地方官。その職責は所轄藩内の人口・戸籍・社寺の管理と租税徴収、刑罰権行使、藩兵管理など）となった）に次ぐ改革となり、新政府が近世以来の地方権力である「藩」を廃止し、それを集権的な中央政府の出先としての「県」に置き換え、幕藩体制に代わる中央集権型の統治体制を完成するための行政改革であった。また、人事の面でも藩と県では大きく異なり、一八七一（明治四）年一一月に新川《にいかわ》県初代の権令《ごんれい》（県令（県の長官）に次ぐ県の地方長官で、廃藩置県後の各県では県令か権令の何れかを置く必要があった）に就任したのは、白川県（現在の熊本県）出身の山田秀典であり、他の首脳人事にも地元の越中出身者は配置されなかった。旧藩勢力から行政や統治の権限を奪い、中央集権制を進めるための手段であった。

実際、版籍奉還後も全国の旧藩領は旧国（令制国《りょうせいこく》ともいう。「越中国」のような古代の地方行政区画）や郡の領域と必ずしも一致していたわけではなく、八府二一県二七三藩の府県藩が不規則に分散割拠し混在していた。そのため中央集権の実はあがらず、新政府の太政官政令も容易に徹底せず、農民一揆も依然として激しかったため、明治政府は新たな権力機構を樹立する必要に迫られていた。廃藩置県が断行された当初、それまでの三府（東京・京都・大阪）二六二藩四〇県が三府三〇二県となった。暫定的に旧藩領はそのままそれぞれ県となった。このときの府県は領域の規模が大小まちまちで、しかも旧幕府領や旧藩領、旧寺社領などが分散し、飛地が錯綜したため、行政区域としてまとまりを欠く場合が多く、不適当であった。そのためさっそく府県の統廃合が進められ、一八七一（明治四）年一二月末には三府七三県となり、府県数は廃藩置県時のほぼ四分の一に急減した。なおこのとき、新しい府県の領域の枠組として重視されたのは、歴史的領域である旧国の区画であった。さらにその後、一八七五（明治八）年から翌年にかけて、行財政力の強化を目的としてふたたび府県の合併が強行された。富山県の領域の変遷に関しても、この間の事情が大きな影響を与えた。

なお、近世諸藩の領域と旧国の領域の一致の度合いは、地域によって大きな差異があった。旧国内に小藩が分立した地域や、他国に本拠のある藩の飛地がある地域では、地域内に分散した各藩領がまずは県に置き換えられた後、府県間での廃置分合の過程を経て、最終的には旧国を基本とした空間的規模の似通った府県域が定まった。各県域と旧国域との関係をみると、武蔵国のように三府県（東京・神奈川・埼玉）に分割されたケースもあるが、多くの場合は一つないしは複数の国の領域が一つの府県を構成する形で県域が定まった。最終的に現行の四七都道府県体制が確定したのは、香川県が愛媛県から分立した一八八八（明治二一）年一二月のことであり、その翌々年の一八九〇（明治二三）年に府県制・郡制が公布され、行政区画の単位が定められた。また府県領域がほぼ現行の領域に落ち着いたのは、一八九三（明治二六）年四月に神奈川県多摩郡が東京府に移管されたときであった。

2 富山県（新川県）の成立と消滅

図1は、現行の四七都道府県体制にほぼ落ち着くまでの、近代初期の富山県境の変遷を示したものである。私たちが暮らす現在の富山県の領域は旧越中国の領域と重なるが、廃藩置県時（一八七一（明治四）年七月）には旧藩の支配領域がそのまま県域となったため、越中国のうち現在の富山市を中心に南北方向に細長くのびる旧富山藩領（上新川郡・婦負《ねい》郡：富山藩は旧加賀藩の支藩であった）が「富山県」に、そしてそれを東西から囲む旧加賀藩領は「金沢県」となった。金沢県は、旧加賀藩の藩領である加賀国の大半（旧大聖寺《だいしょうじ》藩領を除く）、能登国のほぼ全域、越中国の東部・西部にまたがる大県となった。

しかし、その後まもなく、明治政府は小規模な行政区画が分散・錯綜して分布した地域の状態を解消するため、各県域を、旧国を基準にした空間的まとまりに再編した。一八七一（明治四）年一一月に早くもこの再編が行われ、越中国では、その大半が「新川県」となった。「新川」は越中国東部の郡名である。ただしこの時、越中国（新川・婦負・射水《いみず》・砺波《となみ》の四郡）のうち射水郡（後の氷見郡を含む）のみが、金沢県から分立した七尾県の一部となった。七尾県は能登国と越中国射水郡から成立したが、翌一八七二（明治五）年五月に早くも廃され、能登は金沢県改め石川県に、射水郡は新川県に編入された。このとき、明治期の行政区画である県（新川県）の領域が、越中国の領域と初めて一致した。新川県の県庁は当初魚津に置かれたが、射水郡編入の際に「地域の利便・民情の帰向」を理由に、県側

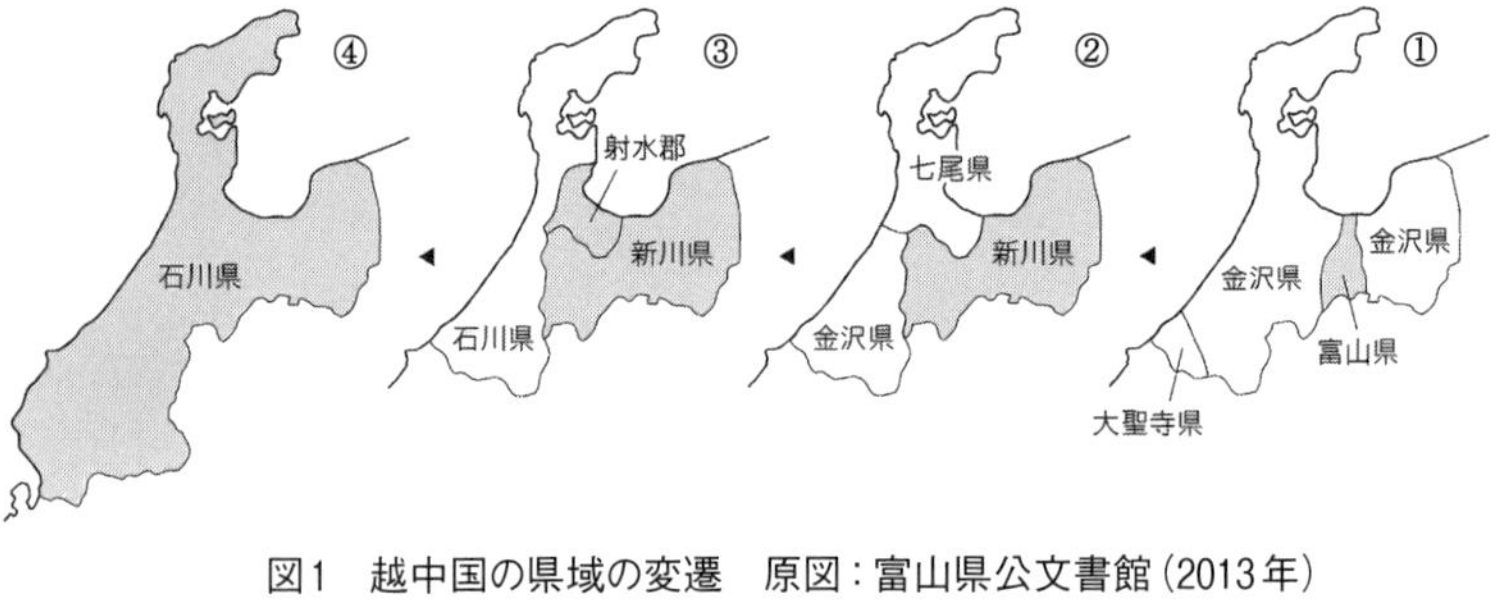

図1　越中国の県域の変遷　原図：富山県公文書館（2013年）
①1871（明治4）年7月　②1871年11月　③1872（明治5）年9月　④1876（明治9）年8月

が大蔵省に県庁移転を要望・上申した結果、一八七三（明治六）年九月に富山の旧城址に移転した。

しかし、現在の富山県と同一の行政区画であった新川県は、四年も経たずに廃止された。一八七六（明治九）年四月、新川県は石川県に併合された。同年の新川県は約六五万人、石川県（金沢県が大聖寺県を編入（一八七一（明治四）年）後、石川県と改称（一八七二（明治五）年）し、同年七尾県を併合）は約七〇万人の人口を有し、二県はほぼ拮抗した規模であった。北陸地方では、同年、現在の福井県と一致する領域を有した敦賀県（越前国・若狭国）が廃され、越前七郡は石川県に（四月）、越前のうち敦賀郡と若狭三郡が滋賀県に（八月）、それぞれ編入された。これによって、加賀を中心に越中・能登・越前諸国にまたがるいわゆる「大石川県」が誕生した。こうした近接する諸県の大規模な統合は、北陸地方に限った事例ではなかった。同様の廃置分合の結果、一八七六（明治九）年末の全国の府県数は三府三五県と大幅に減少し、県間統合が全国的に進んだことがわかる（ただし、この時点で現在の北海道には開拓使が置かれ、沖縄は鹿児島県から分離された琉球藩であった）。この全国的な大規模統合の背景には、明治政府による行財政力の強化を目的とする「大県主義」があったとされる。現代とは異なり、当時の府県は自治体ではなく、あくまで国家の下部機関であり、府県合併の強行によって、地方経営にかかる費用の合理化が図られたのである。なお、大石川県の誕生に伴い、富山には一八七六（明治九）年に官員出張所が置かれたが、これはすぐに富山支庁と改名され、さらに郡区町村編成法（一八七八（明治一一）年公布）の下で富山支庁は廃止され、代わって上新川郡役所が設置された。一八八〇年代まで、日本の地方制度はめまぐるしく変わり、著しく安定を欠いていた。

3　大石川県から富山県再置へ

明治政府の大県主義政策によって成立した「大県」は、石川・堺（後に大阪府に併合）・島根・愛媛・高知・長崎・鹿児島と、西日本を中心に全国で七県に及んだ。そして後に、これらの諸県から「分県」する形で、現代も存続する諸県が再置された。富山（一八八三（明治一六）年再置）・福井（一八八一（明治一四）年）・奈良（一八八七（明治二〇）年）・鳥取（一八八一（明治一四）年）・香川（一八八八（明治二一）年）・徳島（一八八〇（明治一三）年）・佐賀（一八八三（明治一六）年）・宮崎（一八八三（明治一六）年）の諸県である。再置の年月日は県ごとに異なるが、いずれも大きくなり過ぎた県域から一国ないしは二国の旧国規模の領域を分離する形で再置が行われた。旧国の淵源は古代律令制体制の八世紀初頭まで遡ることができ、それ以来旧国は行政区画としての意味を喪失しても、地勢的なまとまりを有し民情も共有する地理的な単位として機能してきた。これを各地の「民情」に配慮せず無理に統合した結果、広域化した諸県では域内の文化や利害の不一致が生じ、その混乱を回避し国家の地方統治を円滑に進めるために、結局は元の実質地域に回帰せざるを得なかったのではないか、というのが筆者の見立てである。富山県の場合、石川県への併合から分県まで約七年間の歳月を費やしたが、その結果再置された富山県の領域は、上述のとおり歴史的に実質的なまとまりをもつ越中国の領域であった。

以上のように、国家（政府）の地方行政の構想・政策とそれを受け入れられなかった各地域（の在地有力層や住民）の事情・運動との間の対立構図の中で各地の分県運動が進んだが、その背景には自由民権運動の影響もあった。これらの構造的な要因と各地のローカルな要因が重なって、各地の分県・再置が進んだということであろう。

以下では、こうした分県再置の一つのケーススタディとして、大石川県の誕生から富山県の再置にいたる過程をより詳細に追ってみたい。

図2は、大石川県誕生から二年後の一八七八（明治一一）年に発行された『石川県管内図』（石川県：銅版図：富山市郷土博物館蔵）である。ここから、大石川県の領域が現在の富山・石川両県の全域と福井県嶺北地方にわたっていることがわかる。県内の地勢や町村・諸施設の分布も確認できる。また左側の附図は県庁の置かれた金沢の市街図である。

図2　石川県管内図1878年（富山市郷土博物館所蔵：寸法116.5×84.6cm、縮尺約30万分の1、本林喜平他測量）

この「大石川県」は、成立から五年後に福井県を分離し、その二年後に富山県を分離するのだが、この間に一体何が起こり、なぜ分県にいたったのであろうか。

先行研究によれば、合併後の石川県会（現在の県議会に相当）では、越中（旧新川県）選出の議員と加賀・能登（旧石川県）選出議員の間に大きな対立が生じたという。対立の元となったのは、多額の費用を要する土木費の用途に関するものである。

越中国には、東から西に黒部川、片貝川、早月川、常願寺川、神通川、庄川、小矢部川と七大河川と呼ばれる大河川がある。このうち、片貝川と早月川を除く五河川は、現在では国が管理する一級河川に指定されている。それに対して加賀・能登・越前の三地域にある一級河川は、手取川・梯川・九頭竜川の三河川のみに止まる。これに比べれば、越中は狭い地域に大河川が集中する地域であった（図3）。その地形的な特徴は、上流部が急斜面となり、豪雨時や春先には降雨や融雪がその斜面を通って一挙に大量に流下し、中下流域で大規模な河川氾濫がもたらされるということである。越中国の平野部では、以前からこれらの河川氾濫による水害に悩まされており、そのため「治水」が大きな地域問題であった。表1には、『富山県気象災異誌』（富山県・富山地方気象台：一九七一年）に記録された現在の富山県域（旧越中国）の水害発生件数の世紀別分布を示した。これは水害記録を拾ったものであり、実際の発生件数を正確に示したものではないが、一七世紀以降、四〇、五一、八四と発生件数（認知件数）は飛躍的に増加した。近世末期から近代前期にいたる一九世紀に関しては、図4に一九世紀各年次の水害発生状況を示した。とくに一八七〇年代以降の水害の増加が目を引く。大石川県誕生（一八七三年）前後から富山県分県（一八八三年）までの約一〇年余の時期についてみると、一八七一～一八七七年の間、毎年水害が記録されており、とりわけ一八七一（三件）・一八七二（二件）・一八七三（五件）・一八七五（三件）・

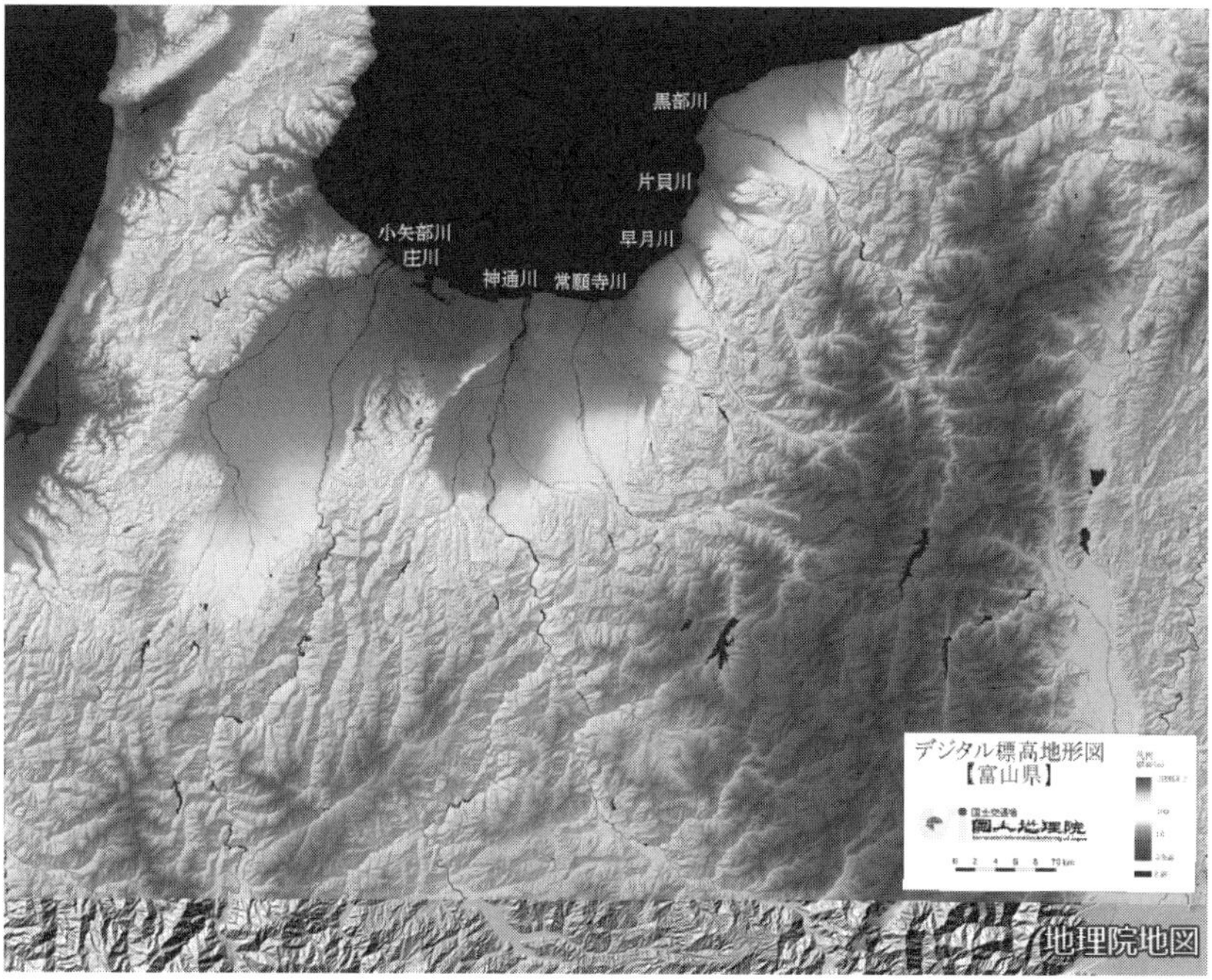

図3　デジタル標高地形図【富山県】(現在)(地理院地図より作成)

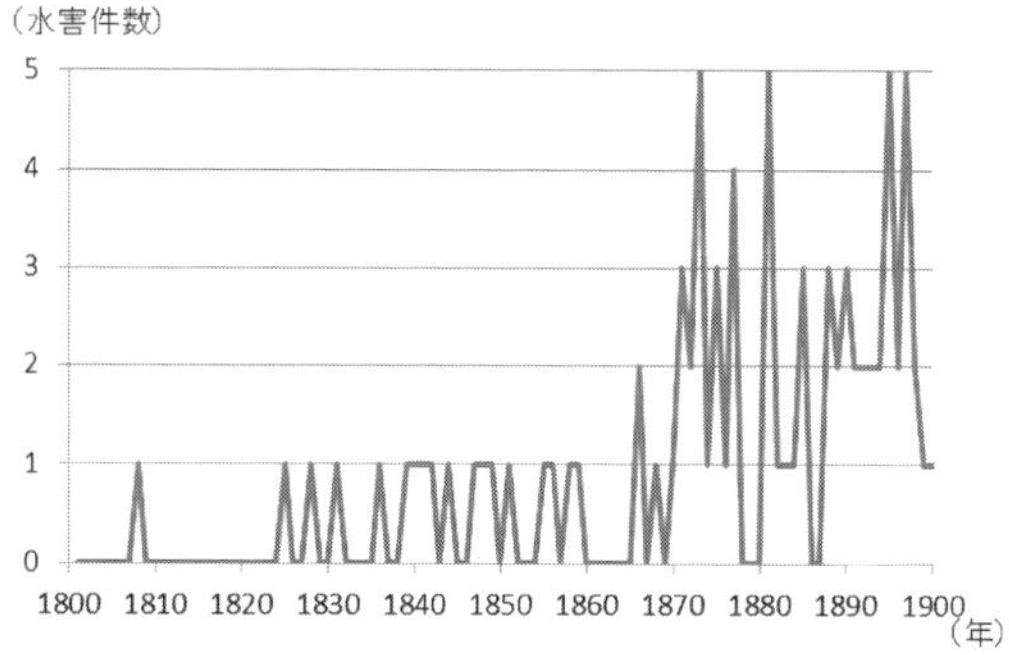

図4　19世紀の越中国・富山県における水害発生件数　『富山県気象災異誌』(1971年)より作成

表1　越中国・富山県における水害の発生状況(19世紀まで)

世紀	件数
12世紀以前	3
13世紀	5
14世紀	3
15世紀	4
16世紀	12
17世紀	40
18世紀	51
19世紀	84

資料『富山県気象災異誌』(1971年)より作成

一八七七（四件）の各年で、複数の水害が確認されている。その後も一八八一年に五件の水害が発生した。しかも一件の水害の被災地域が一つの流域に限られるわけではなく、広域豪雨時などには七大河川を中心とする複数河川の流域やその支流域で同時多発的に水害が発生した。この間の越中地域ではとりわけ水害が頻発し、そのために地形が大きく改変されるとともに、家や農地を失い不本意な集落移転や移住を強いられる多くの住民がいた。このとき行政が取り組むべき地域最大の問題が、水害対策すなわち治水事業の推進であったといえるであろう。

しかし、越中地域の抱える重大な問題は、大石川県を構成する他の旧国地域では行政上の問題としてそれほど重視されなかった。防災治水のための土木費を必要とする越中地域に対して、加賀や能登では土木費の用途として道路や県庁舎の整備が重視された。石川県会の中で越中選出議員の数は相対的に少なく、治水対策への十分な費用配分が難しい状況であった。この頃、越中ではすでに上記の自由民権運動が起こり、この他地域との顕著な利害対立が、越中自治党系や越中改進党の民権運動家たちを分県運動に駆り立てることになった。また、近世には加賀藩とその支藩の長期的な統治下にあった越中の人々にとって、廃藩置県によってようやく回復した地域的アイデンティティの領域である富山県・新川県が、明治政府による「大石川県」への統合によって一気に失われ、改めて旧加賀藩の時代に戻ってしまったという悔恨の住民感情も、分県運動や分県活動家の背景にあったとみられる。分県運動が具体化した先駆けは、一八八一（明治一四）年、砺波郡林村（現・砺波市）出身の司法省民法編集委員・石埼謙（一八四〇〜一九〇三）による、富山分県の建白書の元老院への提出であった。石埼による「分県之建白書」には、金沢に県庁がある限り旧藩時代と変わらないとあり、封建時代以来のしがらみからの越中人の解放を訴えており、上記の越中の住民感情の存在を裏付けている。

一八八〇（明治一三）年の地方税規則改正によって、土木費が地方財政に占める比率は膨大なものとなったが、石川県会での河川改修・治水工事を優先せよとの越中選出議員の主張は、なかなか認められなかった。さらに分県運動が公然化した一八八一（明治一四）年、明治政府の松方正義大蔵卿による緊縮財政政策（松方デフレ）の影響が地方財政に及び、石川県では治水事業に対する国の補助金が廃止された。さらにこの年、越前四郡が福井県に分県離脱したこともあり、石川県会においては越中勢と加賀・能登勢の対立が一層深刻化し、ついに県会は解散に至った。越中では分県を求める声がさらに高まった。分県運動の推進役として名前が挙がる人物は、米沢紋三郎（一八五七～一九二九：下新川郡入膳（入善）出身）と入江直友（一八五四～一九一五：富山出身）である。この当時、旧十村《とむら》（旧加賀藩の地方《じかた》役人（十～数十か村を管轄して農政全般に関する業務を担当）の職名）の家に生まれた米沢は石川県会議員であり、旧富山藩士の長男として富山城内で出生した入江は一八八二（明治一五）年の越中改進党（自由民権政党）の結成に関わり、その幹事となった。米沢や入江らは一八八二年、「分県之建白」を起草して太政官に提出し、岩倉具視・山縣有朋・山田顕義らの明治政府の高官と面談して、分県を陳情した。当時の分県運動は越中地域に止まらず、全国各地で生じており、その結果、上述のように一八八〇年代に八県が分離し誕生した。その背景には大きすぎて規模の適正さを欠き、旧国意識を拭うことの出来なかった、諸県共通の内部事情があった。そして越中分県については、その二年前の一八八一（明治一四）年の越前四郡分離による福井県成立も、それを加速する要因となった。

今説明したいわば内発的な分県運動は、分県という結果をもたらした重要な要因である。しかし、分県を決定したのは明治政府であり、政府の状況認識と意思決定が最終的に分県を実現した。分県運動の盛り上がりに危機感を持った明治政府は、地方巡察使を派遣するなどして、各地の民情や産業の特徴、自由民権運動の実態などを調査した。明治政府の側からみると、複数の大規模県のうちでも石川県は難治の県であったとされる。一八七六（明治一二）年、明治政府の立役者であり初代内務卿の大久保利通が、東京紀尾井坂で石川県士族・島田一郎らによって暗殺された事件はその最たる例である。内務卿・山田顕義（在任期間：一八八一年一〇月二一日～一八八三年一二月一二日）は、松方緊縮財政の折とはいえ、石川県を分県により弱体化させ、中央集権体制下での地方統治を円滑化することを意図したとされる。したがって、一八八三年の富山県分県は、大県主義の下で成立した広域県の規模の適正化と地勢条件や旧国単位の地域アイデンティティに見合った行政区画の再設定という他県の事例とも共通する土台の上に、越中固有の地域事情・民情を踏まえた地域側からの分県運動と、大石川県の地域事情や民情を勘案した明治政府による地方統治政策との相互関係の場で実現したと考えられる。一八八三（明治一六）年五月九日、「富山県設置の太政官達」には、次のように記された。

富山縣

今般其縣ヲ置キ越中一國ヲ管轄セシメ候條石川縣ヨリ受取方可取計此旨相達候事

明治十六年五月九日　太政大臣三條實美

越中住民の「悲願」となる富山県再置がこうして実現した。初代県令には長州（現・山口県）出身の国重正文が任命され、一八八三（明治一六）年七月一日に富山城址に県庁が開庁し、同年十月一日には第一回富山県会が開会した。

以上、「分県はいかにして実現したのか」という問題を考える時、「国家（中央政府）と地方（名望家）」および「共通要因（構造的要因）と局地性」という二つの軸を用いてその過程を分析し説明することが有効であろう。

〔参考文献〕

井戸庄三「府県制」『日本歴史地理用語辞典』柏書房、一九八一年
浦田正吉『富山県の誕生』楓工房、二〇一九年
高瀬重雄監修『富山県の地名』平凡社、一九九四年
富山県『富山県史　史料編Ⅵ　近代　上』富山県、一九七八年
富山県『富山県史　通史編Ⅴ　近代　上』富山県、一九八一年
富山県公文書館『ふるさと富山　百三十年の歩み』富山県、二〇一三年
富山県姓氏家系大辞典編纂委員会『富山県姓氏家系大辞典』角川書店、一九九二年
富山地方気象台『富山県気象災異誌』富山県・富山地方気象台、一九七一年
永原慶二編『岩波日本史辞典』岩波書店、一九九九年
野積正吉「明治期作製の富山・石川県地図の特徴」『富山史壇』第一五三号、越中史壇会、二〇〇七年
林　正巳『府県合併とその背景』古今書院、一九七〇年
藤岡謙二郎編『日本歴史地理ハンドブック　増訂版』大明堂、一九七二年

column

米騒動をめぐる新たな視点

近藤浩二

一九一八（大正七）年七月、政府がシベリア出兵の方針を固めると、軍が大量の米を購入すると予想した商人たちが米を買い占めたため、米価が急激に高騰し、米不足が進んだ。富山湾沿岸では夏場の不漁期と重なったこともあり、漁師の妻たちが米の県外への積み出しに反対し、安売りを要求したことが米騒動の始まりである。

富山県では明治時代以降、各地で頻繁に米騒動が起きており、一九一八年に突如巻き起こったわけではない。民衆の行動や行政による救済にもパターン化されたものが散見され、一種の慣習的な行動だったともいえる。特に明治時代後半以降の特徴としては、大都市で見られたような過激な暴力行為を伴う暴動へと発展することはなく、米の積み出し反対、安売り要求といった哀願運動に終始することがほとんどだった。

一九一八年六月下旬から七月上旬頃に富山県中新川郡東水橋町（現富山市水橋地区）で始まった米騒動は、七月下旬から八月上旬にかけて県東部沿岸地域一帯で起こり、八月五日以降、全国各地の新聞が報じ始めたのを機に、三府三九県に広がっていった。他にも炭坑や工場での米価をめぐる争議が三七件あり、これも加えると青森県・秋田県・沖縄県を除く一道三府四〇県となる。

富山県では、生活に苦しむ漁師の妻たちが立ち上がったことから、米騒動は女性や下層社会というキーワードで括られてきたが、この固定観念に一石を投じる史料が、米騒動から百年にあたる二〇一八（平成三〇）年に見つかった（滑川市立博物館、二〇一八）。

県内で最大規模の騒動となったのが中新川郡滑川町（現滑川市）だ。八月五日に漁師町に住む主婦約五〇人が口火を切る。翌六日には二〇〇〇人の大集団となったことが全国各地の新聞にも報じられ、当時を生きた人々に対し、「米騒動といえば滑川」というイメージを深く刻み込んだ。この六日の騒ぎについて、「富山県知事報告」として内務省へ出された報告には次のようにある。

婦女子僅少（約百名）ナルニ反シ中産階級（羽織ヲ着スル者、巻煙草ヲ喫スル者等）、又ハ智識階級（学生風、会社員風等）ノ者頗ル多ク所謂細民又ハ窮民ト目スヘキ者少ナカリシハ変調ヲ来シタリト認ムヘキ特色ナリト信ス

下層社会だけでなく、全国的に社会問題化していた中流層の生活難というものが、米騒動の拡大に影響を与えていた。ときは大戦景気の真っただ中。当時の新聞を丹念に見ていくと、相当の稼ぎを得ていた下層民がいた一方で、本当に苦しんでいるのは中流層だという記載が実に多い。ここでいう中流層とは俸給生活者—現在でいう会社員・地方公務員・教員・警察官など—である。彼らは社会的立場もあるため、騒ぎの最前線に出ていくのではなく、野次馬として参加していたものと思われるが、このような存在が騒動拡大の一因となった。

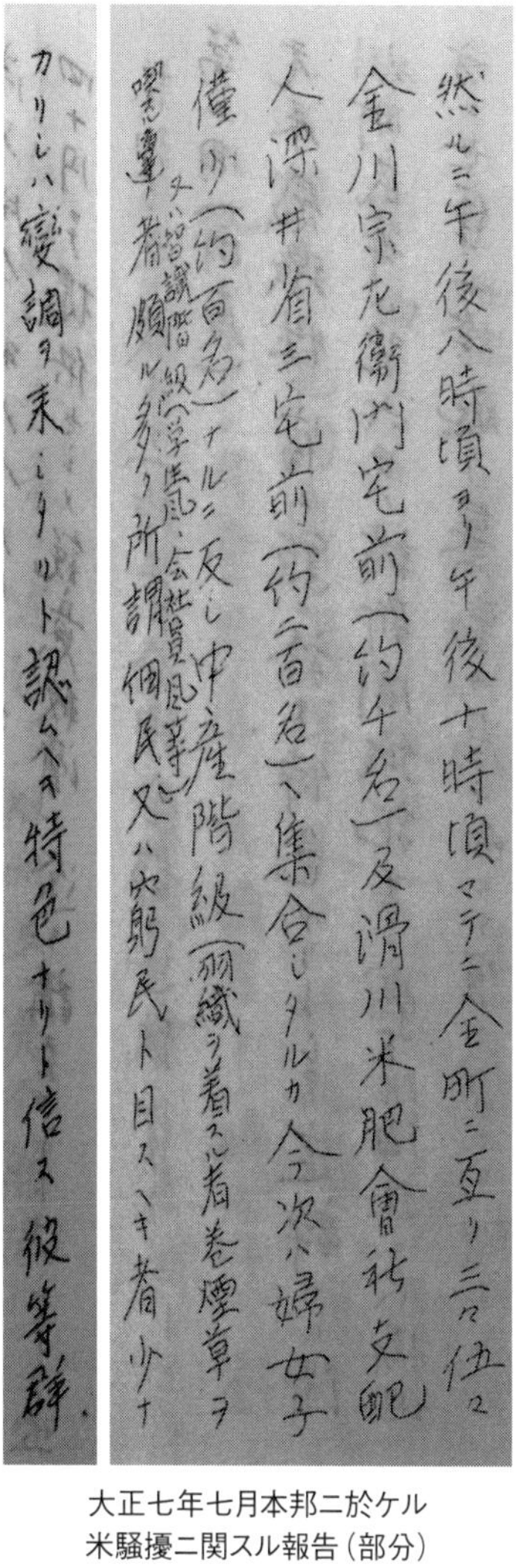
然ルニ午後八時頃ヨリ午後十時頃マテニ全町ニ亘リ三々伍々金川宗左衛門宅前（約千名）及滑川米肥会社支配人深井省三宅前（約二百名）ヘ集合シタルカ今次ハ婦女子僅少（約百名）ナルニ反シ中産階級（羽織ヲ着スル者巻煙草ヲ喫スル者等）又ハ智識階級（学生風・会社員風等）ノ者頗ル多ク所謂細民又ハ窮民ト目スヘキ者少ナカリシハ変調ヲ来シタリト認ムヘキ特色ナリト信ス 彼等群

大正七年七月本邦ニ於ケル米騒擾ニ関スル報告（部分）

外務省外交史料館蔵「帝国ニ於ケル暴動関係雑件」第二巻。防衛省防衛研究所蔵「大正八年公文備考」巻百十九にも同一史料が所収されている。

富山県では女性が最初に立ち上がったことから「女一揆」や「女房一揆」とも称されるが、富山の「女一揆」や「女

洋服細民（『赤』第四号、1919年）

洋服を着て体裁を飾らなければならないが、収入はこれに伴わず苦しい生活を送っていた中流層の俸給生活者のことを評した言葉が「洋服細民」。小川治平画。『宮武外骨此中にあり』二五、ゆまに書房、1995年より転載。

房一揆」が全国へ広がっていったわけではない。若い男性が騒動の主体となったり、ある特定の職種が担い手となったり、それぞれの地域の生活・労働・伝統文化と密接につながった様々な行動形態が見られた。

富山県内の米騒動は基本的に哀願運動だった。この点から、非暴力という側面だけを捉えて、ことさら強調する向きもあるが、暴動が起きることもあった当時の社会や生活・文化などについての理解を欠かしてはいけない。また近年、夏季以前に富山県外で起きていた食糧暴動や米価争議という広い意味での米騒動に着目した視点で、一九一七年の筑豊地域の炭坑暴動を発端とする意見も出てきている。米騒動を理解するには、多様な視点で捉えていく必要がある。

〔参考文献〕
『米騒動１００年　滑川から全国へ』滑川市立博物館、二〇一八年

第3部

富山の文化

富山県の方言――その特徴と地域差――

中井精一

はじめに

富山県の人は、なぜこれほど方言に関心があるのか。富山大学に赴任した頃、生まれ育った奈良との違いに戸惑ったことがある。今でも各自治体が開催する催し物や生涯学習講座、地元テレビ局の特集番組や地元紙の記事に、方言がとりあげられることは少なくない。たとえば富山商工会議所は二〇〇六年から二〇一五年にかけて、とやま弁の魅力を次世代に伝えようと、「しゃべらんまいけ！　とやま弁大会」を開催したが、そのコンセプトは、「方言が育んできた豊かな文化や郷土愛などを見つめ直すきっかけとなり、とやま弁を富山のブランドのひとつとして全国へ発信できるように」といったものであった。

図1　とやま弁普及ステッカー(1)

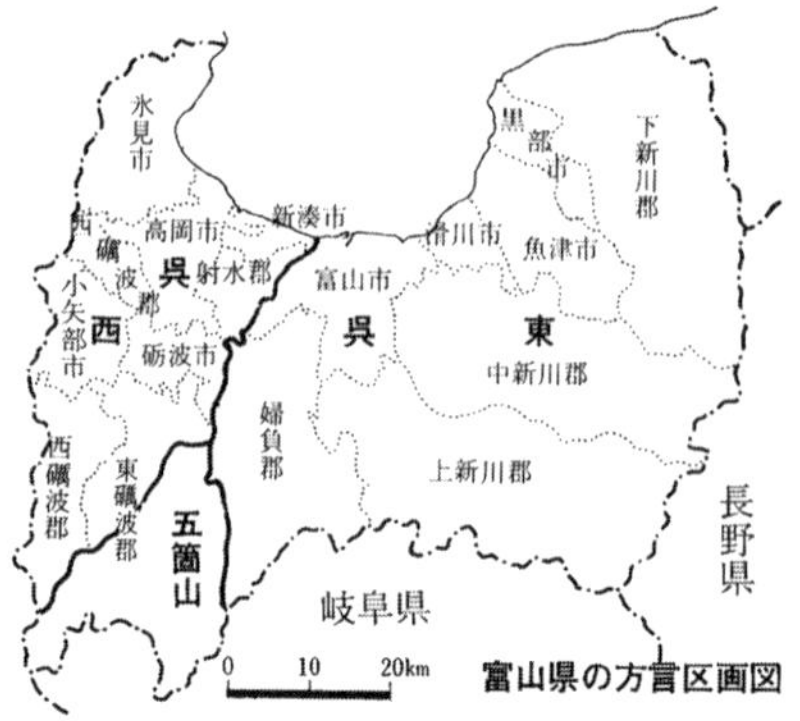

図2　平成の大合併以前の富山県の方言区画(2)

　ことばは社会を映す鏡と言われる。ことばは時代ごとの社会のありようを反映して、ことばへの関心もその社会のありようを反映していると考えられる。方言には、地域社会の独自性や多様性によって生じる地域差がことばの違いとなって現れる。地域社会が安定し人口の流動なども少なく、規範が一定していた時代にはことばの変化も遅かった。たとえば日本各地に大名のような領主が蟠踞《ばんきょ》していて、領民が土地にしばられ、閉鎖的な社会を形成していた江戸時代の集落では単一方言に近い社会であり、他地域との交流にも制限があってことばの変化は遅かった。

　しかしながら今世紀に入り地域間交流はかつて経験したことのない勢いで激変し、多くの人びとは生まれ育った地域に留まることなく、生活の場を東京や大阪といった大都会に求めたり、海外に進出したりする者も少なくなかった。筆者は、富山県内で起こった地域間交流の変化や社会変化が、今日の方言への関心につながったのではないかと考えている。

　富山県内は、富山市西部の呉羽《くれは》丘陵を境に呉東と呉西に地域区分されるのが一般的であ

（1）しゃべらんまいけ！　とやま弁大会に際して作成されたステッカー

（2）真田信治「地域別方言の特色―富山方言」『全国方言基礎語彙の研究序説』明治書院、一九七九年

る。また、呉西は、山間部の五箇山地方と平野部を区別する視点もあるが、県内にはそれほど大きなことばの地域差はないと考えられてきた。しかしながら実際に各地域の方言に耳を傾けてみると、旧富山市と魚津市ではずいぶん言葉遣いは違うし、富山県東端の下新川《しもにいかわ》地方の旧黒部市と入善《にゅうぜん》町や朝日町ではやはりことばが違って聞こえる。また同じ旧富山市内でも沿岸部の四方《よかた》地区や岩瀬地区と内陸部の呉羽地区や中心部の愛宕《あたご》地区ともことばが違うように感じる。富山県は、一国一県で均質性の高いイメージがあるが、実はかなり地域差の大きい都道府県であるように思う。

以下では、下野雅昭（一九八三）をはじめ真田信治（一九九〇）などの先行研究ならびに富山大学人文学部日本語学研究室の調査をもとに、富山県内の方言差を明確にするとともに、近年の社会変化にともなう方言の変化について考えてみたい。

1　富山県方言の特徴（概要）

富山県のことば、つまり富山県の方言を一言で表せば、西日本方言の東端に位置する方言ということになる。日本語の方言は、おおよそ東日本方言・西日本方言・九州方言の三つに区分され、図3のように東日本方言と西日本方言は、おおよそ新潟県と富山県、長野県と岐阜県、静岡県と愛知県を境界として東西に分けることができる。富山県と新潟県は、古代の地域区分で言えばともに越ではあるが、富山県は石川県、福井県とともに北陸地方としての文化的まとまりを見せる一方、新潟県は言語や文化の上からも北陸地方との共通

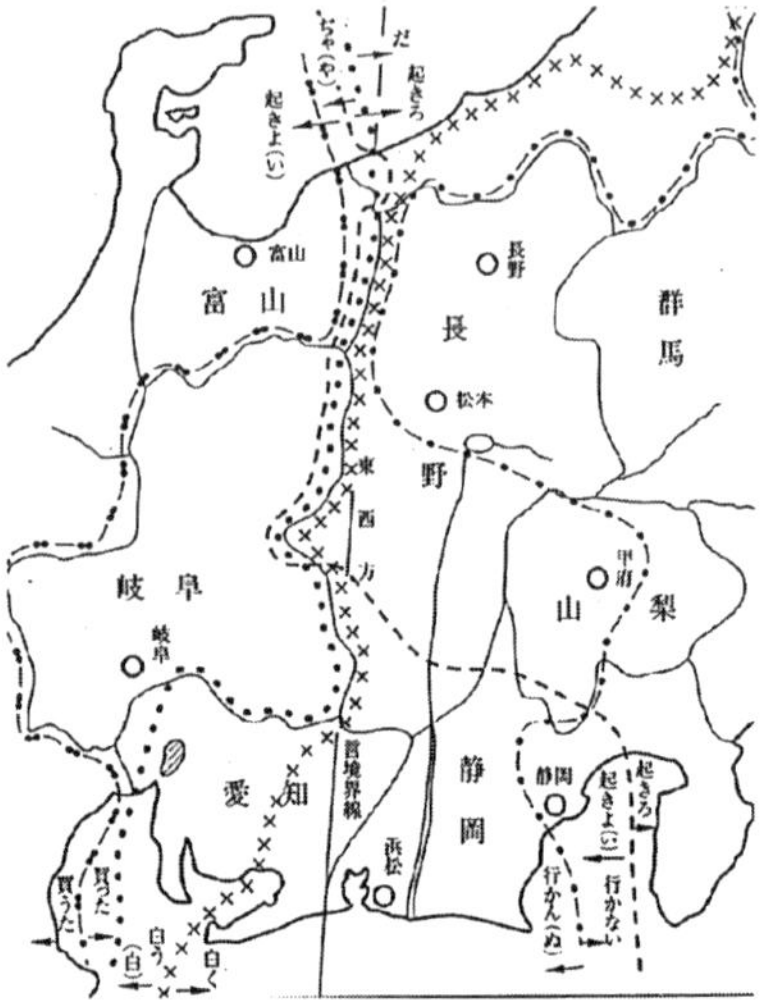

図3　日本語の東西境界線(3)

性は少ない。

富山県の方言は、後述するように近畿方言域の周縁部で見られるアクセントであったり、打消の助動詞が西日本方言で使用されるンやヘンであったり、継続や進行をトルで示すなど文法や敬語法、語彙などが、西日本方言の中核をなす近畿方言の影響下にある。しかしながら、中《ちゅう》舌《ぜつ》母《ぼ》音《いん》と呼ばれる「ズーズー弁」に当たる発音や、語中のカ行音がガ行音で発音されるなど、話ことばに耳を傾けてみると東北地方で顕著とされる要素も多分に認められる。まさに近畿文化圏の東端に位置する袋小路の地形のもとで、この地の方言は、都からやってくる新しい言語・文化と日本の基層文化とのせめぎ合いの様相を見せている。

（3）　牛山初男『東西方言の境界』信教印刷、一九六九年による。

2　方言音声の特徴

音韻的特徴

日本語は、基本的にはアイウエオの五母音であるが、富山県内でアイウエオの発音を調べてみると「アエウエオ」とイの音がなくなってしまう人や、「アイウイオ」とエの音が

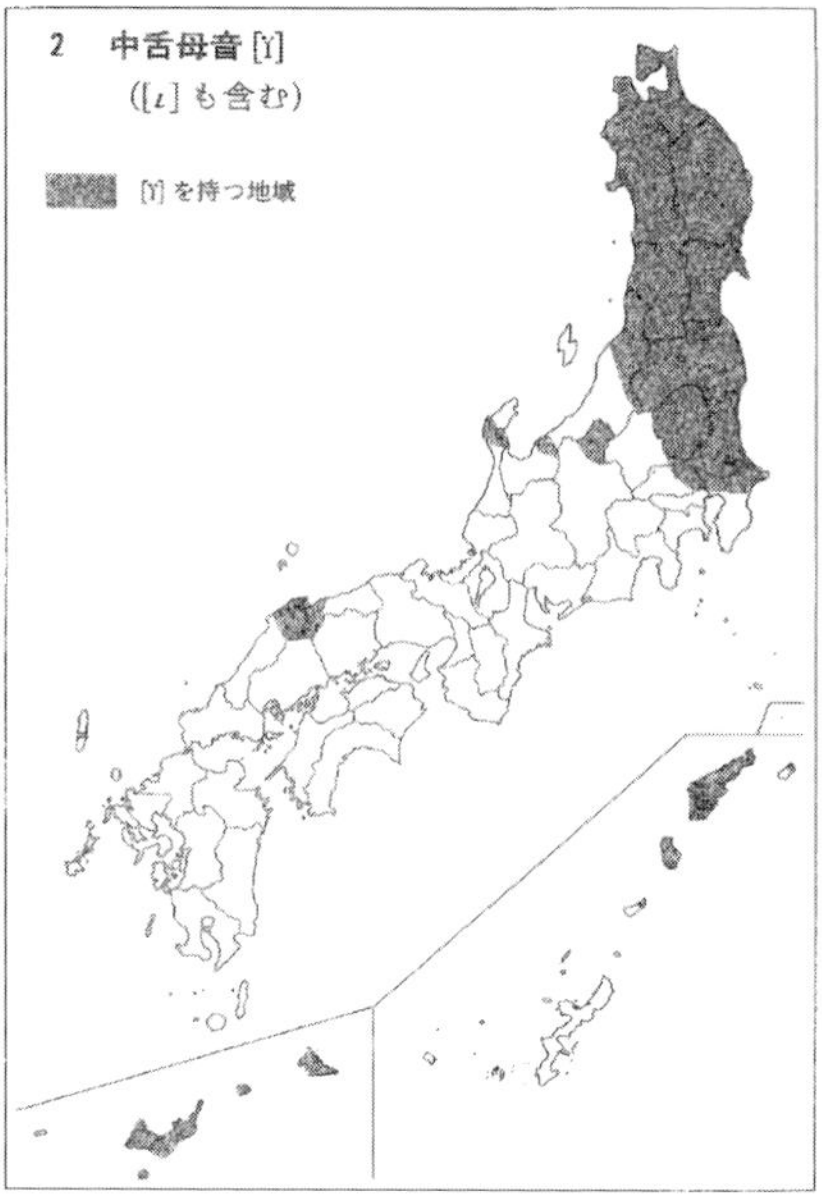

図4　中舌母音の使用範囲[5]

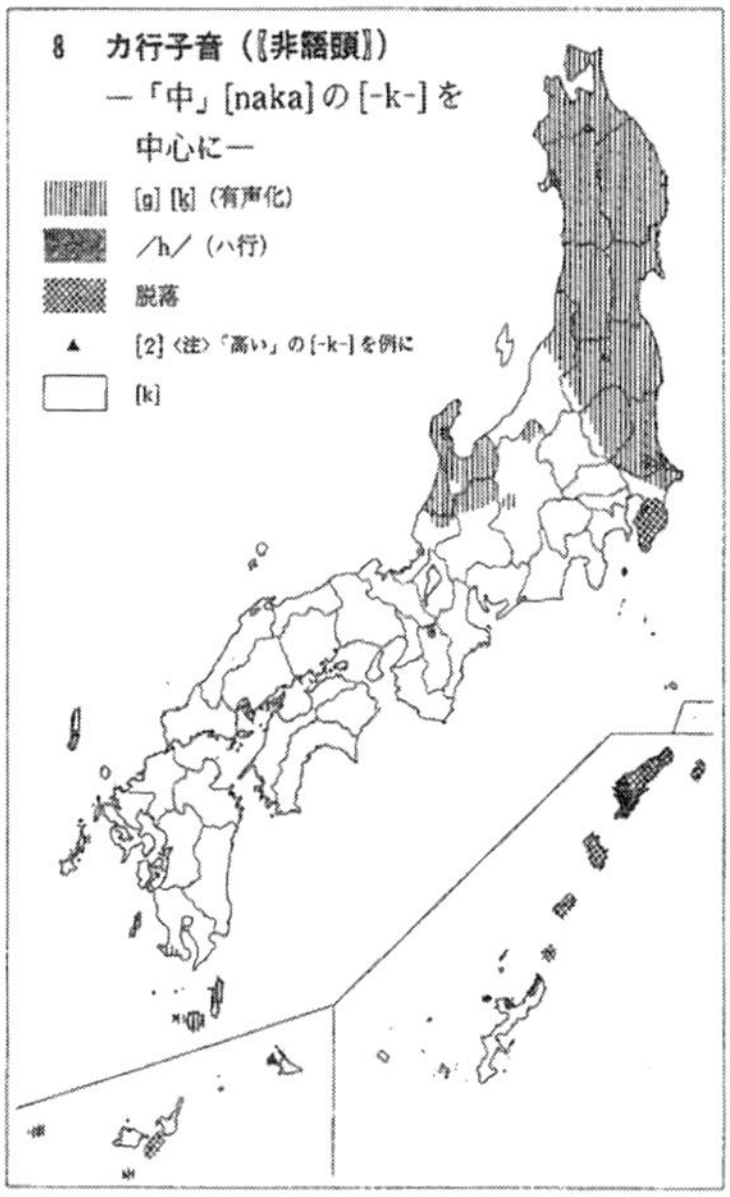

図5　ガ行子音（非語頭）の使用範囲

イの音になる人も少なくない。つまりイとエの区別がなく、多くはその中間音［e］で発音されている。中舌母音の［ï］があって、獅子舞をススマイと発音するようにシ・ジとス・ズとの区別がない人もかなり存在する。

　このほか下野雅昭（一九八三）によれば、語中のカ行子音に限って有声化する傾向が見られ、有声化は広母音のカ・ケ・コに起こり、狭母音のキ・クには起こらないことなどを特徴にあげている。(4)

アクセント・イントネーション

　イントネーションの特徴としては、富山県のみならず石川県や福井県嶺北地方で、「アノ〜

(4)　広母音はア・エ・オ、狭母音はイ・ウである。
(5)　図4・図5は、上野善道編『日本方言音韻総覧』小学館、一九八九年による。

オ～オ～」のように語尾や会話の区切りといった文節末で、上下にゆする音調が現れる。これはゆすり音調やうねり音調と言われ、山口幸洋は「間投イントネーション」と名付け、「聞手の注意をひきつけ、たえず反応を確めつつ、話者自身の余裕を保つ」機能があるとしている。(6)

富山県のアクセントは、垂井式アクセントに分類され、これは京阪式アクセントと東京式アクセントの接触地帯に見られるアクセントである。京阪式アクセントは、語頭が高いか低いかを区別する体系であるのに対し、東京式は、下がり目の位置のみを区別する体系である。垂井式アクセントは、東京式と同じように下がり目の位置のみを区別する体系でありながら、各語彙の下がり目の位置そのものは京阪式と似たようなアクセントである。

類	語	2拍目母音	型
1	風、鼻、水、口		○●▶
2	音	広	○●▷
	橋、紙、石	狭	●○▷
3	色、花、	広	○●▷
	犬、足	狭	●○▷
4	肩、船、帯、松		○●▶
5	雨、鍋	広	○●▷
	猿、秋	狭	●○▷

表1　富山県方言のアクセント

富山県内のアクセントは、五箇山地方の一部を除き、おおよそ表1のようになる。

一類（風や鼻など）と四類（肩や船など）には母音の広狭の影響がなく○●▼LHH型になり、二類（音や石など）・三類（花や犬など）・五類（雨や秋など）では、二拍目の母音が広母音（ア・エ・オ）の場合は○●▽LHL型、狭母音（イ・ウ）の場合は●○▽HLL型になる。(7) つまり富山方言の類の統合関係は、「一類・四類」「二類・三類・五類」ということになる。(8)

（6）山口幸洋「福井方言の間投イントネーションについて」『音声の研究』二一、一九八五年　なお、間投イントネーションについては、新田哲夫「北陸地方の間投イントネーションについて」『金沢大学文学部論集 文学科篇七』金沢大学文学部、一九八七年に詳しく説明されている。

（7）○は低い拍、●は高い拍、が（助詞）は▷▶で示す。なお、日本語のアクセント表記は、低い拍をL、高い拍をHで表わしたり、下がり目のみを「で示すなどの方法がある。

（8）真田信治『富山県のことば』明治書院、一九九八年による。

近年、富山県のアクセントは東京の影響を受け、本来四類は○●▼ＬＨＨであるが、東京の●○▽ＨＬＬに変化している。また二類・三類は、東京の二類・三類と同じ○●▽ＬＨＬに、五類はＨＬＬ●○▽となって、こちらも東京と同じアクセントに変化している。今後は類の統合関係は、「一類」「二類・三類」「四類・五類」ということになることが予想される。

3　文法・表現法の特徴

富山県内で認められる文法事象は、おおむね西日本（西部）方言域と共通している。図2で示したように「いい天気だ」の「だ」は、西日本方言と同じジャやヤを用いることが多い。しかしながら県内を丁寧に見渡せばヤは呉西の平野部に多く、ジャは呉西の山間部に多く見られる。一方、東日本的なダは呉東で広く使用され、ダの領域の中にデァが点在するといった東西両方言域の特徴をいくつも見つけることができる。(9)

打消形では、ヨマン（読まない）、オキン（起きない）、ネン（寝ない）、コン（来ない）、セン（しない…ただし五箇山地方では活用が上一段化してシンとなる）で、東日本が助動詞ナイを使用するのに対し、助動詞ンを用いる西日本方言の特徴を見せる。

過去形には、オトイタ（落とした）、サイタ（刺した）、のようなサ行イ音便と呼ばれる現象が見られ、これは近畿地方周縁部で共通に見られる。富山県方言としてよくメディアで取り上げられるダイテヤル（おごってやる）も、「お金を出してやる」のダシテヤルがサ行

(9)　富山県の方言文法については、小西いずみ・中井精一編『富山県方言文法地図』富山大学人文学部、二〇〇九年ならびに小西いずみ『富山県方言の文法』ひつじ書房、二〇一六年に詳しい。

図6　ダイテヤルのせんべい

イ音便になったものである。

命令形は、意志形命令と命令形命令の二つの表現があって、オキ（起き）、シー（し）のような意志形命令は軽い命令や促しの意味を、オキロ・オキヨ（起きろ）、セー（しろ）のような命令形命令は強い命令を意味する。なお、強い命令形の場合、上一段、下一段、サ変には地域差があり、上一段の「起きる」を例にとれば、五箇山のオキヨや呉西のオキーは西日本的であり、呉東のオキロは東日本的と言える。

「食べる」と「食べている」のような動作や出来事が、どの局面（開始直前－進行中－開始直後）にあるかを表す文法形式をアスペクトという。富山県では、タベトル、ネトル、フットルのようにトルのみを使用し、西日本方言で広く使用されるタベヨルとタベトル、ネヨルとネトル、フリヨルとフットルのようなヨル・トルの組み合わせはない。

4　語彙の特徴

人は、ことばの違いをどの部分で感じるのであろうか。もちろんズーズー弁のような特徴的な発音であったり、アクセントの違いであったりすることもあるが、語彙などを取り上げて、話題にすることも少なくない。たとえば、「塩辛い」は、呉東ではショッパイが多く呉西ではカライやクドイが使用されるとか、「塩味がうすい」では、富山県の年寄りはションナイやシオムナイを使用するが、呉東を中心に近年ではウスイが広がってきている、のように語彙の地域差がことばの違いとして意識されることが多い。以下では、塩辛いと塩味がうすいを取り上げ、語彙から見た富山県方言の特徴について考えてみたい。

塩辛い

塩の味が強い「塩辛い」を表す語形は、新潟・長野・静岡県付近を境界線として、西日本のカライ、東日本のショッパイが東西対立をする。おおまかに言えば西日本ではカライが「（とうがらしなどが）辛い」と「塩辛い」の二つの意味をもち、東日本ではカライが「辛い」を、ショッパイが「塩辛い」を意味する。東日本のショッパイは、もともと近畿地方中央部で使用されていた古語「シワハユシ」の「シワ」が、音の近い「塩（シオ）」に類音牽引され「シオハユシ」になり、東日本へ広まる途中で促音化し、「ショッパイ」に変化したと考えられている。(10) つまり東日本で独自に発生した語ではなく、西日本方言を改変

(10)　真田信治「標準語の地理的背景」『日本の方言地図』中公新書、一九七九年

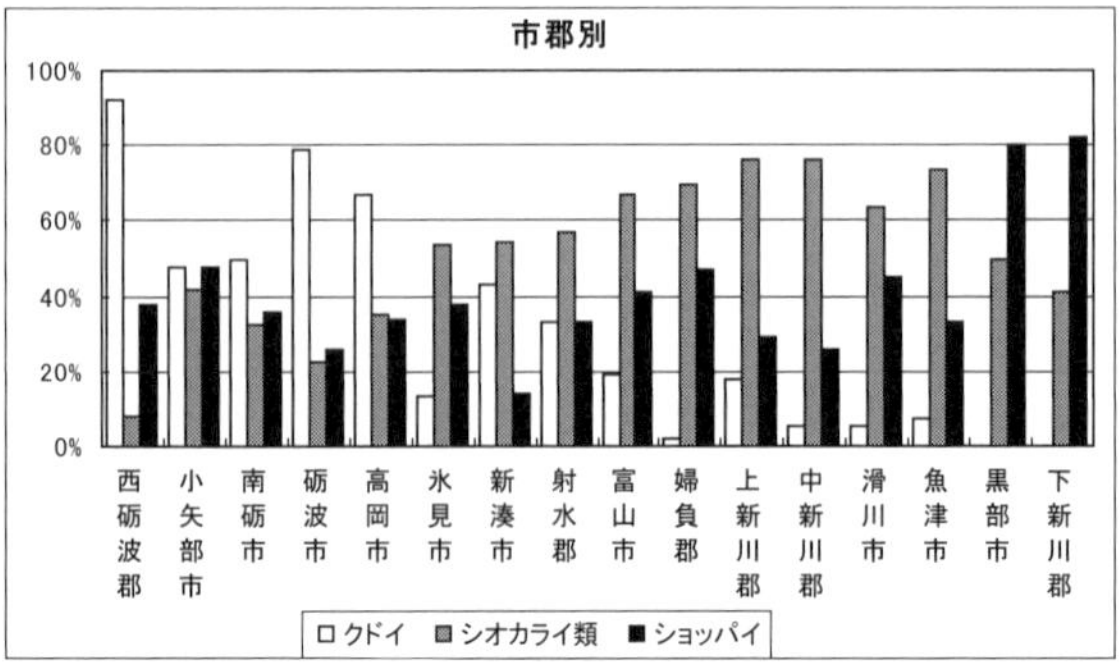

図7　塩辛い：富山県内の地域差[12]

しつつ新しく広まった。国立国語研究所の『日本言語地図』第三九図をみるとカライ、ショッパイ以外の語形としては、福井県・石川県・富山県西部のクドイが目立つ[11]。

富山県では、西日本的なカライ、北陸地方に特徴的なクドイ、東日本的なショッパイのほかシオカライ、シオクドイが使用されている。図7は、富山県内のクドイ、シオカライ類（シオカライ・ショッカライ）、ショッパイに注目してグラフ化したものである。

クドイは石川県との境にある旧西砺波郡（福岡町）で高い割合を示しており、それを筆頭に西から東に進むにつれて使用率が減っていく。富山県東端である下新川郡・黒部市では全く使用されておらず、この地域では東日本的なショッパイが使用されている。また、クドイの使用率が高い県西でも氷見市での使用率は低い。これは『日本言語地図』の分布から福井県沿岸部から石川県沿岸部、能登半島に勢力をもつカライを使用しているためと考えられる。つまり語彙に注目すると氷見市は、方言の伝播や使用においてやや趣きを異にする地域と言える。

ショッパイは黒部市、下新川郡での使用率が八〇％を超えているが、クドイとは対照的に県西部で低い。ショッパイは、いわゆる全国共通語ではないが、東京などの首都圏で使

（11）『日本言語地図』は、国立国語研究所が、一九六六年から一九七四年にかけて刊行した全六巻三〇〇枚の言語地図からなる地図集で、現代日本標準語の成立過程および、各種方言語形の歴史を明らかにする目的で調査され刊行された。

（12）中井精一・小山拓郎『富山県方言の計量的研究（日本言語文化調査報告二）』富山大学人文学部、二〇〇四年による。

用されることから、近年、富山県内全域で使用が拡大している。つまり富山県内で使用されるショッパイには、県東端で使用されてきた「伝統的方言」と東京などの影響を受けて新しく受容した「共通語」の二種類があるということになる。

なお、シオカライ類（シオカライ・ショッカライ）は、高岡市や砺波市などの県西部では使用率が低く、富山市をはさむ新湊市から魚津市にかけての県中央部で使用率が高い。また東端の黒部市や下新川郡では使用率は低い。つまり、県西部ではクドイ（カライ）、県東部ではショッパイ、その二つにはさまれる地域ではショッパイとカライが融合したシオカライ・ショッカライが強い勢力を誇っていることになる。

塩味がうすい

塩辛いの対義語は、共通語ではウスイだが、『日本言語地図』第二六二図「〈塩味が〉うすい」を見ると、全国には広くアマイ類（アマカ、アマサンなどを含む）が分布するほか、四国や東海、関東の各地にウスイ類（ウスカを含む）が、ある程度まとまった分布域をもっている。またアワイ類が近畿の北と南の辺境部および沖縄に分布している。近畿中央部とその周辺にミズクサイが強い勢力をもち、ショームナイ（ショムナイ・ションナイなど）がまとまって北陸に分布域をもっている。[13] 方言の分布から、近畿地方中央部からもっとも遠い地域に分布するアマイがもっとも古い語形で、ウスイとアワイは近接しているためほぼ同時期に発生し、最後にミズクサイが発生したと考えられる。[14]

富山県や石川県、福井県などの北陸地方で使用されるショームナイ（ショムナイ・ションナイなど）は、「塩も無い」から生まれた形式と考えられている。

（13） 佐藤亮一監修「〈塩味が〉うすい（薄い）」『お国ことばを知る 方言の地図帳』小学館、二〇〇二年

（14） 中央に語形Bがあり、その両側に語形Aが分布するという分布形態を、方言学では「周圏分布」またはABA分布と呼ぶ。現在Bが分布している地域にもAが分布していた時代があり、のちに中央でBが生まれた結果、ABA分布が形成されたと推定し、Aが古くBが新しいと推定する。

富山県内の地域差に注目すれば、東部にいくほどショムナイ類が多く、西部にいくほどションナイ類が多い。『日本言語地図』を見ると石川県金沢市付近から富山県西部の呉西にションナイ類が見られ、その外側にショムナイ類が見られる。北陸地方の「塩味がうすい」は、金沢を中心とした同心円状の方言分布があって、金沢や呉西で使用されるションナイ類が新しく、呉東や五箇山で優勢なショムナイ類は古い形式と言える。

年齢別では、まずショムナイ類は、年齢が高いほど、また県の東部ほど高い。逆にションナイ類は県の西部ほど高い。使用状況や分布状況から古いショムナイ類から新しいションナイ類へ徐々に移行していく状況がうかがえる。

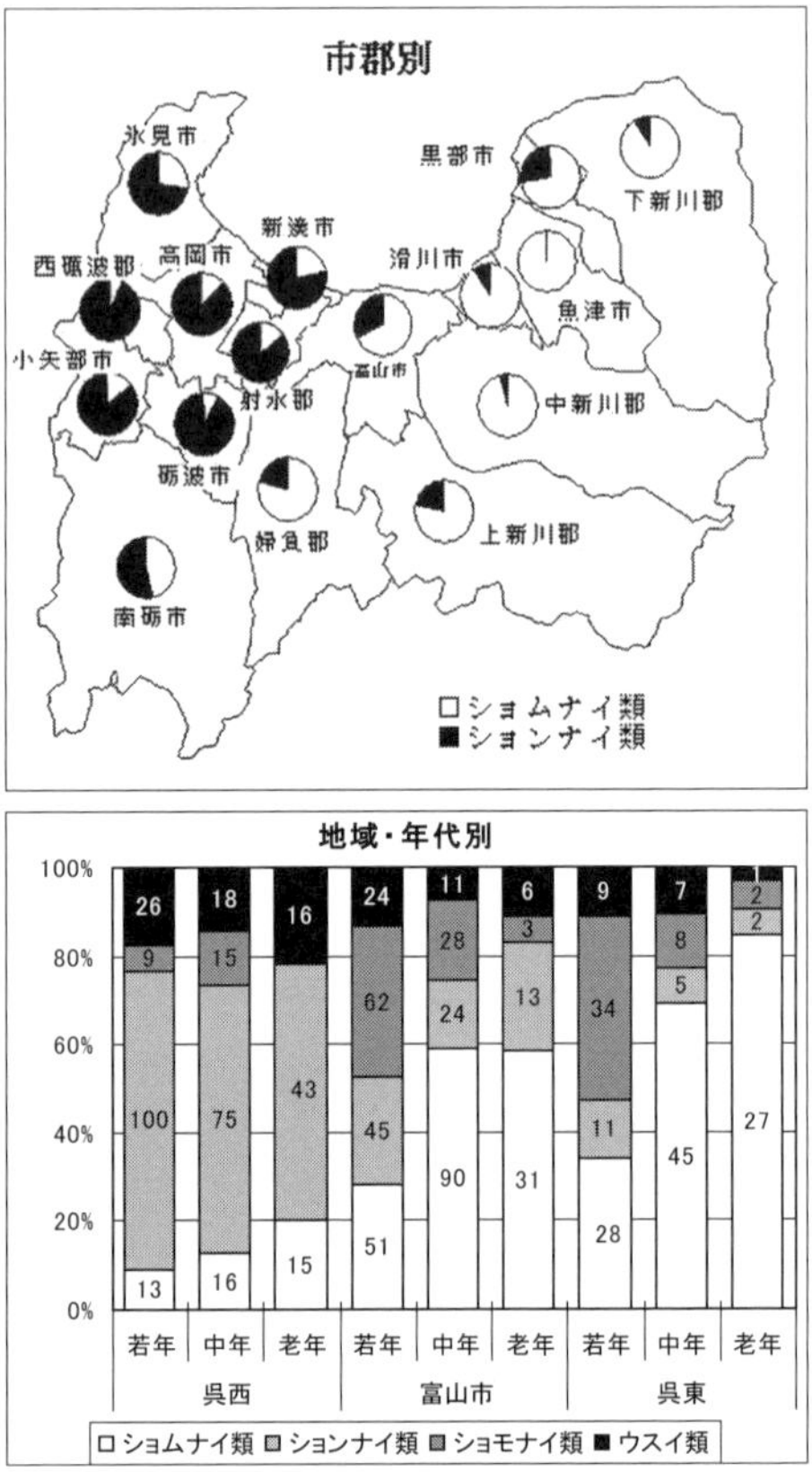

図8　ウスイ：富山県内の地域差(15)

(15)　中井精一・小山拓郎『富山県方言の計量的研究(日本言語文化調査報告二)』富山大学人文学部、二〇〇四年による

このようにひとつひとつの語彙を丁寧に見ていくと、富山県東部と西部の地域性や社会のありよう、かつての中心地であった上方（大阪や京都など）とのつながりや北陸の大都市であった金沢との関係、そして東京との結びつきや意識が見える。ことばはまさに社会を映す鏡の働きを担っていることがよくわかる。

まとめ

東京ではナスと言うが、大阪ではナスビと言う。東日本ではヒキニクと呼ぶが、関西ではミンチと言う。日本語の東西差や地域差については、日頃から多くの日本人が感じている。また富山県内の敬語を例にすれば、呉西の高岡ではタッタ、砺波地方ではハッタを用い、呉東の富山ではレル・ラレル、黒部などではサル・サッシャルを用いると言った地域差は、日常多くの県民が意識するところである。富山県内に認められる方言の諸形式は、かつての中心であった京都や大阪から発信された中央文化受容の痕跡でもある。富山県内の地域差は、西部の呉西でより西日本的な要素が濃厚に認められることから、県内の地域差とは、中央文化をどの程度受け入れたか否かによって決まる。つまり、中央文化の濃淡がそれをつくっていて、西日本的なことばや文化を有する地域は、関西ぽい地域になり、そうでない地域は富山独自のことばや文化を見せる地域に映ったり、東日本的特徴を有する地域に見えたりする。このことは文法や語彙の例からもよくわかる。

一方、中舌母音やガ行子音の有声化現象などは東北地方との関係を想像させたり、この地の（京阪式と東京式の接触地帯で見られる垂井式）アクセントは、まさに東西方言の接触地帯の様相を呈していたりする。このほか西日本的とされる方言にも京都や大阪から地を這うように時間をかけて伝播したものもあれば、北陸地方の大都市である金沢に伝播し、その都市の威光を背景に受容したものもある。また、がんもどきの方言名に見られるように、北前船の寄港地であった伏木《ふしき》や岩瀬、魚津や泊《とまり》の周辺ではヒリョスやヒロウスといった近畿地方中央部で使用される名称が広がっていたり、浄土真宗が盛んな砺波地方では、法要の後に食べるがんもどきをマルヤマやマルアゲと呼んでいて、その背景に信仰が関与しているものもある。(16) 今日、富山県で使用されている方言は、どのような背景をもっていて、それらは歴史的にどのように形成されていったのか。そのことを考えずにこの地の方言の実態はつかめない。

富山県の呉西は山地が海に遠く、河川が少なく懐が深い。これに対し呉東は山脈が海に近く、河川が多く平野が狭い。県内の七大河川のうち五河川が呉東にあり、しかもこれらがきわめて急流である。これらの河川が大きな洪水を幾度も引きおこし、流域の住民の生活をおびやかし売薬や県外移民につながった。また製造業の盛んな今日の富山県からは想像もつかないが、豪雪地帯である日本海側の北陸では、冬季に東京や大阪などへ出稼に出る人はいくらでもいた。私たちの研究室ではフィールド・ワークを通じ、富山県の地域性や社会の特徴について実感してきた。方言の研究は、方言が話されている現場に足を運び、その地で生きてきた人びとから何度も何度も話を聞き、疑問を解く作業の繰り返しと言える。これからも研究室に留まることなく、自らに課した疑問に納得する解が得られるようにフィールド・ワークを続けていきたいと思っている。

（16） 中井精一「河川流域の地域特性と方言」『The Landscapes of World Dialectology（韓国慶北大学校李相揆教授退官記念論文集）』二〇一九年による。

〔参考文献〕

上野善道編『日本方言音韻総覧』小学館、一九八九年
牛山初男『東西方言の境界』信教印刷、一九六九年
国立国語研究所『日本言語地図一〜六』大蔵省印刷局、一九六六〜七四年
小西いずみ・中井精一編『富山県方言文法地図』富山大学人文学部、二〇〇九年
小西いずみ『富山県方言の文法』ひつじ書房、二〇一六年
佐藤亮一監修『お国ことばを知る 方言の地図帳』小学館、二〇〇二年
真田信治「標準語の地理的背景」徳川宗賢編『日本の方言地図』中公新書、一九七九年
真田信治「地域別方言の特色―富山方言」『全国方言基礎語彙の研究序説』明治書院、一九七九年
真田信治『地域言語の社会言語学的研究』和泉書院、一九九〇年
真田信治『富山県のことば』明治書院、一九九八年
下野雅昭「富山県の方言」『講座方言学 中部地方の方言』国書刊行会、一九八三年
中井精一・小山拓郎『富山県方言の計量的研究（日本言語文化調査報告二）』富山大学人文学部、二〇〇四年
中井精一「河川流域の地域特性と方言」『The Landscapes of World Dialectology（韓国慶北大学校李相揆教授退官記念論文集）』、二〇一九年
新田哲夫「北陸地方の間投イントネーションについて」『金沢大学文学部論集 文学科篇七』金沢大学文学部、一九八七年
山口幸洋「福井方言の間投イントネーションについて」『音声の研究』二一、一九八五年

〔参考ＨＰ〕

第１期国語審議会『これからの敬語（建議）』一九五二年 http://www.bunka.go.jp/kokugo_nihongo/sisaku/joho/joho/kakuki/01/tosin06/index.html

column

富山の郷土料理——その特色と地域差——

森　俊

富山の郷土料理の特色として、漁師のかぶす汁（漁師が船上で作る、魚や野菜を入れた味噌汁）や朝日町宮崎のたら汁、ブリ大根（ブリのアラと大根を煮たもの）、シラエビの空揚げや汁物、ほたるいかの酢味噌あえ等に代表されるように、彩りや盛り付けを気にせず素材本来の持ち味を生かした素朴なものが多いということが挙げられる。この点、手数をかけ見た目も重視する加賀料理（タイの唐蒸しやかもの治部煮《じぶに》が代表例）と異なる。

また、北海道との間に就航した北前船《きたまえぶね》がもたらした昆布やにしんが富山の郷土料理に深く関わっている。その代表がニシン昆布巻き、刺身の昆布じめ、するめと昆布の漬物であり、煮物には昆布がよく使われる。昆布巻き蒲鉾は、富山の名産品である。

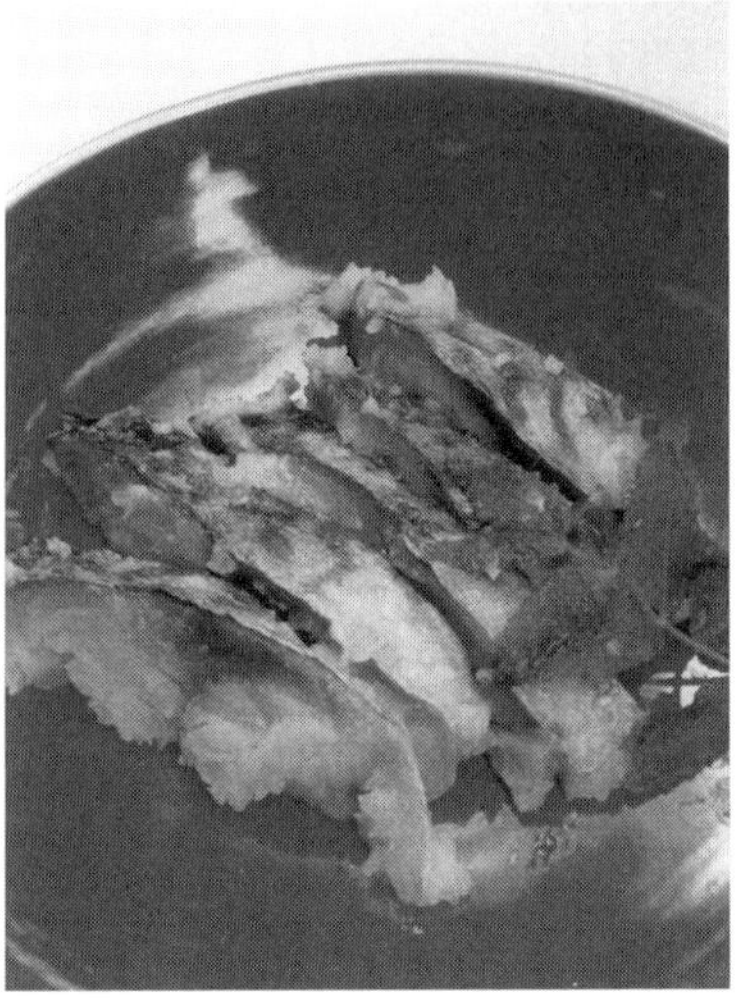

写真1　サバのなれずし（城端・南幸鮮魚店提供）

ところでこれら以外に、西隣加賀とのつながりがあるとともに、富山県の東西差を示す特色ある郷土料理が存在する。その一つが「すし」であり、今一つが溶き卵を入れた寒天料理である。

富山県西部いわゆる呉西《ごせい》では、「サバのなれずし」や「かぶらずし」が作られている。

「サバのなれずし」は南砺《なんと》市旧城端《じょうはな》町の善徳寺の虫干し法会《ほうえ》（七月二二日〜二八日）に際してお斎《とき》（寺院で参拝者に提供される食事）として浄土真宗門徒によって作

写真2　押しずし（富山短大食物栄養学科提供）

写真3　ベッコウ

られる（写真1）。

四斗樽に立て塩（海水くらいの辛さの塩水）をした米飯、さばの切り身、米飯、山椒の葉の順で繰り返し重ねていき、樽一杯に漬け込む。約四〇～五〇日後、糊状となった米飯は除去し、サバの切り身のみ食べる。同様のものが同市旧井《い》波《なみ》町の瑞泉寺でも同期間の太子伝会《たいしでんえ》（聖徳太子を追慕する法会）に際しても作られるが、先の場合と異なり、発酵を促進するための麹が入れられる。いずれも魚を米とともに空気を遮断して乳酸発酵させ長期保存、魚肉のみを食するという点では、発酵期間を省略し酢飯を使用、それに載せた魚肉とともに食するいわゆる「はやずし」に先行するすしの原型と位置づけられる。古い真宗寺院の行事食として作られ、食べられていることにも注目したい。

また同じ南砺地方には、両白山地《りょうはくさんち》を挟んで西側の加賀金沢の影響を受け、輪切りにしたかぶらの間にブリの切り身を挟んで米飯・麹と漬け込む「かぶらずし」が作られている。これも、米飯を主としないことから、「なれずし」の一種とみなせる。

一方県東部いわゆる呉東《ごとう》では、旧富山市を中心に、酢飯と酢に浸したサクラマスの薄切りを笹の葉でくるみ、曲げ物に入れて重石をして作る「マスずし」が、下新川《しもにいかわ》地方では合わせ酢に浸けた焼きサバのほぐし身を酢飯に挟み三～四層にし、上から重石をして作った「おせずし」（漬け込みの際箱を使用することから、「箱ずし」とも呼称）（写真2）がそれぞれ作られる。

いずれも発酵の過程がなく、酢飯を使用して一昼夜で漬け込み、魚飯ともに食べることから、「はやずし」として位置づけられる。

このように西から東に行くにつれて加賀文化の影響が薄れ、西には「なれずし」というすしの古い形態が、東には「はやずし」というすしの新しい形態が存在することがわかる。

ところで、富山県内に広く見られる寒天料理（写真3）は、金沢では「べろべろ」、県西部では「えびす」（柚《ゆ》餅子《べし》に由来）、東部では「べっこう（鼈甲）」と称する。同じ料理を多様な名称で呼び分けていることになる。

以上の「すし」や「寒天料理」は、いずれも冠婚葬祭や年中行事の料理であったが、今日では、日常食化している。

〔参考文献〕
粟島文子・佐伯安一・風間耕司『富山のふるさと料理　正月・春夏編』巧玄出版、一九七九年
粟島文子・佐伯安一・風間耕司『富山のふるさと料理　秋冬・人生編』巧玄出版、一九七九年
佐伯安一『富山民俗の位相』桂書房、二〇〇二年

富山って西？　東？
――民俗学から見た「面白い特徴」――

石垣　悟

はじめに

民俗学者、柳田國男は、昭和一二年に「越中と民俗」という小文を発表した。そこにはこんなふうな記載がある。「富山懸は民俗研究上に面白い特徴を持つた地帯であつて、私なども以前から深い關心を抱いて居る」。例えば、カタツムリの方言だけでも富山には四つもの系統があるといい、富山は「幾つかの文化圏の觸接地帯」として「面白い特徴」があると評した（柳田一九三七）。

周知のとおり、日本列島は、東西（あるいは南北）に細長い。青森県下北半島の大間崎から鹿児島県大隅半島の佐田岬までの距離だけでも二〇〇〇キロ近くある。これだけ離れていれば、自然環境も歩んだ歴史も異なり、その中で受け継がれた生活や文化にも大きな違いがでてくることは想像に難くない。テレビ番組「秘密のケンミンSHOW」をみるまでもなく、国際化や情報化、それによる均質化の著しく進んだとされる現在でもなお、日本には地域性豊かな文化が息づいている。

こうした地域性の中でも、私たちは、東と西という違いを、時に対立の意味合いも込めつつ好んできた。天下分け目の関ヶ原の戦いは東軍と西軍が対峙し、相撲も東方と西方で勝負する。プロ野球ファームのリーグもウエスタンとイースタンに分かれる。文化的には関東（東京）と関西（大阪）という対立軸が馴染み深いかもしれない。「関西では～だ」「関東の人は～だ」という言い方を誰もが一度は耳にしたことがあるだろう。それらは、多分にイメージ的に脚色された面もあろうが、東と西の文化的な違いは確かにある。

日本の東と西を考えるとき、重要な位置としてクローズアップされるのが、名古屋を中心とした東海である。東海は、東と西の境界、あるいは混在地帯とされてきた。つまり、日本の東と西を考えるときには、東海を巻き込んで、すなわち太平洋側に焦点を当てて議論が展開されてきた。かつて、あるテレビ番組で、東と西の境界を確かめる企画があった。題材は、肉じゃがである。肉じゃがの肉は、関西で牛、関東で豚を用いる。東海道沿いを一軒ずつ確かめていくと、岐阜県内のある家で豚、その隣が牛となり、東と西の境界を発見！　といった具合であった。この番組の内容がどの程度、実証的であったかは疑わしいが、東海を東と西の境界とみる人は多いはずである。

ところが日本海側に焦点を当てての、この種の議論はさほど多くない。地質学上の境界の糸魚川―静岡構造線の走る新潟県糸魚川市あたりを境界とする指摘は多い。しかし、本当にそうだろうか？　日本海側の様々な事例からそれを検証した成果はそれほど多くないのである。そこで、拙稿では日本の東と西を日本海側に焦点を当てていくつかの事例から考えてみたい。そこには、富山の「面白い特徴」が鮮やかに浮かび上がる。

1　西の富山、東の富山

まずはお手元の富山の地図を広げてほしい。道路地図やグーグルマップでもいい。ついでに東に隣接する新潟の地図も用意したい。富山の山間部をみると、富山市の猪谷《いのたに》や庵《いおり》谷《だに》、立山町の六郎谷などの「谷《たに》」が目に付くはずだ。この「谷」に注意しながら新潟側に目を移していこう。県境を越えてもなお「谷」はみられる。しかし、数は徐々に減るだろう。やがて新潟県上越市の湯の谷、桑取谷といった地名を最後に「谷」は姿を消す。逆に目に付くようになるのが、成沢、釜沢、川井沢といった「沢」である。「谷」も「沢」も、両脇から山が迫り、狭間に小さな川が流れる地形を指す。この地形を、日本の東では「沢」と表し、西では「谷」と表すことが多い。富山は西の「谷」が優勢で、東と西の境界は新潟県上越市付近になる。

地名に続いて言葉もみてみよう。富山より東から来県した人は、富山の人の会話を聞いて、関西弁との共通性に強く印象づけられる。東で「買った」「広く」「これだ」「～しない」などというところを、富山では「買うた」「広う」「これじゃ」「～せん」などという。これは、西の言葉（代表は関西弁）に通底する特徴である。言語学の成果によると、東と西で異なる言葉の境界は、いずれも富山より東にあり、富山は西に入る（大野一九五七）。

もっと身近なところでいえば、市販のカップ麺がある。このカップ麺の中には、スープの味に昆布だしをベースとした西の薄味、鰹だしをベースとした東の濃味という違いを設けた商品もある。「どん兵衛」（日清）など一部の商品の容器では、富山のものには「W」すなわち西（west）、新潟のものには「E」すなわち東（east）が表示される。

しかし、だからといって、「富山は西」と言い切ることはできない。富山は、周囲を山に囲まれ、そこから多くの河川が流れ出し、扇状地が形成される。この扇状地に生じた居住形態が散居村《さんきょそん》である。家屋が点在する独特の景観は、重要な地理的景観として学校の教科書にも登場する。特に庄川流域（砺波平野）の散居村は有名だが、同じような景観は黒部川流域にもみられる。この散居村の形成については、いくつかの環境的条件があるが、同時に社会的要因も指摘される。日本の村の社会構造には、「イエ」を強調する東と「ムラ」を強調する西があり、それが景観にも反映されている（福田一九九三）。つまり、富山は、散居村に象徴されるように、個々の家屋／「イエ」を強調する東に位置するともいえる。

2　伝統行事にみる東と西

これらの事例は、富山が東か西のどちらかに入るものであった。しかし、事はそう単純ではない。富山には両者の境界、あるいは混在を示す事例も多い。

富山には様々な伝統行事がみられる。毎年七月三一日、滑川市《なめりかわし》の中川原と常盤町で、国の重要無形民俗文化財にも指定されているネブタ流しが行われる。青竹の芯に藁などを巻き付けた巨大な円柱状の作り物を担いで地区を巡り、夕方、火をつけて海へ流す。この時「ネブタ流され、朝起きれ」と囃し立てることから、「ネブタ流し」の名がある。

この「ネブタ」という言葉、どこかで耳にしたことはないだろうか？　そう、青森のネブタである。青森のネブタを知っている人は多いだろう。勇壮な武者絵を描いた巨大な灯籠を引きまわす、東北三大祭の一つである。よくよく調べていくと、ネブタは、ネプタ、ネブリナガシなどの名で、東北を中心に東日本に広く分布していることがわかる。

一体、ネブタとは何か？　梅雨が明け、約一週間後に迎えるお盆を前に、ネブリ＝眠り＝睡魔＝災厄を流す／祓う行事といえば得心がいくのではないだろうか。ネブタ流しで、最後に火をつけて海へ流すことの意味も了解されるはずである。この行事は、富山の呉西や石川にはみられない。明らかに東の行事であり、滑川はその南限にあたる（柳田一九五五、石垣二〇一六）。

写真1　デクサマ

ネブタ流しから半年後の一月第二日曜日、下新川郡《しもにいかわぐん》入善町《にゅうぜんまち》上野《うわの》でサイノカミが行われる。この行事もまた国の重要無形民俗文化財である。子供たちが地区の家々をまわって正月飾りを集め、村外れで燃やす。正月飾りを燃やす行事は、ドンドヤキ、サギチョウなどの名で、全国あちこちで行われる。冬の風物詩としてテレビなどで目にしたことのある人も多いだろう。その中でこの行事が特に注目されるのは、デクサマと呼ぶ木製の人形が登場する点にある。子供たちは、デクサマを手にして家々を訪問し、正月飾りといっしょにデクサマも燃やす。端的にいえば、各家の災厄をデクサマに託し、燃やすことで祓うのである（石垣二〇一二）。

このサイノカミの行事名は、東に顕著にみられる。また、中でもデクサマに似た人形の登場する行事は、新潟・長野から山梨・群馬に主に分布する。つまり、この行事もまた、東の行事であり、富山に南限をもつ（倉石一九九〇）。なお、詳細は不明だが、古くは黒部市前沢や高岡市二上にも類似の行事があったという。

3　下村加茂神社の年中行事

富山の伝統行事には東の要素が確実に入るが、その多くは呉羽山より西、すなわち呉西まではあまり及ばないようである。反対に西の要素はどうだろうか。富山の文化的な位置を考える時、極めて重要な示唆を与えてくれるのが、下村加茂神社の行事である。

この神社は、平安時代、京都の下鴨神社の荘園がおかれた際に勧請されたという。律令制国家の支配の拡大に伴って勧請されてきたともいえよう。この神社で六月初卯の日、豊作を祈願して御田植祭が行われる。砂を敷いた境内の一角を田に見立て、神職が後退しながら苗を並べて田植えの真似事をする。御田植祭は、農耕の様子を予め模擬的に演じることで、実際の農耕も計画通り進むことを祈念する行事である。類似の行事は全国にみられるが、神社の境内や拝殿で行う御田植祭は、ほとんどが西にみられる。日本海側では、北限は新潟県佐渡市になるが、本州ではこの神社のものが北限となる（石垣二〇一四）。

御田植祭の一ヶ月前、毎年五月四日は春の例大祭「加茂祭」で、有名なヤンサンマが行われる。「ヤンサンマ」の呼称は、直接的には流鏑馬《やぶさめ》の転訛《てんか》だろうが、例大祭全体を指す名称にもなっている。流鏑馬は、三頭の馬で各三回の計九回、行われる。放たれた矢を自家に持ち帰ると厄払いになるなどという。今日では全国にみられる流鏑馬も、中学歴史の教科書等にもでてきたように、もとは東国武士の鍛錬、つまり東日本的要素の濃いものであった。古くから続く神事としての流鏑馬は、日本海側では、ヤンサンマが北陸唯一とされるほか、近隣では長野県大町市の若一王子神社や新潟県長岡市の金峯《きんぷ》神社にみられる程度である。つまり、伝統的な流鏑馬神事は、日本海側では下村加茂神社のそれを南限とする可能性が高い。

ヤンサンマでは、流鏑馬に先立って、境内で牛乗式《うしのりしき》も行われる。牛に跨った武者が境内に登場し、矢を放って立ち去ろうとする。そこを男達が駆け寄って牛を力ずくでその場に座らせる。そのため、牛つぶしともいう。牛に乗った若者は田の神を表し、牛を座らせることは田の神をその地に留めて豊作を祈願しようという行為にほかならない。この牛は、田の神の乗り物である。牛に乗った田の神を祀る行事は、西に多い。要するにヤンサンマでは、馬と牛がそれぞれ活躍する行事が併存する。このことがなぜ重要なのか？　結論からいえば、そこに東と西の混在が垣間見えるからである。

延慶三（一三一〇）年の『国牛全図』に「馬は関東を以て先とし、牛は西国を以てもとをとす」とあるように、古くから東は馬、西は牛を重宝してきた。富山では役畜に馬と牛が混在していた。農家は、春になると馬を使って田打ちや代掻きを行った。砺波ではこの馬を能登から借りる習俗もあった（藤本二〇一六）。借馬といった。これとそっくりの習俗が香川県にあり、主役は牛であった。借耕牛といった。いっぽう、富山に馬を供給した能登では牛も農耕に用いた。農耕に牛を用いる地域がすぐ西に接していたのである。そのため か、能登に接する氷見では、水揚げされた鰤を岐阜（飛騨）に運ぶには牛を用いた。富山が単純に西か東か、あるいはその境界かということではなく、東と西の文化が複雑に絡み合う事実こそ注目したい。

ところで牛の背で飛騨まで運ばれた鰤は、今日では「氷見鰤」という一大ブランドとなっている。下村加茂神社には、この鰤を用いた行事、鰤分け神事もある。元旦、神前に奉納された塩鰤が切り分けられ、氏子に配られる。類似の行事は、石川県鹿島郡中能登町の能登部神社にもみられる。

これとよく似た行事が新潟県長岡市の金峯神社にもみられる。一一月五日の王神祭《おうじんさい》で行われる年魚行事である。ここでは鰤ではなく、信濃川で獲れた鮭が用いられる。

4　食文化からみる富山

実はこの鰤と鮭も西と東に対応している。日本では神社のみならず、一般家庭でも正月には、西は鰤、東は鮭を食してきた。どちらも正月前が旬であることから、年取魚、正月魚として珍重されたのである。富山でも「鰤がなければ年を越せない」といって正月は必

写真2　鱒鮨とかぶら鮨

ず鰤を食べた。正月に鰤を珍重する食文化は、新潟県上越市や佐渡市までみられるが、さらに北上すると鮭となる。新潟県村上市は、正月に様々な鮭料理を食べる地域で、江戸時代から独自の方法で鮭の増殖を行ってきた。

こう書くと、富山は鰤＝西といいたくなるが、実は鮭も遡上する。平安中期の『延喜式』（九二七）にも越中の鮭鮨が都に献納されたとある。旧宇奈月町下立で二月九日に行われる山の神の祭では、かつて鮭の押し鮨を供えたという（森俊一九九八）。

鰤と鮭をみても富山の位置は単純ではないのである。

さらに鮨に注目すれば、富山には鰤のかぶら鮨がある。塩漬けした蕪に切り込みを入れ、塩漬けの鰤の切り身などを挟んで米麹を混ぜて発酵させる。いっぽう、富山は鱒鮨でも有名である。鱒は、遡上時期は異なるが、鮭と同じサケ科の魚である。二種の鮨の存在は示唆的である。食文化でも富山は実に面白い。東の角餅と西の丸餅という正月の雑煮の餅の形も、富山では混在しているという（伊藤一九七七、佐伯一九八七）。

5　民具からみる富山

ここまで地名、言葉、伝統行事、食文化など、無形の文化から富山の位置をみたが、次

写真3　東日本型（左）と西日本型（右）の唐箕の混在（富山市）

は有形、すなわち物質文化からみてみよう。生活や生業で用いられてきた道具にも、形状に東と西があるといわれる。例えば、収穫・脱穀した稲の籾をゴミと選別する農具、唐《とう》箕《み》もその一例である。高等学校の日本史Bの教科書等でも備中《びちゅう》鍬《くわ》や千歯《せんば》扱《こ》きと並ぶ画期的な農具として登場したことを覚えている人も多いだろう。唐箕は、文字通り「唐」／中国からもたらされた当時最新の農具で、明治以降は全国に普及した。大局的にみると、唐箕の形状には東西の違いがある。例えば、選別された籾の出口の方向が東と西では異なる（小坂一九八六）。最も実入りのよい籾の出口と、次に実入りのよい籾の出口の向きが、西では同じであり、東では逆なのである。日本に現存する最古の唐箕（京都府南丹市）は、二つの出口が同じ向き、つまり西の特徴をもつ。唐箕の「原産地」、中国の唐箕も同様である。つまり、西型の唐箕が日本に伝わり、東へ普及する中で、いつの間にかどこかで二つの出口の向きが逆になったようなのである。いつ、誰が、どうして？　残念ながら詳細はわからない。ただ、出口の向きが逆の方が、選別された稲籾が混じり合うことがなく合理的ではある。

　新潟県の唐箕は、一部を除いて基本的に東型である（石垣二〇〇五）。それに対して富山の、特に呉西の唐箕の多くは西型である。さらに細かくみていくと、朝日町付近では専ら東型で、入善町や黒部市、魚津市、富山市までは両者が混在する。そして、高岡市や砺波《となみ》市はほぼ西型である。ただし、なぜか氷見は東型が顕著であるという。その中で特に注目されるのが、射水市櫛田の松原で作られた松原唐箕である。松原唐箕は、氷見や砺波、高岡などの呉西に主に供給された、つまり、松原という一産地で、東型と西型の双方の唐箕を作っていたのである（廣瀬二〇一七）。この事実は、富山における東と西の混在が根深いことを物語る。まさに富山の面目躍如といったところだろうか。

この傾向は、麦などの雑穀の脱穀に用いられた唐棹《からさお》の分布にもみられる。唐棹もまた「唐」／中国からの伝来とされる。持ち手となる柄部、穀物に当たる打部、両者を繋ぐ連結部からなり、柄部を振り回して打部を穀物に打ち付けて脱穀する。唐棹は、太平洋側では岩手の北上山地北部までみられるが、日本海側では富山までで、新潟以北にはみられない。しかも富山の唐棹には、原初的ともいえるタイプから比較的新しいタイプまでいくつかのバリエーションがみられる。想像を逞しくすれば、唐棹の伝播の波が何度かあり、そのたびに富山が壁となり、それより北には伝わらず、結果、富山に様々な型が重層的に蓄積されたのかもしれない。

最後に伝播の壁を示すもう一つの例をあげておこう。背負梯子《せおいばしご》の形状である。背負梯子は、両肩にかける縄をつけた木枠で、木枠に荷物を括り付けてリュックサックのように背負って運搬する。二宮金次郎が薪を背負っている、あの用具である。西の背負梯子は、木枠に爪がついて荷物を爪に載せて固定する。いっぽう東のそれは、爪がなく、荷物を縄で木枠に括り付ける。この形状の違いは、用具の新旧も示すとされる。爪のないものが使われていたところに、後に爪のあるものが朝鮮半島より入り（朝鮮半島のものは爪がある）、西から徐々に普及してきた。お隣の新潟では専ら爪のないものが用いられたが、富山には爪のあるものもみられた。砺波では爪のあるものと爪のないものが混在する。つまり、爪のあるものが西からやってきたとき、富山という見えざる壁にぶつかったらしいのである。

おわりに

文化は、地域社会の中で完結するものではない。地域社会内部で有機的に関連しつつ、外部とも密接な繋がりをもって受け継がれてきた。極論をいえば、その歴史的・地域的展開が日本における文化の多様性と類似性を生んだといえる。東と西の相違は、その展開の表出である。ただし、それはまた表出の一面に過ぎない。富山でいえば、五箇山《ごかやま》や八尾《やつお》などの山間部は飛騨との繋がりも深く、平野部は加賀藩や富山藩の影響も無視できない。沿岸部は西廻り航路を介してさらに遠く北や南との関係ももっていた。こうした複雑に重層化した文化を丁寧に紐解いてみることこそが、柳田のいう富山の「面白い特徴」を知る道であろう。拙稿は、その一端を紐解いてみたに過ぎない。

加えてもう一点注意しておきたいのが、こうした文化の蓄積は固定されないことである。時が経つにつれて、新たに加わったり、消滅したり、復活したりと、いわば常に変化し続ける。文化は生きているということも忘れてはならない。だからこそ、現代社会の中で文化を考えてみる意義もある。その点でいえば、北陸新幹線の開業は、今の、そしてこれからの富山にとって重要な意味をもつだろう。新幹線の開業以降、東京には行きやすくなったが、大阪に行きにくくなったという声をよく耳にする。人や物、そして文化の流れが変わっていくかもしれない。これからも富山は「面白い特徴」を見せてくれそうである。

〔参考文献〕
石垣悟「基礎調査としての民具の形態比較―越後の唐箕を事例として―」『秋田民俗』三一号、二〇〇五年
石垣悟「富山の小正月の火祭り―邑町のサイノカミを中心として―」『とやま民俗』七八号、二〇一二年
石垣悟「技術としての田植え、精神としての田植え」、新谷尚紀編『壬生の花田植　歴史・民俗・未来』吉川弘文館、二〇一四年
石垣悟「富山の七夕、日本の七夕」『常民のまなざし』桂書房、二〇一六年
伊藤曙覧『とやまの民俗芸能』北日本新聞社、一九七七年
大野晋『日本語の起源』岩波新書、一九五七年
倉石忠彦『道祖神信仰論』名著出版、一九九〇年
小坂広志「唐箕の伝来と普及」『技術と民俗（下巻）』小学館、一九八六年
佐伯安一「海と山の食文化」『味噌・醤油・酒の来た道』小学館、一九八七年
廣瀬直樹「富山県氷見市の唐箕」『民具マンスリー』五〇巻二号、二〇一七年
福田アジオ「日本社会の東西と日本海地方」『とやま民俗』四七号、一九九五年
藤本武「沢川の馬仲間について」『常民のまなざし』桂書房、二〇一六年
森俊「越中の山の神」『とやま民俗文化誌』シー・エー・ピー、一九九八年
柳田國男「越中と民俗」『高志人』二巻一号、一九三七年（参照は『定本柳田國男集』二九巻　筑摩書房、一九七〇年）
柳田國男「年中行事覚書」一九五五年（参照は『定本柳田國男集』一三巻　筑摩書房、一九六九年）

column

富山の天神飾り

尾島志保

毎年秋になると、富山県内の節句人形販売店などでは天神像の掛け軸や人形が店頭に並ぶようになる。井波の木彫り天神人形の販売会も開催され、その様子は新聞でも紹介される。これらは富山県の年中行事、正月の天神飾りのことである。

菅原道真を神として祀る天神信仰は全国に広くあるが、富山では、男児―特に長男―が誕生すると、母親の実家から天神飾りが贈られ、毎年正月床の間に飾る習慣がある。天神飾りを現在行っているまたは過去に行っていた地域は県外でもみられるが、正月ではなく三月の節句など他の時期に飾る地域も多い。北陸地方とその周辺では、富山・石川・福井・新潟・長野・岐阜各県で、正月各家庭で飾る行事がみられる（みられた）。その中でも富山県は今でも広く行われており、特に県西部や富山市が盛んであるという。

ただし、同じ富山県内でも、飾るものや時期など細かい作法は時代や地域によって異なっている。まず天神飾りそのものについて、先行研究ではおおよそ次のような経過をたどったと考えられている。江戸後期には富裕層の間で天神像の掛け軸や

写真1　正月の床の間。右側の掛け軸が束帯天神像。（富山市内、2012年1月25日撮影）

木像を飾るようになり、幕末頃から一般庶民も土人形の天神像を飾るようになったが次第に廃れ、昭和の初めころからは掛け軸を飾るようになった。一九六〇～七〇年代頃からは井波の木彫り人形を飾る家も出てきた。また、現在はもう販売されていないが、木彫りや土製の天神像を御堂の中に飾る天神堂というものもあり、大きな商家や地主の家に残されていることがある。

さらに近年は床の間のない家が増えてきたことから、額装やスタンド型など現在の住宅にあわせた新たな天神飾りも出てきている。

また、飾る期間は一二月二五日から一月二五日と決まっていることが多い。二五日というのは、菅原道真の命日が二月二五日であるためと考えられる。しかし、これも地域差や個人差があり、筆者の富山市内での聞き取りでは、一二月三〇、三一日頃に飾るという話もよく聞かれた。

写真2　天神堂と「天満大自在天神」の掛け軸。この家では1月25日に小豆雑煮を供えている。（富山市内、2012年1月25日撮影）

天神飾りには期間中鏡餅を供えるが、天神飾りをしまう一月二五日にも改めて尾頭付きの魚などの供物が供えられる。この日は天神講や天神様送り、初天神（一二月二五日を初天神、一月二五日をシマイ天神と呼ぶ家もある）の日などとされ、供えるものにも地域差や時代差がみられる。氷見市立博物館元館長の小境卓治氏によると、氷見の漁師町では、その日とれた魚を生の尾頭付きで供えた。通常はフクラギ（鰤の幼魚）や鱈だが、それらがなければ鯖や鯵などを用いた。鯛などの赤い魚を供えるようになったのは最近のことだという。先行研究でも、鯛や蟹・海老といった赤い魚介類の他に、昔は干鰯・干鱈や小豆粥（雑煮）などを供えたという事例が紹介されている。

さて、現在では一月二五日が近くなると、スーパーマーケットで供物用の鯛や蟹などが売り出されるが、こうしたことが各地域・各家庭で異なる供物だったものが画一化されていく契機となっているであろうことは容易に想像される。それは天神飾りそのものについても同様で、天神像の販売店ではＷｅｂサイトでその飾り方を紹介しており、それは店舗の商圏を越えて閲覧・参照されるものとなる。また近年、高岡市の山町筋では毎年一月下旬に各家庭や店舗にて天神像を飾り、一般公開を行っている。このイベントは新聞等でも報道され、天神飾りは街の賑わいづくりという新たな役割を担うようになった。

このように、天神飾りとその飾り方はその時々の家庭や社会の状況に合わせ変化してきた。言い換えれば、天神飾りを通して各時代のライフスタイルを浮かび上がらせることができるのである。

〔参考文献〕

橋本芳雄「石川富山県下の天神信仰」『神道史研究』一七（五・六）、神道史学会、一九六九年
西村忠『北陸の天神様かざり』二〇〇四年
大門哲「山積みされた天神堂―キャラクター消費の文化史―」『石川県立歴史博物館紀要』二三、二〇一〇年
大門哲「天神飾りは江戸から伝わった⁉―崇める富山、遊ぶ石川―」『館報』一九、富山市篁牛人記念美術館、二〇一二年
「特報とやま　さまよえる天神様　小型化、地域で展示 伝承へ新たな試み」『北陸中日新聞』二〇一九年一月二七日付、一面

富山の祭り
——豊かな曳山祭の世界へのいざない——

藤本　武

はじめに

富山の祭りと聞いて皆さんはどのような祭りを思い浮かべるだろうか。県外の人であれば、富山市南部の八尾《やつお》で九月一日から三日にかけて行われるおわら風の盆かもしれない。哀愁漂う胡弓《こきゅう》の調べにのせて唄と踊りが披露される芸能色豊かな祭りで、毎年二〇〜三〇万人もの人でにぎわう（長尾二〇一九、野澤二〇一八）。

じつのところ県内にはさまざまな祭りがある。信仰に根差したものだけみても、神が目の前にいるかのように家に招き入れ、食事や風呂をもてなす祭り（一一月二〇日に黒部市宇奈月町下立などで行われるオーベッサマ迎え）もあれば（森・阿南二〇一八）、田の神とされる若者が乗る牛を膝まずかせることで農耕神をとどまらせ、豊作を祈願する祭り（五月四日に射水市下村加茂神社の例大祭で行われるヤンサンマ）（石垣二〇一八）、藁で作った巨大な松明に火をともし海に流すことで無病息災を願う祭り（七月三一日に滑川市中川原海岸で行われるネブタ流し）（白岩二〇一八b）、野菜や果物などの植物素材で作った人形などを各所に飾り五穀豊穣を願う祭り（九月二三、二四日に高岡市福岡町で行われるつくりもんまつり）（鵜飼・能登二〇一八）、江戸時代行われていた極楽往生を願う儀式を復元し白装束の女性たちが立山信仰の世界を疑似体験する仏教の祭り（立山町芦峅寺で三年に一度行われる布橋《ぬのばし》灌頂《かんじょう》会《え》）（米原二〇一八）など、いろいろある。もちろん、高岡古城公園桜まつりやとなみチューリップフェアのように四季折々を楽しむ祭りなども大勢の人でにぎわう。

富山の祭り全般をとりあげることは紙幅が限られているここではできない。そこで以下では、県内各地で、獅子舞と並び、地元の人たちに深い愛着を持って行われている曳山祭を中心に見ていきたい。

1　優雅な曳山祭

二〇一六（平成二八）年、全国の「山・鉾・屋台行事」三三件が一括してユネスコＵＮＥＳＣＯ（国連教育科学文化機関）の無形文化遺産に登録された（すでに単独で登録されていたものも含む）。そのうち富山県のものは秋田県や岐阜県とならび三件あり、愛知県の五件に次ぐ多さであった。富山県がこうした祭りのさかんな地域の一つであることがうかがわれる。ただ、祭りに詳しい人でなければ、「山・鉾・屋台行事」といってもピンとこないかもしれない。「山・鉾・屋台行事」とは平たく言えば、曳いたり担いだりする山車《だし》の出る祭りである。全国に約一五〇〇あるとされる（植木二〇一三）。富山県では「曳山《ひきやま》」あるいはたんにヤマと言うのが一般的である。春祭りが多いが、夏や秋に行われるものもある。江戸時代発祥が大半で、いずれも地域の安寧や繁栄を願う都市祭礼である。とはいえ、その中にもいろいろなものがあり、曳山と呼んでいないものもある。そこで以下では、名称にとらわれず、より広義の曳山祭を対象に考えていく（表1）。

日本における山車祭の代表は全国の山車祭の原型になったとされる京都祇園祭である。「動く美術工芸品」ともいわれる豪華絢爛な山車（祇園祭では山鉾という）が町を優雅に練り回る。富山県の曳山祭にも、こうした近世の町の繁栄を感じさせる豪華絢爛な曳山祭がある。先のユネスコ無形文化遺産「山・鉾・屋台行事」に選ばれた高岡御車山祭《みくるまやままつり》（正式には「高岡御車山祭の御車山行事」）や城端曳山祭《じょうはなひきやままつり》（同「城端神明宮祭の曳山行事」）などである。

曳山はそれぞれの祭りで形状や名称は異なる。たとえば、高岡御車山の場合、地山《じやま》（一番下の台車の部分で、四輪または二輪の車輪、囃子方が入る幔幕の張られた地山箱など）、飾り山（地山の上に本座という人形、一部は手前に相座という小さな人形も、周囲に高欄）、鉾（中心に立つ心柱、その上部の籠、籠から放射状に垂れ下がる花傘、頂部の鉾留など）からなる。民俗学ではこのうち鉾は神が降臨する目印、人形は神の形代とされてきた[1]。

御車山祭には曳山が七台、毎年祭り日の五月一日に曳山を出す町々（山町《やまちょう》という）を曳き回す（これを奉曳《ぶえい》という）。なお、ここで曳山を曳く人（曳き方）や地山の中で雅楽を奏する囃子方（楽人）は山町の人たち自身ではなく、近隣の特定の村々（在所）から世襲で雇

（1）なお、高岡・二上射水神社と射水・放生津八幡宮の築山《つきやま》は、境内の大木の下に祭壇を設け、降臨する神として人形を配置する。この動かない築山は、動く曳山の原型となったとしばしばされるが（たとえば伊藤一九七七）、俗説にすぎないという批判もある（植木二〇一三）。

表1　富山県の曳山祭等

名称	開催場所	市町村	まつり日	台数	分類
二上射水神社築山行事	二上射水神社	高岡市	4月23日	1基	築山
放生津八幡宮築山行事	放生津八幡宮	射水市	10月2日	1基	築山
石動曳山祭	愛宕神社	小矢部市	4月29日	11基	曳山（花山型）
四方子供曳山祭り	四方神社	富山市	4月29日、9月23日	12基	曳山（花山型）
高岡御車山祭	関野神社	高岡市	5月1日	7基	曳山（花山型）
福野曳山祭	福野神明社	南砺市	5月3日	4基	曳山（花山型）、庵屋台
伏木曳山祭(けんか山)	伏木神社	高岡市	5月15日	6基	曳山（花山型）
氷見祇園祭	日吉神社	氷見市	7月13、14日	5基	曳山（花山型）
海老江曳山祭	海老江加茂社	射水市	9月23日	3基	曳山（花山型）
放生津（新湊）曳山祭	放生津八幡宮	射水市	10月1日	13基	曳山（花山型）
大門曳山まつり	大門神社	射水市	10月体育の日の前日	4基	曳山（花山型）
大久保高砂山曳山	下大久保八幡宮	富山市	4月15日に近い土曜	1基	曳山（屋台人形型）
八尾曳山祭	八尾八幡社	富山市	5月3日	6基	曳山（屋台人形型）
城端曳山祭	城端神明宮	南砺市	5月4、5日	6基	曳山（屋台人形型）、庵屋台
出町子供歌舞伎曳山	出町神明社	砺波市	4月29・30日	3基	曳山（屋台歌舞伎型）
福光春季例大祭	宇佐八幡宮	南砺市	4月第三日曜	3基	庵屋台
井波よいやさ祭り	井波八幡宮	南砺市	5月2、3日	5基	庵屋台
岩瀬曳山車祭	東岩瀬諏訪神社	富山市	5月17、18日	13基	行燈（タテモン）
魚津たてもん祭	諏訪神社	魚津市	8月第一金曜、土曜	7基	行燈（タテモン）
福野夜高祭	福野神明社	南砺市	5月1、2日	20数基	行燈（夜高）
津沢夜高あんどん祭	小矢部市津沢地区	小矢部市	6月第一金曜、土曜	20数基	行燈（夜高）
庄川夜高行燈	砺波市庄川地区	砺波市	6月第一土曜、日曜	20数基	行燈（夜高）
となみ夜高まつり	砺波市出町地区	砺波市	6月第二金曜、土曜	20数基	行燈（夜高）
黒河夜高祭	黒河神社	射水市	8月第四土曜	7基	行燈（夜高）

とやまの文化遺産魅力発信事業実行委員会（二〇一八）をもとに作成

図2　城端曳山祭の庵屋台
（写真提供：安ヵ川恵子）

図1　高岡御車山祭（写真提供：岡田真歩）

い入れている人たちである（高岡市教育委員会二〇〇〇、小馬二〇一八）。こうした慣行は、京都祇園祭など由緒ある祭りで現在も続けられている。(2)なお、御車山祭は夕方には巡行を終えるが、石動《いするぎ》や伏木《ふしき》、海老江《えびえ》、放生津《ほうじょうづ》（新湊）などの曳山祭では日中の曳山（花山車）だけでなく、夜になると提灯を付けた提灯山が出る。その中には昼と夜で装いが大きく変わるものもある。

なお、神様とされる人形を曳山にのせる祭りでは、前日に人形に魂を入れる儀式（入魂式）をしたうえで町内の家（「山宿《やまやど》」という）の座敷に飾って公開し（「飾り山」）、当主（「山番」）はその人形と一晩をともにする。この山番をつとめるのは城端曳山祭では一世一代の名誉とされる（安カ川二〇一八）。これほどではないにせよ、同様の山宿の慣行がある祭りには、高岡御車山祭、伏木曳山祭、海老江曳山祭、放生津（新湊）曳山祭、大門曳山祭などがあり、県内の曳山祭の一つの特徴といえるだろう。とはいえ、関係者への食事提供など、負担が大きく、近年は公民館などで簡素化して行われるところも増えている。(3)

2　勇壮な曳山祭

こうした情緒豊かで優雅な曳山祭とはかなり趣を異にする、若衆とよばれる若者主体の勇壮な曳山祭も県内にはある。

宇野（一九九七：一五八〜一六〇）によると、越中の曳山には形や曳き方から大きく高岡系と放生津系の二系統があり、高岡系は内陸の商業町・宿場町にあるのに対し、放生津系

(2)　後述する福野夜高祭でも戦後しばらくまで決まった在所の人たちに人足を頼んでいた。ただ、たとえば大門曳山祭では三〇年あまり前、こうしたやり方は地元の負担が大きいとしてやめられている。現在も続けられているものはごく限られるが、県内の曳山祭で比較的最近までみられた慣行で、町と村の一つのつながりを示している。

(3)　曳山祭の山宿に限らず、県内の祭り行事において宿の慣行は広く見られ重要である。なお、京都祇園祭や埼玉の川越まつりなどで同様のものは「会所」と呼ばれている。

は港町にあるという。高岡系では曳山の装飾を重視しており、曳き回しの際、前に人が乗らないのに対し、放生津系では上に人が乗り威勢よく曳き回す。夜祭の曳山（提灯山）も前者は少しの提灯で飾る幻想的なものなのに対し、後者は多数の提灯で飾る明るいものと対照的である。また高岡系の曳山は曳き手を近郷の村々に依存する古い形を維持し、概して曳き手の年齢層が高いのに対し、放生津系は早くから住人自身で曳くようになり、曳き手が若い傾向があり、これが祭りの雰囲気を変える一因になっているとされる[4]。

後者の代表といえる放生津（新湊）曳山祭には、県内最多の一三基もの曳山が出る。細い路地を通ったり内川にかかる橋を渡ったりするその巡行は祭りの目玉になっており、曳き手が目立つ。しかし曳山の中にいる笛や太鼓などの囃子方がその巡行に重要な役割を果たしているとされる（島添二〇一八）。

また同じ港町の曳山祭に五月一五日に行われる伏木曳山祭があるが、これは別名「けんか山」として知られる。この曳山の最大の特徴は「付長手《つけながて》」と呼ばれる長さ約五メートルもの丸太が前後に取り付けられていることで、夜に行われる「かっちゃ」では、これを勢いよく何度もぶつけ合う（谷部二〇一八）。それぞれの山は八トンもあり、ぶつかり合うとドーンという鈍い音とともに地響きがするほどの迫力である。

同じく港町の岩瀬（富山市）で五月一七、一八日に行われる岩瀬曳山車祭では、布と針金で作った巨大な行燈の作り物（「たてもん」と呼ばれる）をのせた山車を夜ぶつけ合い、綱を曳き合う（曳き合い）。過去何度も死傷者を出してきたが、近年は安全対策が図られている（末原・渡辺二〇一八）[5]。

他にも県北西部の港町氷見でも七月一三～一五日に行われる氷見祇園祭の二日目の夜、

（4） 高岡系と放生津系の曳山を小境（二〇〇二）は「花笠鉾式人形山」としてまとめ、城端と八尾の曳山を「屋形式人形山」と区別している。なお、表1の「曳山（花山型）」はこの「花笠鉾式人形山」に、同「曳山（屋台人形型）」は「屋形式人形山」に対応する。

（5） 同じ「たてもん」でも魚津たてもん祭りの「たてもん」は船の帆の形を模した木枠に多数の提灯をつるした山車で、一〇〇人近い人で曳き回す。ユネスコ無形文化遺産「山・鉾・屋台行事」の一つに登録されており、諏訪神社の境内で行われる奉納回転が有名である（土井二〇一八）。

太鼓台のぶつけ合いを行う。(6) 戦前、曳山のぶつけ合いが行われていたが、一九三八（昭和一三）年の大火で多くの曳山が焼けてしまい、その後太鼓台をぶつけ合うようになったとされる。

こうした祭りを俗に「けんか祭り」といい、西日本の港町を中心に分布するが、富山県では港町だけでなく、内陸の町にも見られる。県西部、砺波平野の福野、津沢、庄川、砺波では、竹や木などで作った枠に和紙をはり、彩色した行燈の山車である夜《よ》高行燈《たかあんどん》が大中小二〇あまり出て町を練り回した後、大型の夜高行燈が激しい壊し合いやぶつけ合い（「引き合い」や「突き合わせ」などと呼ばれる）を行う（藤本二〇一八、萱岡・阿南二〇一八）。これらの祭りの起源は必ずしも定かでないが、福野の場合、一七世紀の神社創建に関連して始まった祭礼に起源するとされる。ただし、ぶつけ合いが始まったのは、狭い路地を曳き回す際に譲り合わず接触したことに由来するとされ、それは明治以降とみられる。つまり祭りの歴史の途中で付け加わってきたものである。こうしたことは県内のけんか祭りでおよそ共通している。(7) しかしながら、今日このけんか祭りの要素はそれぞれの祭りでもっとも知られ、大勢の見物客を集める有

図3　福野夜高祭の引き合い

(6)　太鼓台は神輿に供奉する山車の一種で、氷見の太鼓台には鳥居の模型と太鼓が前にあり、提灯を飾った高さ数メートルの松の木が中央に立てられている。ぶつけ合いの際にはこの松の枝が多数折られる。

(7)　たとえば伏木曳山祭のけんか「かっちゃ」は余興とも言われる（谷部二〇一八）。末原（一九九八）によると、曳山祭は裕福な商人らの財力を示す場として元々あったが、岩瀬曳山車祭などでは祭りの主体が変化し、地元の曳き手たちの思惑を反映させたものになってきたという。

名なものとなっているのみならず、富山県の祭りの特徴の一つともなっている。

3　貴重な曳山祭

先に述べた城端曳山祭では曳山とともに、庵《いおり》屋台と呼ばれる屋台が出る。五月五日の本祭りの日、獅子舞と神輿の行列が出発した後、曳山と庵屋台が町を巡行する。庵屋台は、江戸時代の料亭や茶屋を模した庵と呼ばれる精巧な模型と、その下の水引幕で囲われた重《じゅう》という枠からなるもので、元々は担いでいたが、現在は曳いて回る。隠れて見えないが、重には底がなく、中に囃子方と唄い手が一〇人近く入り、お囃子を奏でながら練り歩く。そしてあらかじめ「所望」があった家（所望宿）の前に横付けして庵唄とよばれる江戸情緒を感じさせる独特な唄を唄い手の若連中が披露する。所望宿では正装した家族・親族や招待客が座敷でそれに静かに耳を傾ける（安カ川二〇一八）。全国唯一の伝承とされる（植木二〇一三）[8]。

富山県の曳山祭にはもう一つ言及すべき貴重なものがある。歌舞伎を演じる舞台がしつらえられた専用の曳山（歌舞伎曳山。歌舞伎山とも）の上で子供たちが歌舞伎を演じる子供歌舞伎曳山祭の伝統である。江戸中期に出町（現砺波市）に伝わり、最盛期の幕末から明治期にかけて石動（小矢部市）、伏木、戸出（高岡市）、水橋（富山市）、滑川（滑川市）、魚津（魚津市）、浦山（黒部市）、入善（入善町）の県内九カ所で行われた（富山県教育委員会編一九七六、広瀬二〇一二）。当時県内で見られた曳山のじつに半数近くを占めるほどであったと

（8）これほどのものではないが、福光（南砺市）の宇佐八幡宮春季例大祭では庵屋台が三台出る。福野（南砺市）では四台の庵屋台があり、長く休止状態だったが、二〇一五年より五月三日の曳山祭に一台曳き回す形に復活した。井波（南砺市）では五月のよいやさ祭りで庵屋台（屋体）が曳き回されていたが、現在は展示披露される。

される。今の私たちには理解しがたいが、地芝居と言われる素人が演じる歌舞伎は当時庶民に熱狂的な人気があった。しかしその後、昭和期までに各地で廃絶し、現在まで行われているのは、最も早くに始まった砺波市中心部出町地区ののみである（出町子供歌舞伎曳山祭）。出町神明宮の春季祭礼として四月二九日と三〇日に行われる。全国的に見ても、小松（石川県）、長浜、米原（滋賀県）など、現在数えるほどしか残っておらず貴重なものである。もとは東・中町・西町の三基の曳山が出て競演していたが、今は毎年順番に一基出て異なる演目が奉納される。二〇〇九年に砺波市出町子供歌舞伎曳山会館が開館し、年間通じて観覧することができる。石動曳山祭に歌舞伎曳山が出なくなって久しいが、七基出ていた歌舞伎曳山の一部は現在も曳き出すことができる形で保管されている。

おわりに

今述べた歌舞伎曳山はその多くが県東部（呉東）で行われたものだが、早くに絶えていた。じつは呉東には歌舞伎曳山にかぎらず、かつて二〇近く曳山行事（曳山祭）があったが、今日あるのは五つのみである（白岩二〇一八a）。人々の関心が変わり財源確保が困難になってきたことが大きいとみられる。県西部（呉西）ではこれほど失われていないが、皆無ではない。また、祭り全体としては存続していても、一部休止して行っているものは数多い。筆者が県内の祭りを訪れると、今はやれていても将来続けられるかわからない、といった懸念がどこでも聞かれる。今日は人手不足が深刻化しつつある。もちろんこれまでもそれぞれの祭りはさまざまな難局を乗り越えて今日まで続いてきているのであり、今後もやり方を工夫・変更しながら存続していくことが強く望まれる。

すでに述べてきたように、富山県にはユネスコ無形文化遺産に登録された祭りに限らず、継承すべき素晴らしい祭りが曳山祭だけでも多数ある。富山の誇る宝といえるだろう。ただ、その認識が県内でどこまで共有されているかを考えた場合、心もとないものがある。祭りはこれまでそれぞれの地域で行われ、地域のアイデンティティとなるなど、深い愛着を持って行われてきていることは間違いない。ただし今の時代、氏子町内など限られた地域の人たちだけで行えるものではなくなってきているのもまた事実だろう。たとえば魚津たてもん祭りではたてもんを曳く「たてもん協力隊」というボランティアの人たちが今日欠かせない存在となっている。地域の祭り関係者だけにゆだねておけばいい時代ではもはやなくなってきているのである（舘鼻二〇〇六）。行政からの支援は大きいが、それがあれば安泰というわけでは決してない。何より重要なのは、県内外の一般市民が祭りに積極的に訪れ、理解・関心を深めていくことだろう。祭りの有名な部分を観光客としてただ見物するのでももちろんかまわないが、地元の方と話してみるのをすすめたい。そのなかで気づき、共感するものが必ずやあるはずである。また、県内の主要な祭りを一堂に展示・解説し、その意義・重要性を広く理解することができるようにする博物館などの文化施設が待ち望まれるところである。

なお、二〇二〇（令和二）年より世界的に流行した新型コロナウイルス感染症は富山県の祭礼にも甚大な影響を及ぼした。とりわけ緊急事態宣言の発令された二〇二〇年は全国的に祭りの中止が相次いだ。戦後始められた賑わいを目的としたいわゆる「神なき祭り」

は特に顕著であった。富山県でさかんな曳山祭などの伝統的な祭礼は全面中止ではなく、神事のみは維持されることが多く、その後も早くから一部の曳山が復活し、二〇二三（令和五）年からはほとんど全面的に復活している。地元の祭りに対する強い熱意がうかがわれるが、コロナ禍を経た新しい祭りのスタイルにも注目してみていきたい。

〔参考文献〕

阿南透・萱岡雅光「となみ夜高まつり―魂を焦がす炎の祭り―」、阿南・藤本編『富山の祭り―町・人・季節輝く』桂書店、一一五～一三〇頁、二〇一八年
阿南透・藤本武編『富山の祭り―町・人・季節輝く』桂書房、二〇一八年
石垣悟「下村加茂神社の祭事」、阿南・藤本編、二二〇～二二一頁、二〇一八年
伊藤曙覧『とやまの民俗芸能』北日本新聞社出版部、一九七七年
植木行宣「山鉾の流れと富山の曳山」、富山大学芸術文化学部編『都萬麻（〇二）』富山大学出版会、五八～六五頁、二〇一三年
宇野通『加越能の曳山祭』能登印刷出版部、一九九七年
小境卓治「越中の曳山と氷見の曳山」『氷見市立博物館年報』一九、一～三五頁、二〇〇一年
小馬徹「高岡御車山祭―都市祭礼の宇宙の読み解き方」、阿南・藤本編、二一～四二頁、二〇一八年
島添貴美子「放生津（新湊）曳山祭―曳山囃子を楽しむ」、阿南・藤本編、二〇五～二一九頁、二〇一八年
白岩初志「呉東の曳山行事」、阿南・藤本編、一四～二〇頁、二〇一八年a
白岩初志「滑川のネブタ流し」、阿南・藤本編、一六六～一六七頁、二〇一八年b
末原達郎「曳山」、富山民俗文化研究グループ編『とやま民俗文化誌』シー・エー・ピー、一〇九～一一七頁、一九九八年
末原達郎・渡辺和之「岩瀬曳山車祭―地域アイデンティティの再生」、阿南・藤本編、九五～一一四頁、二〇一八年
高岡市教育委員会編『高岡御車山―華やかな神の座』高岡市教育委員会、二〇〇〇年
舘鼻隆「富山県の曳山祭から―伝統文化の承継を考える」『北陸経済研究』七、一～一四頁、二〇〇六年
土井冬樹「たてもん祭り―道を走る提灯の船」、阿南・藤本編、一五一～一六五頁、二〇一八年

富山県教育委員会編『富山県の曳山』富山県郷土史会、一九七六年
とやまの文化遺産魅力発信事業実行委員会『とやまの曳山―富山県の築山・曳山・行燈行事』富山県教育委員会生涯学習・文化財室、二〇一八年
長尾洋子『越中おわら風の盆の空間誌―〈うたの町〉からみた近代』ミネルヴァ書房、二〇一九年
野澤豊一「もうひとつのおわら風の盆―夜を流す名人たち」、阿南・藤本編、一六九～一八三頁、二〇一八年
広瀬慎一「出町子供歌舞伎曳山祭りのあゆみ（戦前まで）」『砺波散村地域研究所研究紀要』二九、七〇～七八頁、二〇一二年
藤本武「福野夜高祭―神を迎える壮麗な行燈」、阿南・藤本編、四三～六〇頁、二〇一八年
安カ川恵子「城端曳山祭―男たちの熱い想い」、阿南・藤本編、六一～七六頁、二〇一八年
谷部真吾「伏木曳山祭―熱狂と信仰と」、阿南・藤本編、七九～九四頁、二〇一八年
米原寛「現代的復元「布橋灌頂会」のすがた」、阿南・藤本編、一四八～一四九頁、二〇一八年
森俊・阿南透「富山の祭りを概観する」、阿南・藤本編、一～一三頁、二〇一八年

魚津たてもん祭り

出町子供歌舞伎曳山

石動曳山祭の曳山（花山車）

column

富山の獅子舞

島添貴美子

富山の芸能というと、何を思い出すだろう？　富山人が思い浮かべる富山の芸能と、富山県外・国外の人が思い浮かべる富山の芸能には明らかな違いがある。富山県の宣伝戦略なのかもしれないのだが、県外・国外向けの富山県の宣伝に出てくる芸能といえば、もっぱら、越中八尾《やつお》のおわら風の盆とユネスコの世界遺産となった合掌造りの伝統家屋を背景に歌い踊られる五箇山《ごかやま》民謡である。

私も富山に住む前はその程度の認識しかなかった。ところが、いったん富山に暮らしてみると、断然、獅子舞の方が、富山人にとって関心の高いことに気づく。獅子舞は、富山県西部を中心に県内全域で伝承されており、その数は一〇〇〇を超える。(1)町内単位で、あるいは集落単位で、獅子舞が伝承されていることから、おわら風の盆や五箇山民謡をはるかにしのぐ、富山人にとっては身近で親しみのある芸能なのである。その証拠に、富山から集団移住した福島県や開拓民として移住した北海道に、彼らが持ち込んだ富山の獅子舞が現在でも伝承されている。歴史的にみてもどれだけ、富山人が獅子舞好きなのかが分かるだろう。

とはいえ、日本人にとって獅子舞自体はそれほど珍しい芸能ではない。お正月のテレビ番組では、今でも獅子舞は定番アイテムである。ただ、思い浮かべられる獅子舞のイメージが地域によってかなり異なるように思う。東北地方の太平洋側、関東地方、そして富山・石川を中心とした北陸地方は、日本でも有数の獅子舞の盛んな地域である。これらの地域はもっぱら、「獅子舞は自分たちでやるもの」であり、それぞれの地域に特有の獅子舞がある。これに対して、「獅子舞は他所からやってくるもの」という地域は、近畿・東海地方を中心に広範囲にわたる。こちらの獅子舞は、三重県桑名市を拠点に活動する伊勢太神楽など、一年を通して旅をしながら各地で芸能を演じるプロの芸能集団によって伝承されている。そのため、同じ北陸地方でも、富山・石川とは対照的に、福井県南部では獅子舞は「他所からやってくるもの」である。

富山の獅子舞は、百足獅子《むかでじし》と二人立獅子《ふたりだちじし》に大きく分けられる。(2) このうち、百足獅子は富山のみならず、富山・石川にまたがる旧加賀藩領の獅子舞の特徴である。百足獅子とは、獅子頭と獅子の尾をもつ二人の舞手の間に、数名から一〇名近い人数が入って舞う形の獅子舞である。その起源は不明とされるが、私見では、本来、二人で舞う獅子舞だったものが、獅子の頭と尾の間に、舞いたい人たちが俺も俺もと次々に入っていった結果ではないかと推測している。東北地方だと、舞いたければ、獅子頭の数を増やして、数頭の獅子が交代で、あるいは手分

写真1　五箇山（南砺市楮）2009年5月4日筆者撮影
胴幕の中に10人が2列になって舞う

写真2　新湊（射水市港町）2013年5月15日筆者撮影
花笠を被ったキリコ、長刀をもった三番叟、天狗など多くの獅子取りが活躍する

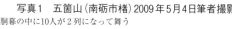

けして町内を回るのだが、富山・石川では、一頭あたりの舞手を増やすことで、獅子自体が大きく（というより、長く）なるという変化を遂げたようなのである。そのせいか、獅子の動きが、獅子《ライオン》というより大蛇に近い。

加えて、百足獅子は獅子の鼻先で舞う舞手がついてくる。富山ではこれを獅子あやし、獅子取りなどといい、花笠やシャグマ（馬の尾の毛でできた被り物）を被った子供たちや、天狗や三番叟《さんばそう》、恵比寿様、おかめ、ひょっとこなどの神様・道化役の青年たちが、獅子と一緒に舞ったり、獅子と戦ったりする。演目も、数種類から数十種類と多く、獅子殺しなど、物語のある芝居風の演目があるのも特徴である。

日本の獅子舞の多くは若者の芸能だが、その例にもれず富山の獅子舞も若者の芸能として伝承されてきた。しかし、現在では、舞手を引退しても囃子方として笛や太鼓を担当し獅子舞に関わり続けるのが当たり前となっている。また、かつては男の芸能とされてきた獅子舞だが、今では女の子も重要な担い手である。まさに、現在の富山では、獅子舞は老若男女を問わず「自分でやって楽しむ」芸能となっているのである。

（1）一九七五年から一九七九年にわたって行われた県内獅子舞緊急調査によると、当時、県内で伝承されている獅子舞は、休止中のものも含めておよそ一三〇〇くらいと推定されている。富山県教育委員会編『富山県の獅子舞』富山県郷土史会、一九七九年、一五頁。

（2）県内獅子舞緊急調査の報告書で出された分類案が、現在でも富山の獅子舞の分類として定着している。同掲書、一五頁。

〔参考文献〕

富山県教育委員会編『富山県の獅子舞』富山県郷土史会、一九七九年

島添貴美子「富山人と獅子舞、その『当たり前』な関係」富山大学芸術文化学部編『都萬麻02』、富山大学出版会、二〇一三年、一〇〇―一〇六頁

富山の民家と町並み――その歴史的背景――

森本英裕

はじめに

富山県は全国でも有数の住宅規模・持ち家率を持つことが良く知られるように、住まいに対する意識・関心が非常に高い地域である。世界遺産の五箇山の合掌造り集落や重要伝統的建造物群保存地区に指定される高岡市金屋町や山町筋の町並みなど高い評価を得ている地域以外にも、大小様々な規模の歴史的景観が残されている。中でも、「アズマダチ」と呼ばれる特徴的な外観を持つ農家が点在する砺波平野の散居村《さんきょそん》は、その規模や意匠的特徴など、最も印象深いものの一つである。本章では、この砺波地方の民家を入り口として、富山の歴史的景観がどのような背景から形成されてきたのか、その概略を紹介したい。

1　家の中心「ワクノウチ」

富山の伝統的民家の特徴としてまず挙げられるのが「ワクノウチ（枠の内）」と呼ばれる構造である。ヒロマ（広間）を中心に、左右にドマ（土間）・ザシキ（座敷）・ナンド（納戸）を並べた横長の間取り（広間型平面）を基本形として、ヒロマには幅六寸以上ある太い柱が六本配置される。各柱をヒラモンと呼ばれる差鴨居《さしがもい》[1]と貫《ぬき》[2]で連結して囲い、その上の小壁にも太い束を立て、これに貫を通して強固な枠組としている。その上部にウシバリやハリマモンと呼ばれる太い梁を井桁状に組み、堅牢な構造体が組まれている。「ワクノウチ」

（1）民家などに多く見られ、普通の鴨居より断面の大きい鴨居を言う。普通の鴨居は化粧材であるが、差鴨居は構造材として働く。

（2）柱同士をつなぐ横木。柱を安定させる構造材として働く。

図1　ワクノウチ　図版出典：文献四

図2　ワクノウチの組み立て　図版出典：文献五

とは、このヒロマの構造を総称する言葉である。

　こうした強固な構造は、雪国の自然条件から生まれたと考えられており、建て方ではまず最初にこのワクノウチが組み立てられ、他の部屋はこれに取付くように建てられる。また、内部はヒロマとして使用され、イロリ（囲炉裏）を中心に家族が集う空間となる。このように「ワクノウチ」という言葉は、構造的な中心を示すと同時に、生活の中心としての空間性を感じさせる、複合的な意味を持つ北陸地方特有の表現である。加えて、ワクノウチの平面規模や各部材（特にヒラモン）の大きさは、その家の格式＝家格を表す指標にもなっており、各家庭の「見栄」の中心でもあった。文字通り、ワクノウチは富山の民家における「家の中心」なのである。

　近世藩政期の一般的な農家の多くは、横長の広間型平面に茅葺の屋根を載せた「クズヤ」と呼ばれる家型であった。一般的農家は藩政期を通じて、その規模に変化はあまり見られなかったが、十村《とむら》[3]や肝煎《きもいり》[4]などの役職を務めた上層農家においては、その経済的発展に伴って次第に規模を拡大していった。

　平面拡大の過程における大きな特徴は、表と裏（ハレとケ）の区分によって、ヒロマやザシキを公（ハレ）の空間として表側に固定し、チャノマ（茶の間）やナンドを裏（ケ）の生活空間として、背面に規模を拡張していった点である。その際、背面の拡張部分について、「ツノ」と呼ばれる茅葺《かやぶ》きの角屋を突き出す事例と、「オロシ」と呼ばれる板葺《いたぶ》きの下屋《げや》が取り付く

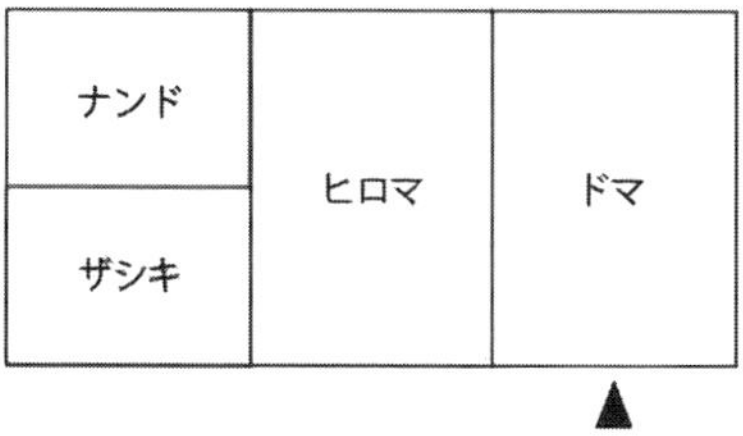

図3　広間型平面の基本形

（3）　第三節参照のこと。
（4）　十村の下で一ヵ村を支配した役職。

事例が確認されている。また、ヒロマ背面に配されることの多いチャノマ上部もワクノウチに類似する梁組が組まれ、一層強固な構造としている。チャノマもワクノウチとなったものを特に「両ワクノウチ」と呼ぶ。

【事例１】佐伯家（高岡市福岡町、重要文化財）

佐伯家は明和五（一七六八）年に福野町川崎にあった十村役三之助宅を買取り移築したもので、県内の民家の中で最も古いものである。表側は中央にヒロマ（ワクノウチ）、左右にドマとザシキを配置する広間型平面の基本形に入母屋《いりもや》の茅葺き屋根がかかる。背面はダイドコロ・ネマ・ヒカエマ、さらに奥にショクバとネマを加え、片流れの瓦葺き屋根（オロシ）が取り付く。居住部の平面拡張を下屋を広げることで対応する事例である。

図4　佐伯家 正面

図5　佐伯家 側面

図6　中島家 背面　図版出典：文献五

【事例2】中島家（砺波市花園町チューリップ公園内、市指定文化財）

中島家は代々肝煎を務めた家柄で、天保九（一八三八）年に古家を買って砺波市江波に移築したものである。当時すでに一〇〇年を経ていたと伝え、様式的に佐伯家住宅とほぼ同時代と考えられる。前面は基本形平面に入母屋茅葺がかかり、ヒロマ背面のチャノマやヘヤを茅葺きの角屋として拡張する事例である。中島家は中央部から角屋が出る「中ツノ」型である。その他に、左右両側から角屋が出る「両ツノ」型や、さらに両ツノの間に下屋（オロシ）を付ける複合型も存在する。

2 「ヤネオロシ」という現象

明治中期頃から瓦の普及に伴い、茅葺き屋根（クズヤ）は瓦葺きへと葺替えられて急速に姿を消していった。興味深いのは、茅葺きを支える叉首組《さすぐみ》[5]から瓦を載せる和小屋へと組み換える際に、棟が九〇度転換し、平入《ひらいり》[6]が妻入《つまいり》[7]へと変わることである。こうした屋根葺替え作業を富山では「ヤネオロシ」と呼び、妻入となったことで正面に現れる妻面及びその外観全体を指して「アズマダチ」と呼んでいる。

茅葺き時には桁行《けたゆき》[8]を長手、梁間《はりま》[9]を短手にとる構造的に素直な架構であったものが、ヤネオロシ後の瓦葺き時には梁間が長手となる。必要な木材の量が増えるだけでなく、棟が高くなることで小屋裏が必要以上に大きくなるなど、合理性の面では理解しがたい。茅葺きの時と同じ方向（平入）[10]に瓦屋根を架けることも可能であったが、なぜわざわざ屋根の方

（5） 合掌形に組んだ斜材で棟木を支える方法。
（6） 建物の平側（棟に対して直角方向、一般的に長手となる桁行側）に出入口を設ける形式。
（7） 建物の妻側（梁間）に出入口を設ける形式。

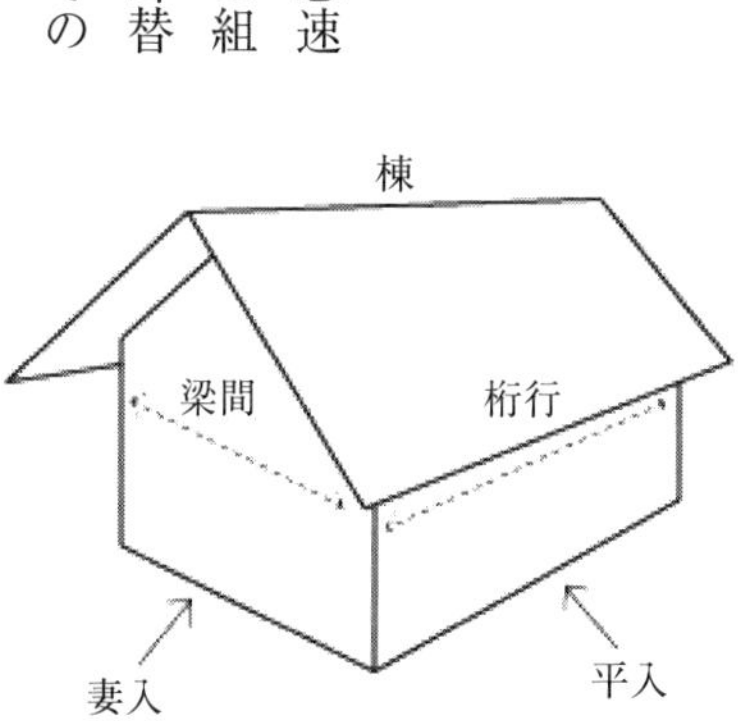

（8） 小屋梁に直角に掛かる桁の軸方向を指す。
（9） 小屋梁に並行な方向を指す。
（10） 砺波地方では平入の瓦葺き屋根も散見され、「マエナガレ」と呼ばれている。

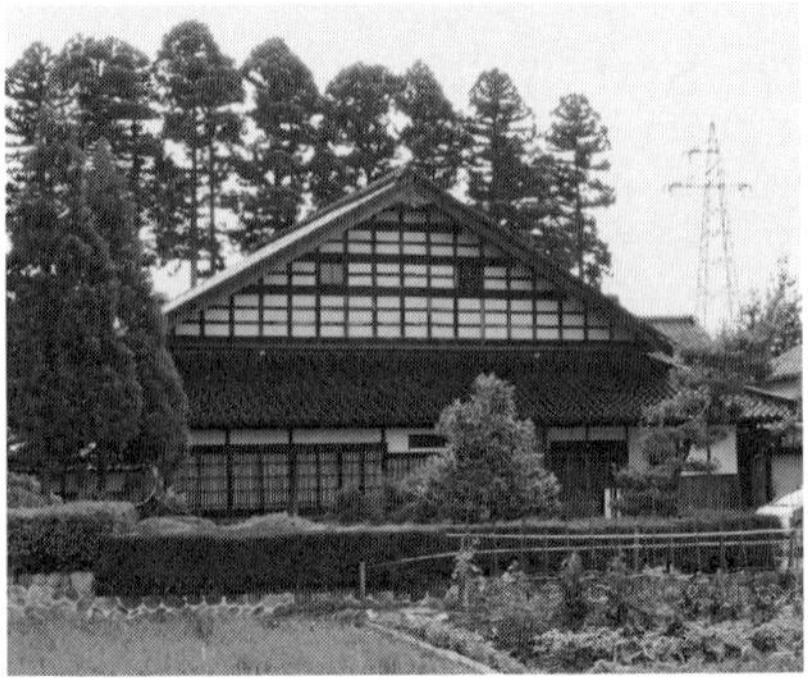

図7　ヤネオロシによって出現したアズマダチ　入道家

向を九〇度転換したのであろうか。瓦葺きへと移行する近代化の過程としてだけでは説明がつかない現象である。

【事例3】入道家《にゅうどう》（砺波市太田、県指定文化財）

入道家は砺波平野東部に位置し、現在は妻入瓦葺きのアズマダチであるが、嘉永六（一八五三）年の建立時は平入の茅葺きであった。当初は主屋の背面に茅葺きの両ツノを出す平面で、明治二七（一八九四）年に背面を土居葺きの切妻屋根に変え、背面のみアズマダチとした。その後明治三五（一九〇二）年に、背面の土居葺きを瓦葺きに改め、大正一一（一九二二）年に前面主屋の茅葺きもヤネオロシして、背面と同様の瓦葺きのアズマダチとしている。間取りは中心にヒロマ（ワクノウチ）、左右にドマ・ザシキを配する典型的な広間型で、背後にチャノマなどの生活空間を設けている。妻面や外観全体のプロポーションなどの意匠性に優れた、アズマダチの典型例である。

3　「アズマダチ」のモデル

ヤネオロシによる屋根の転換の背景には、近世藩政期の身分制度とその解体が大きく関

図8　武家屋敷の妻入切妻屋根　平尾家

図9　十村屋敷の妻入切妻屋根　内山家

係している。藩政期においては、身分や家柄に応じて家屋の規模や様式が定められ、一般の百姓には厳しい家作の制限が課されていた。そして、藩政期に妻入のアズマダチ形式を持っていたのが、武士の屋敷と[11]「十村《とむら》」と呼ばれる加賀藩独自の役職の屋敷である。

十村とは、慶安四（一六五一）年、前田家三代利常の改作法施行によって制度化された役職で、農民の最高職かつ武士の役職を担い、名字帯刀を許された特権階級である。各郡の十村は改作奉行や郡奉行の支配下にあって、その指令のもとに数十か村より成る十村組を統率し、年貢収納をはじめ、農事・民政のあらゆる面で領地の農民を取りまとめ、藩との仲介を行った。その独自の立場ゆえ、農民でありながら、武家の様式であるアズマダチ形式を許されたと想定される。

当然、百姓は武士の屋敷を真似ることは許されず、規模の小さな平入の茅葺き家屋が義務づけられていた。明治維新によって身分制度から解放され、各人の意思によって家の様式を決めることができるようになった時、農民が真似をしたのは、武家屋敷よりもこの十村の屋敷だったのではないかと筆者は考えている。城下に集中す

（11）その他、現存するものは非常に少ないが、藩主などの休泊所である「本陣」にも見られる。

る武家屋敷に対して、十村屋敷は各地方に点在し、農民にとって、より身近な存在であったからである。ヤネオロシによる妻入の瓦葺き切妻屋根は、身分制度から解放された百姓が、その憧れの身分に同化し、我が家の家格を高めたいと願う表現であったのである。

【事例4】内山家（富山市宮尾、県指定文化財）

現在残る十村屋敷の中で、当初よりアズマダチ形式を持ち、建立年代が確定できる最古のものとして、内山家が挙げられる。内山家は四代安峯以来、代々富山藩十村役を務めた家柄で、文政六（一八二三）年からは御扶持人十村を務め、持高は一千石であった。棟札より建立は慶應四（一八六八）年と確認でき、現在は瓦葺き屋根であるが、明治四〇（一九〇七）年頃に撮られた写真から、当初は板葺き石置き屋根[12]だったことが解っている。勾配の緩い板葺き石置き屋根のアズマダチ形式をとり、格式高い破風玄関が取りつく。藩主の鷹狩りの際の休泊所としても利用され、藩主を迎えるための御成座敷が整っている。

（12）木羽板を葺き、その上に石を置いて押さえた屋根。中・下級武士の屋敷や町家の屋根は、瓦葺きが普及する前は、勾配の緩い板葺き石置き屋根であった。

4　妻入と平入がつくる景観

近世期に形成された富山の集落・町並みには、農村・漁村や城下町、街道沿いの商家町（市場町）や宿場町、交易・漁業で栄えた港町、参道沿いの門前町など様々なタイプのものが見られる。それぞれが各地域に固有の特徴を持ち、歴史的な変遷を経ながら、その面影を今に残している。まとまって残る町並みもあれば、その後の改造が著しく、当初の外観を全く変えて細々と残るものもある。こうした景観を読み解くためには、富山の気候や風土といった自然条件のみならず、物品の流通などの経済・地理的条件、信仰の歴史、近世の身分社会など文化的背景の総合的な理解が求められる。こうした諸条件が集落・町並みに反映され、景観を特徴付けているのである。

それらを見分けるための判断基準として、まず最初に見るべきポイントとなるのが、前節までに見てきた屋根形式である。事例をもとに、その概略を紹介したい。

① 妻入農家の景観：農村、漁村（砺波平野の散居村、朝日町境の町並みなど）

図10　砺波平野の散居村

砺波平野では、屋敷林に囲われた農家が、一戸ずつ等間隔に散らばりながら点在している。農家の集落形態には集村と散村があり、砺波平野は典型的な散村である。一軒の敷地は数百坪あり、その周囲三方をカイニョと呼ばれる屋敷林で囲い、アズマダチの妻面を東側正面に向ける。カイニョの間から、妻梁や束・貫の木組みと漆喰塗りの白壁によって構成される三角の妻面が見え、その姿が砺波平野一面に散在する風景は、全国的にも有数の景観である。

前節で確認したように、こうした景観は明治中頃からのヤネオロシによって現在の姿に整えられたものである。近世期には農家は全て平入の茅葺きであったが、現在では妻入の瓦葺き切妻屋根は農家を示す建築的特徴として広く定着している。

その他、富山県の最も東端、新潟県境にある朝日町境や宮崎の漁村には、県内では珍しい妻入の町並みが見られる。妻入の町並みは新潟県の漁師町や石川県の港町などでも見ることができ、漁師の船屋の影響と考えられている。

② 平入町家の景観：商家町・市場町、門前町、宿場町、在郷町（金屋町・吉久、小杉、福岡、井波、城端、八尾、岩瀬、水橋など）

農村以外の町には、商人や職人の住む「町家」が建てられた。町家は職住一体の併用住宅で、街道などの表の通りに面してミセを構えて立ち並び、町並みを形成した。通りに面する間口が狭く、奥行の長い短冊状の敷地が特徴である。一方の側に表から裏まで通るトオリニワを持ち、隣接して表側からミセ（店）、チャノマ、ザシキが並ぶ。ザシキの裏手

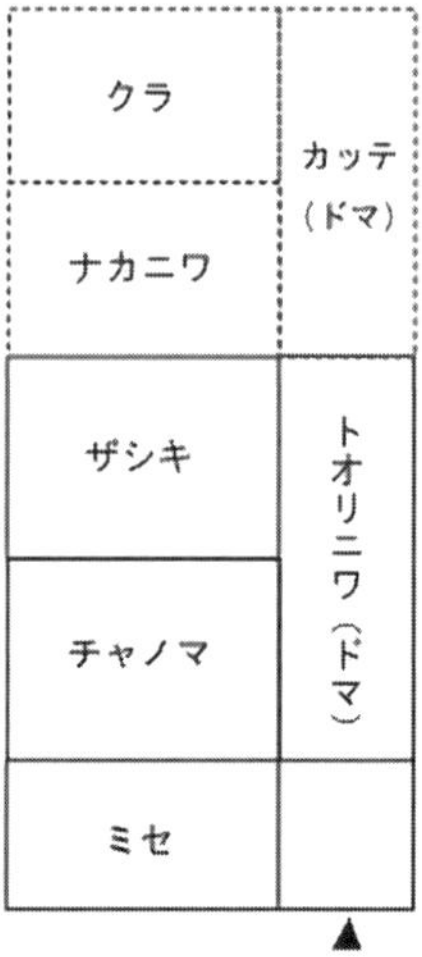

図11　完成期町家の基本型

図12　金屋町の町並み

には採光のためのナカニワ（中庭）、さらに奥にクラ（土蔵）が配置される。このような間取りは近世期を通じて定型化・様式化が進み、明治期までに各地域で同型の軒を連ねる町並みが形成された。

地域的特徴は主に表構えに表現され、店の格を表現する大戸や格子戸などの細部に各地域ごとの意匠が見られる。チャノマには農家のワクノウチと同様に梁を井桁状に組み差鴨居を三方にまわし、農家ではアマ天井を張ったが、町家では吹き抜けにして天窓を設けている。前面を登り梁構造として、石置板葺き屋根の軒の出を深くとり、一階の板庇に雨がかからないよう配慮されている。また一般的に、背の低いものが古く、ツシ二階と呼ばれる屋根裏部屋が特徴である。明治期以降になると二階を高く取り、居住空間としたものが多く見られる。

図13　老田家 正面　図版出典：文献一

全国的に、所謂「伝統的な町並み」として挙げられることが多いのが、この平入町家の町並みである。富山県内では、高岡城下の鋳物師を集めて集住させた金屋町がよく知られ、平入の町家が多く残り、当時の様子を今に伝えている。

【事例5】老田《おいだ》家（射水市戸破《ひばり》）

旧射水郡小杉町（現射水市戸破）は江戸初期に北国街道の宿場町として発達した町である。下条川《げじょうがわ》を境に東町（戸破《ひばり》）と西町（三ヶ《さんが》）からなり、本陣や砺波射水郡奉行が置かれるなど、政治経済・流通の中心として発達した。現在も当時の面影を伝える平入の町家が残る。

中でも、戸破の老田家は県内に残る町家の中で最も古いものである。もとは小杉町算用聞役藻谷家で、建立年代は安永頃（一八世紀後半）とされる。平入切妻の瓦葺き、前面にミセとミセザシキ、奥に通庭と部屋を並べて配し、上手にザシキ二列を加えた間取りである。一般的な町家に比べ間口が広く、チャノマとミセは農家と同型のワクノウチ形式になる。

一見、農家と町家は全く異なるように考えられているが、時代を遡るにつれて、その構造体は共通する部分が多い。京都型町家の完成された様式が全国的に普及する前にまで遡れば、町家も茅葺きの農家と同型であった可能性も想定される。

③　妻入と平入の混在する景観：街村、在郷町（大門、戸出《といで》など）

庄川を挟んで高岡市の東に接する旧大門町二口（現射水市二口）は、古くは熊野新宮の参詣路として発達し、北の北国街道と南の中田街道を結ぶ熊野街道沿いに農家が立ち並ぶ街村である。この通りの殆どは明治期以降に建てられたもので、町に近い形であるが、住民の多くは農家である。そのため、一般的な平入の町家が軒を連ねる町並みとは異なる、街道に沿って妻入と平入がそれぞれ隣家と余白を持ちながら混在して建ち並ぶ、不思議な景観を形成している。

こうした景観は、町的な要素と村的な要素が混在するものと捉えられ、どちらの要素に重点が置かれるかによって様々なバリエーションが見られる。通りに向かって格子の表構

図14　射水市二口（旧大門町二口）の町並み

図15　吉田家 正面

えを整え見栄をはるのは、町的な傾向である。妻入アズマダチの農家にも格子の表構えを備えるなど、表に対する意識が非常に高いことがわかる。反対に、座敷横をニワとして、隣家との間に余白を設ける配置は、村的な傾向である。町家の外観を持つ平入二階建てにおいても、通りに面する間口が広いにもかかわらず、トオリニワ[13]を設けずに農家と同様の間取りとしている。

【事例6】吉田家（射水市二口）

二口に、ひときわ洗練されたアズマダチを構えるのが吉田家である。吉田家は明治元年から五年の歳月をかけて建築されたもので、ミセ[14]やマエザシキを持つ平面に、正面には「サマムスコ」と呼ばれる町家の特徴である格子戸が取り付き、その上方にアズマダチの妻面を構える。街村という地域的特質とアズマダチという文化的現象がもたらした独自の外観である。

（13）通り庭。町家に見られる表口から裏庭まで続く土間のこと。

（14）見せの間、店の間。通りに面した一番目の部屋のことで、商売のための部屋。

おわりに

これまで見てきたように、伝統的な集落・町並みと呼ばれる景観の多くは、近世期の形態を下敷きに、明治期以降の近代化の過程を吸収しながら変化し整えられてきた。景観の主たる構成要素である民家や町家は、当初の姿をそのまま残すものは非常に稀で、当初から現在までの時間の集積の結果としての姿を見せているのである。

言い換えれば、明治期以前の景観に思いを馳せるには、目の前に広がる伝統的町並みから、さらに時間を巻き戻す想像力が必要となるのである。現在の景観の向こうに、近世期の姿を想像してみるのも良いし、近世期から現在までの変容を追体験してみることもまた楽しい。こうした想像力を持つことこそが、伝統的な景観を後世に伝えていくための第一歩でもある。ぜひ本書を手引きに、県内各地の景観を訪れて頂きたい。

〔参考文献〕
一、『富山県の民家 民家緊急調査報告図録編』富山県教育委員会、一九七〇年
二、『富山県の民家 富山県民家緊急調査報告書』富山県教育委員会、一九八〇年
三、『富山県の近代和風建築 近代和風建築総合調査報告書』富山県教育委員会、一九九四年
四、『重要文化財 佐伯家住宅修理工事報告書』重要文化財佐伯家住宅修理委員会、一九七三年
五、『旧中島家住宅移築修理工事報告書』砺波市教育委員会、一九七七年
六、『大門町歴史の道調査報告書』大門町、一九九四年
七、『百の共感　富山の建築百選』富山の建築百選実行委員会、一九九〇年

八、『住の遺産』富山県住まいとまちづくり推進協議会、二〇〇一年
九、佐伯安一『富山民俗の位相』桂書房、二〇〇二年

column

古くて新しい伝統的工芸品「越中福岡の菅笠」

―― 安嶋是晴

富山県には、高岡銅器や高岡漆器、井波彫刻、越中和紙、庄川挽物《ひきもの》木地《きじ》、そして越中福岡の菅笠の六品目が国（経済産業省）の伝統的工芸品の指定を受けており、その多くが富山県呉西地区に集中している。これはかつて高岡を治めていた加賀前田家の産業振興と関連があり、例えば高岡銅器は、加賀前田家二代前田利長が一六一一（慶長一六）年に七人の鋳物師《いもじ》を招へいしたことが起源とされる。その他の伝統的工芸品も、発祥や振興などで前田家の影響を受けている。

写真1　越中福岡の菅笠をかぶった富山大学の学生（写真提供　東海裕慎氏）

国指定の伝統的工芸品は、二〇一九（令和元）年一一月現在、全国に二三五品目ある。越中福岡の菅笠を除く高岡銅器などの五品目は、昭和五〇年代から六〇年代の早い時期に国の指定を受けたが、越中福岡の菅笠は、二〇一七（平成二九）年一一月に指定を受けたばかりの古くて新しい伝統的工芸品である。本コラムでは、この越中福岡の菅笠を取り上げる。

菅笠と聞いたとき、何を連想するのであろうか。菅笠自体は誰もが知っているだろう。笠地蔵の昔話、お遍路の装束、時代劇の衣装、山形花笠まつり、農作業の用具など、思い浮かべるものは様々である。本来菅笠は、軽量で高い防水機能を有し、雨除けや日除けの道具として活用されていた。起源も古く、女性が使用する市女《いちめ》笠は、平安時代に使用されていた記録がある。また江戸時代から昭和初期までは、日用品として大量に生産されていたが、昭和四〇年代以降、洋傘やカッパの普及、農機具の機械化による従事者減で、需要が大きく減少した。

越中福岡の菅笠の歴史は、江戸時代から始まる。福岡地方には、小矢部川の氾濫で形成した低湿地帯があり、そこに自生した菅草を活用して蓑づくりが行われていた。この蓑が高く評価され、その後、菅笠づくりに発展したという。そして江戸中期に、加賀前田家五代前田綱紀による保護と奨励を受け、本格的な産業化が進み産地が拡大、その結果、明治時代には問屋が六〇戸、生産量は年間三〇〇万枚の一大産地となった。しかし前述のとおり需要が減少し、現在は問屋が三戸、生産量は三、四万枚程度となっている。

近年の越中福岡の菅笠は、二〇〇三（平成一五）年には「福岡町の菅田」「菅干し」が文化庁実施の文化的景観の調査研究で重要地域に選ばれ、二〇〇八（平成二〇）年には「国の重要無形民俗文化財」の指定、二〇一三（平成二五）年には「富山県伝統工芸品」の指定、二〇一六（平成二八）年には高岡の日本遺産構成要素に「越中福岡の菅笠製作技術」「菅笠問屋の町並み」の追加認証がなされている。そして二〇一七（平成二九）年には「国の伝統的工芸品」の指定を受けている。生産量は減少したが、良質な菅の産地として高い評価を受けており、歴代天皇即位の大嘗祭や、伊勢神宮式年遷宮の時には福岡の菅が使用されている。また、菅笠の生産量は全国シェアの九割を占める。こうした

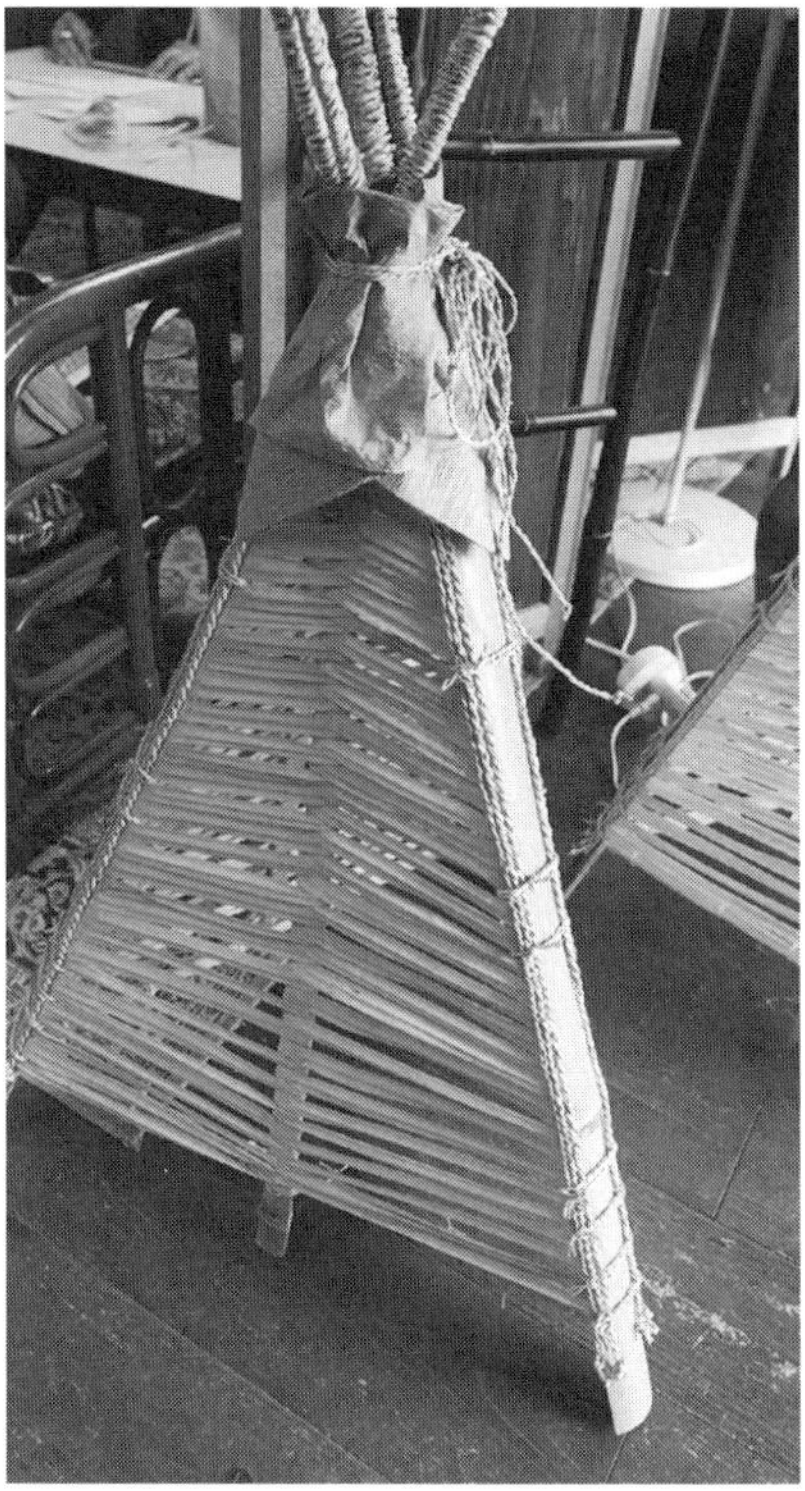
写真2　菅を使った新商品のランプシェード
（写真提供　東海裕慎氏）

事実はあまり知られてはいない。

越中福岡の菅笠振興会は、伝統的工芸品の国指定を機に、二〇一七（平成二九）年から本格的な振興策に乗り出し、ホームページによる情報発信、インターネットでの販売も開始した。人材育成や商品開発も強化し、技術の向上をはかりつつ、現代の生活に合った新商品（ランプシェードや帽子）を開発するなど、攻めの姿勢に転じている。

現代の生活では、菅笠は使用する機会もなく、実際に見る機会もなく、知っているが見たことはないという、幻のような存在となっている。今、越中福岡の菅笠振興会は、幻を現実へと導き、古さと新しさが融合する「越中福岡の菅笠」の創造のため日々努力を重ねている。

〔参考文献〕
福岡町史編纂委員会編『福岡町史』福岡町、二〇〇四年
福岡の菅笠保全対策委員会『福岡の菅笠保全対策提言書』㈱チューエツ、二〇一五年
越中福岡菅笠振興会ホームページ　https://sugegasa.jp/
越中福岡の菅笠製作技術保存会ホームページ　https://sugegasa.web.fc2.com/

第4部

富山の新しい姿

富山市のコンパクトなまちづくり

大西宏治

はじめに

富山市は人口減少社会を見据えたコンパクトなまちづくり(1)に取り組むことで全国的に知られている。本章では富山市がコンパクトなまちづくりに取り組むまでのまちづくりの流れを簡単に説明する。次にコンパクトなまちづくりに取り組む中で生じた課題について検討する。最後に今後のまちづくりのあり方を考える。

(1) 都市密度が低いと交通エネルギー消費量が増大するといわれている。環境に配慮したまちづくりに向けて、市街地を中心部に集約化するコンパクトシティに取り組む都市が増えている。特にEUではLRT(Light Rail Transit)の整備と電車の駅周辺に都市機能を集中させる交通政策、土地利用政策がこれにあたる(松原、二〇一三)。LRTとは低床式車両を活用した電車である。乗り降りしやすく、中心市街地では路面電車のような活用ができ、郊外では専用軌道を走る。富山市ではこのような取り組みを「コンパクトなまちづくり」と呼ぶ。

1　富山のまちづくりのはじまり

富山市が取り組む「コンパクトなまちづくり」を説明する前に、戦後の富山市のまちづくりの始まりについて簡単に説明する。終戦も間近な一九四五年八月二日未明に富山大空襲があった。富山市の市街地は甚大な被害を受け、死者は二二七五名、人口一〇〇〇人当たりの死者は一三五人となり、地方都市の空襲の中では最も高い水準にあった。また、市街地の一三七七ヘクタールが焼失し、わずかなビルだけが焼失を免れた（西川、一九九四）。空襲による市街地の焼失率は九九・五％と地方空襲としては高水準であった（鈴木、二〇一五）。焼失の範囲は「戦災概況図」[2]から把握され、富山市の中心市街地のほとんどが空襲の被害を受けていることがわかる（図1）。富山市は工業都市であったために工業地域に対して空襲が行われたようにとらえられがちであるが、東京大空襲などと同様に市街地に対する空襲が行われた（中山編、一九九七）。戦争継続のための物資を生産する工場の従業者を攻撃するという名目による市街地への攻撃であった。日本国民の戦意喪失を意図していたのではないかともいわれている（北日本新聞社編、一九七二）。

終戦後は、一九四五年一二月に全国のトップを切って富山市復興都市計画街路が決定され、戦災復興土地区画整理事業により都市の基盤を整備することになった。その結果、幅員が広い道路が整備された[3]。そして、高度経済成長期に道路整備が他都市と比べて進んだ中でモータリゼーションを迎えた結果、居住地は郊外に拡散し、薄く広い市街地を形成す

（2）　戦災概況図は戦災の概況を復員帰還者に知らせるために、第一復員省資料課によって、一九四五年に作成された。

（3）　戦災復興事業の建設労働者向けに、白いご飯のおかずになるラーメンとして発明されたのが味の濃い「富山ブラックラーメン」だといわれている。

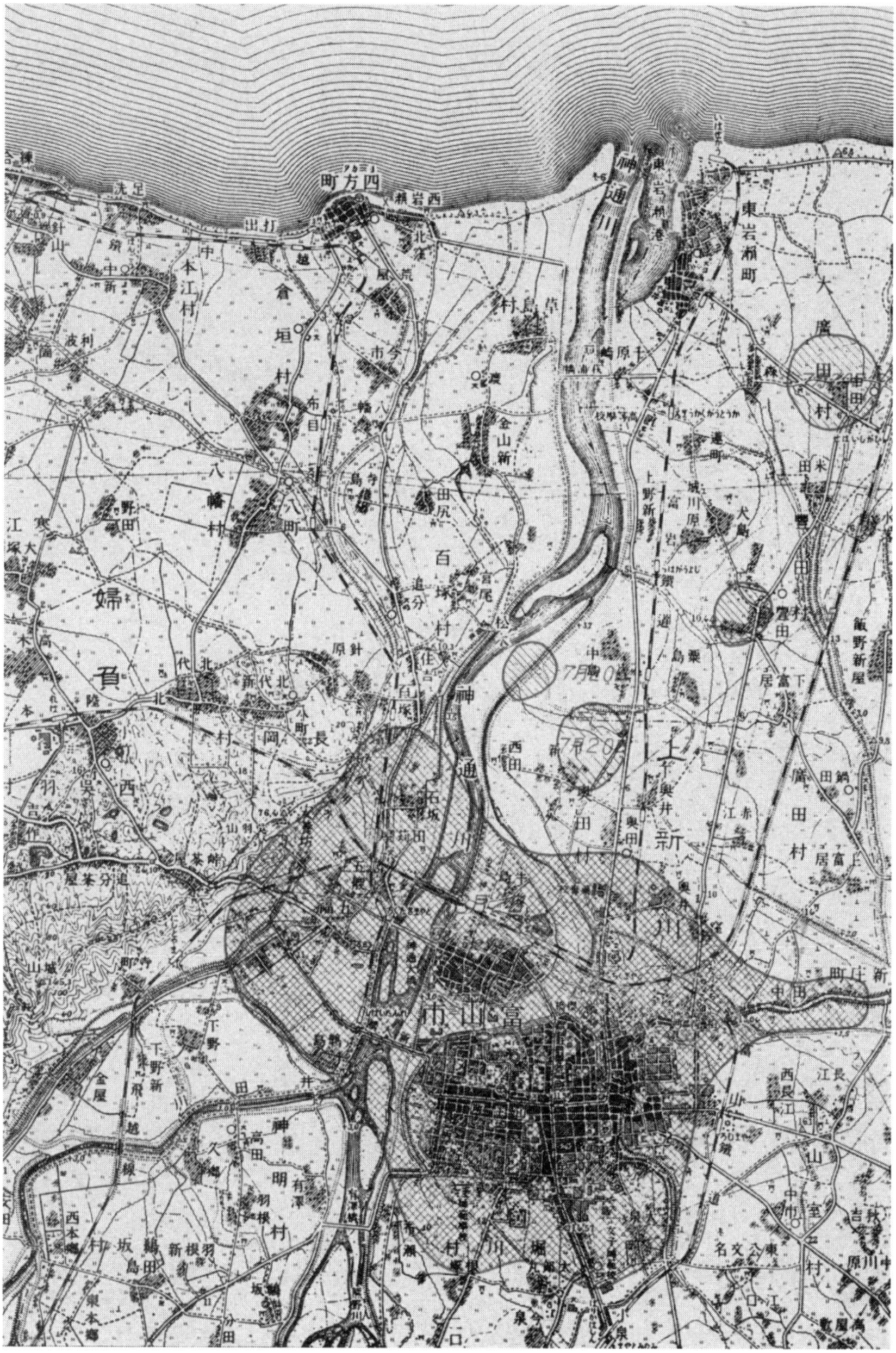

図1　戦災概況図　富山（一部抜粋　国立公文書館デジタルアーカイブより）
https://www.digital.archives.go.jp/DAS/pickup/view/detail/detailArchives/0203000000_4/0000000125/01

ることになった。

2 コンパクトなまちづくりへの取り組み

薄く広がった市街地が持つ課題は多い。まず、自動車交通を利用すると排気ガスとして二酸化炭素などを排出するため、環境負荷が大きくなる。環境負荷を軽減するには自家用車の利用を抑制することが効果的であり、そのためにも公共交通、特に鉄軌道駅の徒歩圏に居住地誘導をすることは重要である。次に、市街地が広がれば当然ながら道路延長が長くなり、その維持管理コストは毎年膨大になる。特に雪の多い北陸に位置する富山市は毎年積雪があり、除雪費用も大きな負担となる。ちなみに、富山市の除雪費は毎年約八億円に及ぶ。大雪の場合、除雪委託料は一日約七〇〇〇万円になる。除雪に限らず道路を整理して総延長を短くすれば、行政が支出しなければならない道路の維持管理コストは縮小できる。これがコンパクトなまちづくりのメリットの一つである。さらに、高齢化も課題である。自動車に依存して市街地は拡大してきたが、高齢化が進むと、自動車を自由に運転できない市民が増加する。しかしながら、薄く広く拡がった市街地でバスなどの公共交通を効果的に運営することは難しい。少数の利用者のためだけに税金を投じて公共交通を郊外に用意することに対してさまざまな意見がある。

このように薄く広がった市街地の課題を解決するために富山市は二〇〇二年から「コンパクトなまちづくり」へ取り組むことを掲げた。そして二〇〇五年には総合的都市交通体系マスタープランやまちなか居住推進計画の中でコンパクトなまちづくりに言及した。さらに、二〇〇七年の中心市街地活性化基本計画と総合計画にコンパクトなまちづくりが富山市の重要な戦略であることを明記した。

富山市の取り組むコンパクトなまちづくりの推進には三つの柱がある。①公共交通の利便性の向上、②賑わい拠点の創出、③まちなか居住の推進である。この三つを進めることで、お団子と串の都市構造を実現するのが富山市の考えるコンパクトなまちづくりである（図2）。単心のコンパクトシティではなく、鉄軌道の駅やバス交通の結節点の徒歩圏に居

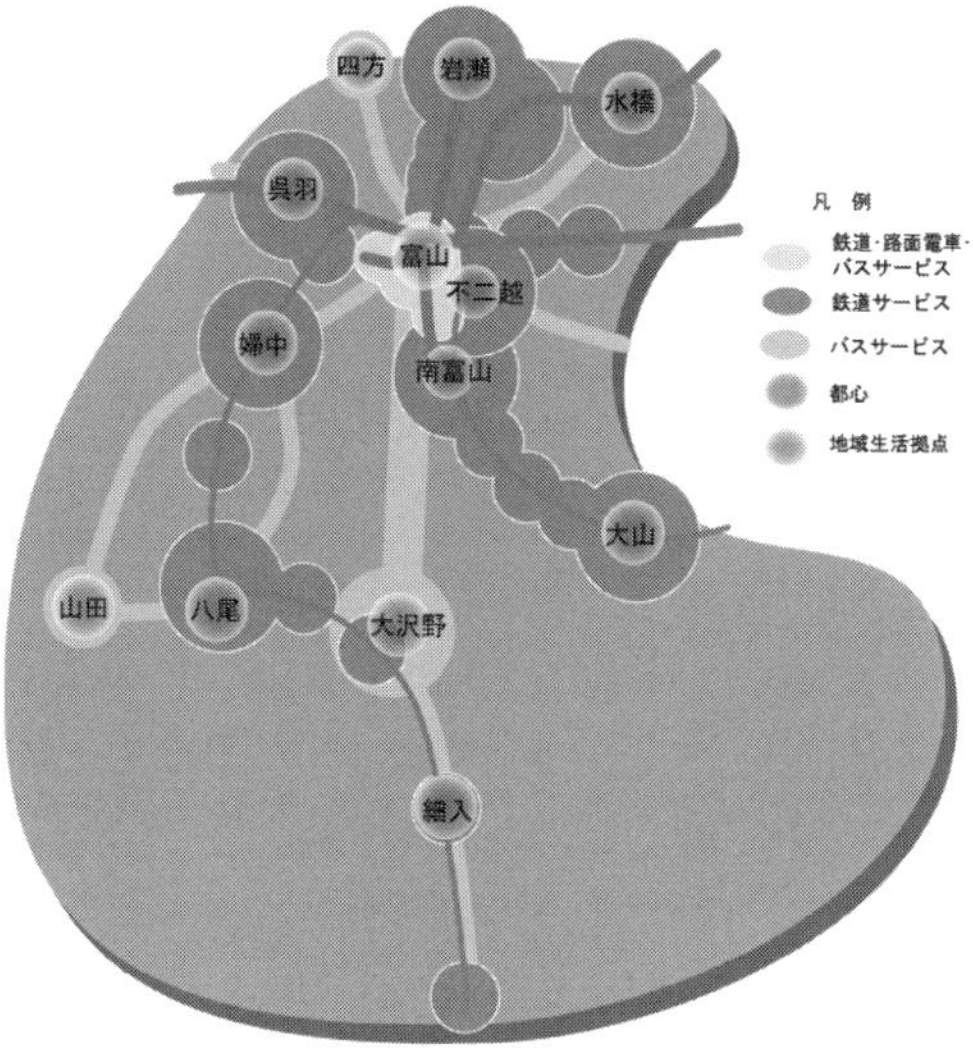

図2　お団子と串の都市構造（富山市資料）

図3　富山ライトレール（筆者撮影）

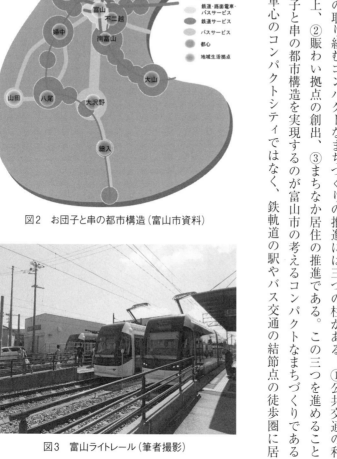

住者を緩やかに誘導するものである。さらに、結節点の徒歩圏に必要な公共施設や各種のサービスを集中させ、公共交通を利用することで生活が成り立つようなまちづくりを志向している。

公共交通の利便性の向上で富山市を一躍有名にしたものに、二〇〇六年に富山駅北側に開業した富山ライトレール（ポートラム）がある。日本で初の本格的なLRTといわれ注目を集めた。JR西日本の運営していた富山港線から鉄軌道部分を引き継ぎ、路面電車での運行区間を付け加え、ライトレール化した（図3）。駅と駅の間隔を短くし、運行頻度を最大でも一五分間隔とすることで、沿線居住者の需要掘り起こしに成功した。また、これまで富山駅南側に走っていた路面電車を一部延伸し、二〇〇九年に環状線（セントラム）を開業した。これは中心市街地活性化と都心地区の回遊性の強化が目的である。どちらの事業も上下分離方式[4]を導入しており、鉄道は道路と同じく住民に必要なインフラであり、税金を投入して維持する必要があるという考えの上で取り組まれている。二〇二〇年三月には富山駅北側のポートラムと南側の市内軌道（路面電車）が接続した。富山駅の南北は旧JR北陸本線により分断されていたが、北陸新幹線開通に伴う富山駅の高架化により、南北を地上でつなげることができるようになった。その結果、北側のポートラムと南側の路面電車の線路が接続することになった。

賑わい拠点の創出では、二〇〇七年に中心市街地に全天候型の多目的広場グランドプラザが、二〇一六年には富山駅南口広場が、そして二〇一七年にユウタウンが整備された。グランドプラザは積雪寒冷地の気候に配慮し、賑わいの核となる広場の設置が重要であるということから、計画された（図4）。現在では毎日何かのイベントが行われる空間となっ

（4）　上下分離方式とは、鉄道のインフラ部分の管理を行う組織である下部と運行、運営を行う上部の組織とを分離し、それぞれの会計を独立させる方式である。富山ライトレールの場合、下部の鉄道線や車両は自治体が、上部の鉄道の運営は鉄道会社が行うことになる。セントラムも同様である。

図4　グランドプラザのイベントの様子（筆者撮影）

ており（山下、二〇一三）、中心市街地の賑わい創出に対して大きく貢献している。ただし、賑わいが創出されたからといって中心商店街の売り上げ増加に直結する訳ではない。中心市街地の商業的な魅力の創出が必要だからである。

　最後にまちなか居住の推進であるが、中心市街地に設定された都心地区に転居することにより（図5）、賃貸住宅の場合は家賃補助が、戸建や集合住宅建設の場合、一定の補助が富山市から支出される。この補助金だけが理由ではないが、富山市中心部では他地区からの転入が進み、人口が社会増となっている。しかし、中心市街地には高齢者の居住人口が多いことから自然減の影響が大きく、人口の増減を合計すると中心市街地で人口が増加している訳ではない。

　このように富山市は中心市街地に対して積極的な投資をしている。コンパクトなまちづくりを目指す理念だけが理由なのだろうか。実はそれ以外にも理由がある。固定資産税収入である。中心市街地は富山市の面積の〇・四％しかないが、固定資産税収入の二〇％を担っている（富山市、二〇一七）。中心市街地の価値が固定資産税という富山市が機動的に利用できる経費を生み出している。逆に中心市街地の価値が下がれば、富山市の運営に自己の裁量で利用できる経費が減り、まちづくりへも積極的に取り組めなくなってしまう。

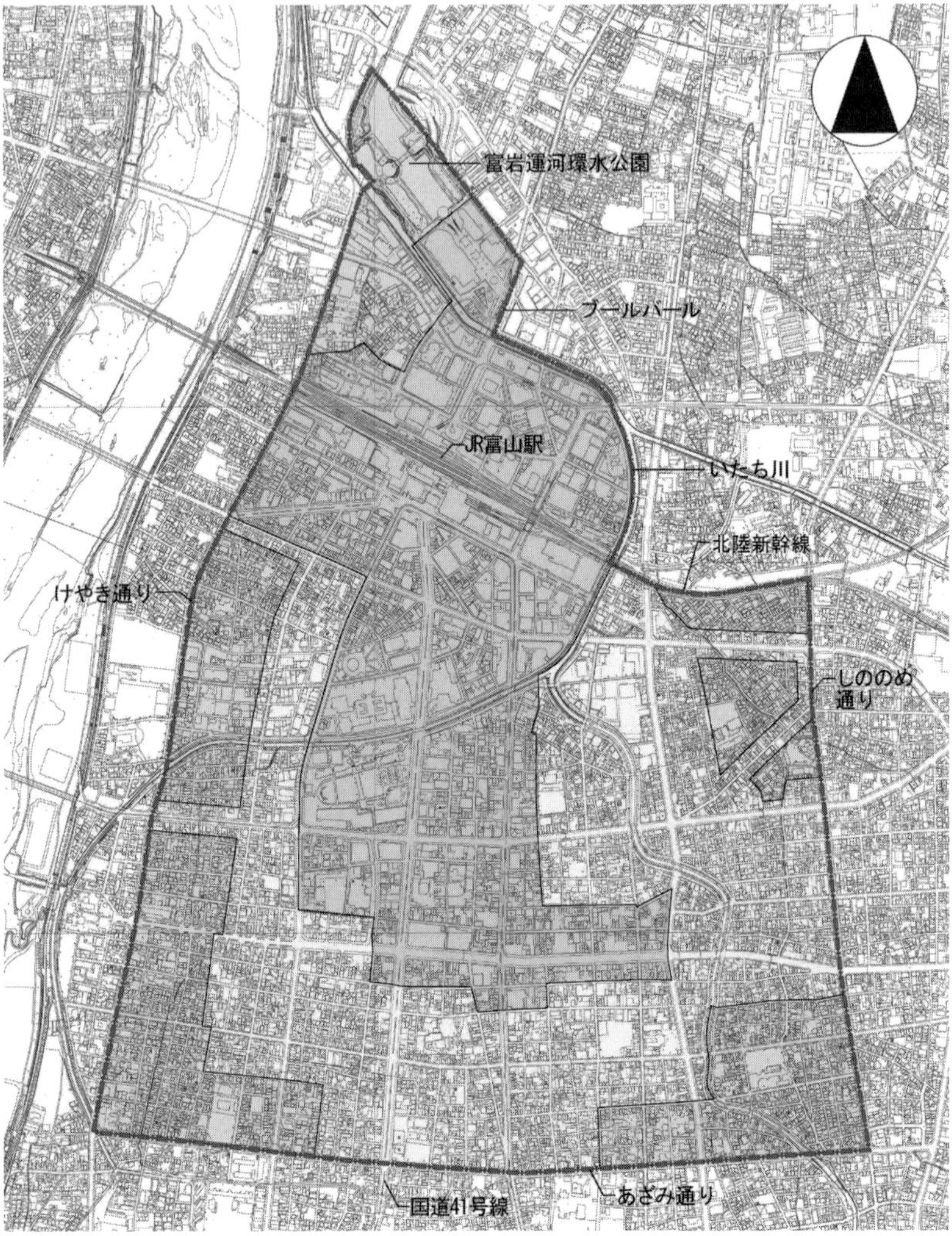

図5　まちなか居住推進地域（富山市資料）

3　コンパクトなまちづくりの課題

コンパクトなまちづくりに富山市が取り組む中でどのような課題が現れたのだろうか。まず、コンパクトなまちづくりに取り組み始めたからといって、たちどころに薄く広がる市街地がコンパクトなまちになるわけではない（図6）。この広がりをどのように調整していくのかが問われている。コンパクトなまちづくりに舵を切ったものの、自治体が住民を中心市街地へ転居させる強制力を持つわけではない。コンパクトなまちづくりに対して住民の理解を醸成し、まちなか居住を促すことしかできない。

先にも記載したが、中心市街地への転入者は増加している。ただ、まちなか居住で生活するにも課題がある。中心市街地で生活する上で、生鮮食料品の調達に課題があるといわれている。高度経済成長期以降、長い期間をかけて市街地が薄く広く拡がった結果、スーパーやショッピングセンターへの買い物は自動車を利用するのが当たり前になり、中心市街地に立地するものは少なくなってしまった。そこで、富山市は中心商店街に富山の野菜や果物を直売する「地場もん屋総本店」を二〇一〇年に設置した（図7）。野菜の産地直売については、中心市街地でニーズが高く、週末には中心商店街でいくつも産直販売が行われている。野菜を販売する農家に私の研究室の学生が話を聞く機会があったが、若いころにあこがれていた中心商店街に自分の作った野菜が並ぶことに喜びを感じながら納入しているという話を聞くことができた（富山大学人文学部人文地理学研究室編、二〇一四）。この

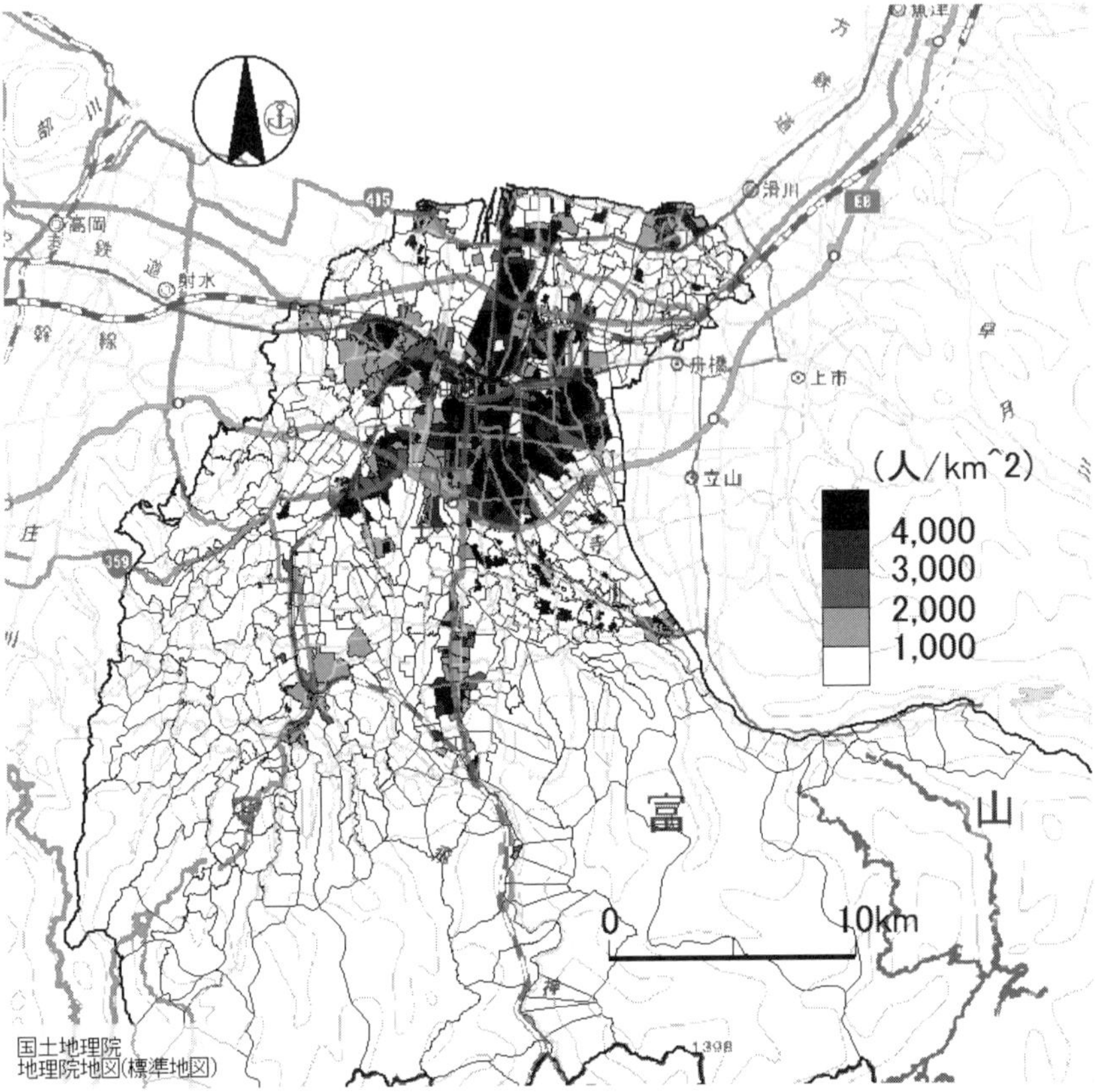

図6　富山市町丁字別の人口密度（統計年次は2015年、国勢調査により作成）

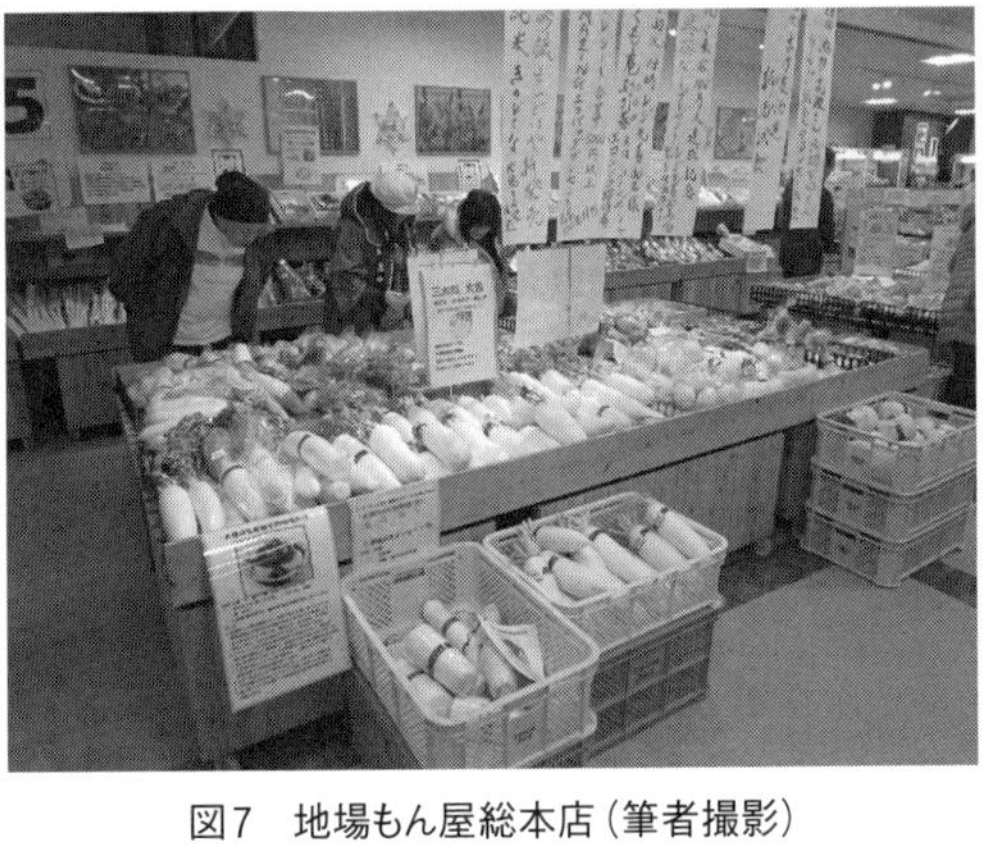

図7　地場もん屋総本店（筆者撮影）

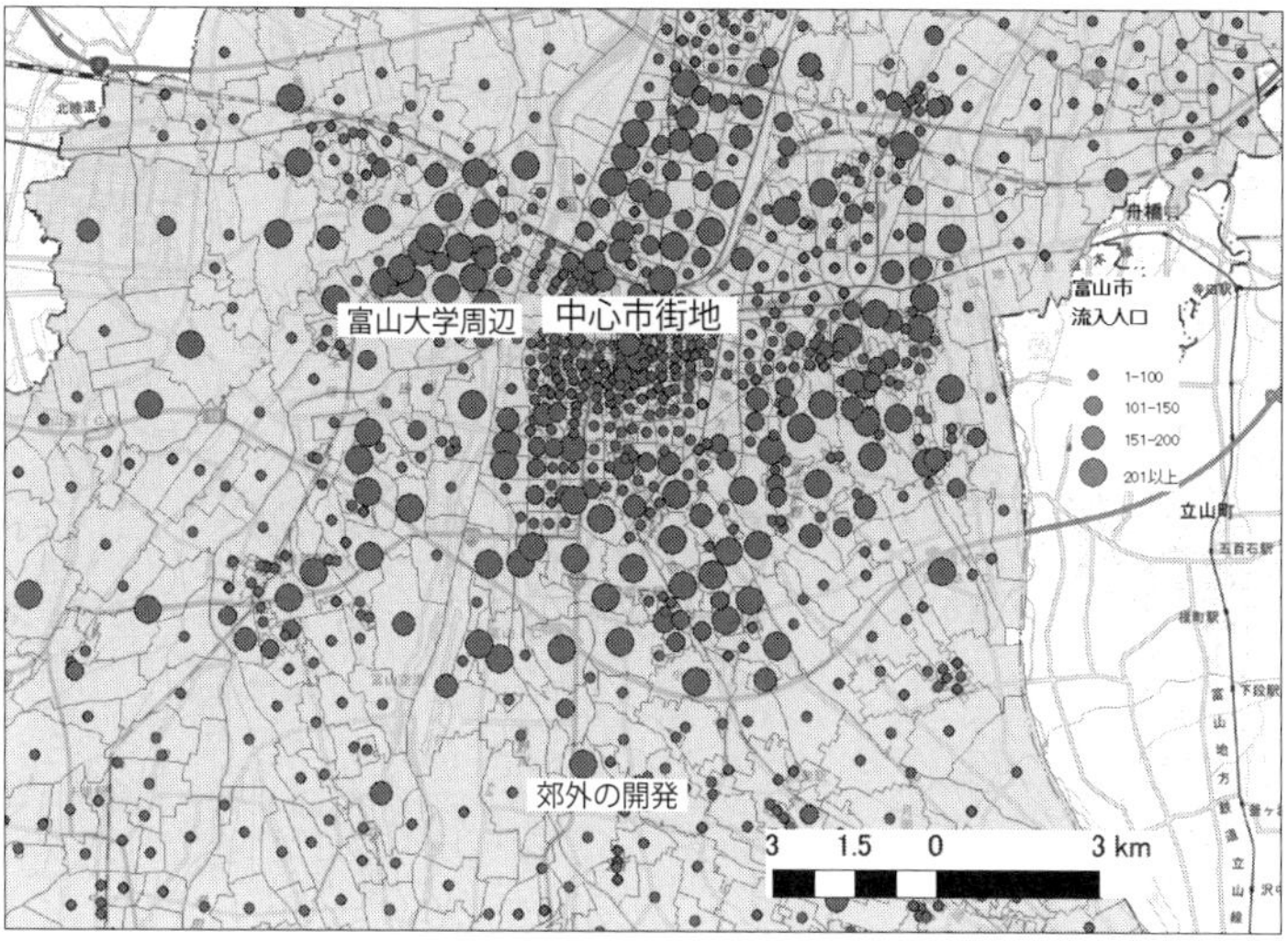

図8　5年前と異なる居住地からの流入人口（統計年次は2015年、国勢調査により作成）

ように、中心市街地で新たな暮らしと店舗が付け加わり、その場所に新たな価値が創造されている。

しかしながら、歩行者通行量を見ると二〇〇七年のグランドプラザ開業により一時的に下げ止まったが、通行量の増加につながっていない。コンパクトなまちづくりに取り組み、公共交通を整備し、まちなかに人が集う広場をつくり、まちなか居住を推進しても、商店街が人でにぎわう状態をつくるためには、民間の努力に依存しなければならず、自治体の努力にも限界がある。

また、社会増についても課題がある。二〇一五年の国勢調査の結果から五年前の前住地と異なるところに居住する人口、つまりは流入した人口の分布図を作成すると（図８）、中心市街地には一定数の流入が見られ、まちなか居住推進の効果があるといえる。富山大学周辺も学生たちが入学に伴い居住を始めたことによる増加が顕著である。それ以外にも増加している地区があるが、中心市街地の外側に人口増加する地区がある。これらの流入者の多くは戸建て住宅取得者と考えられる。富山市はコンパクトなまちづくりに取り組むものの、住民にその理解が浸透していなかったり、それぞれの家族の状態が中心市街地での居住に適さないと判断されているのかもしれない。これらの住民の意思決定の要因を理解し、効果的な誘導施策を検討しなければ、コンパクトなまちづくりが十分な効果をあげることはできない。

さらに、人口構成も大きな課題を抱える。図9は国勢調査の町丁字別六五歳以上人口の割合（二〇一五年）を階級区分して表現したものである。限界集落という言葉がある。これは六五歳以上人口が五〇％を超え、社会生活を運営することが困難になった集落を示す言葉である（大野、二〇〇五）。富山市の中心から離れると高齢者割合が高い地域が現れることがわかる。富山市の縁辺地区に高齢者が取り残されるのは理解しやすい。ところが、富山市の中心市街地を拡大してみると、そこにも限界集落のような状況の地区が見られる（図10）。中心市街地にかつて流入した若い人たちが高齢になったり、新たに高齢者が流入している。高齢者が自律的に暮らし続けるためのコンパクトなまちづくりなので、ねらいにかなってはいるが、若い世帯の居住が見られないと、地域の活気が生まれづらい。高齢者が暮らしやすく、若者も活気を生み出す理想的なコンパクトなまちづくりへどのように近づけていくのかを考える必要がある。

他にも不在地主の問題がある。中心市街地には不在地主が多く、その土地の次の利用方法が決定していない。そのため過渡的な土地利用としてのコインパーキングなどの駐車場

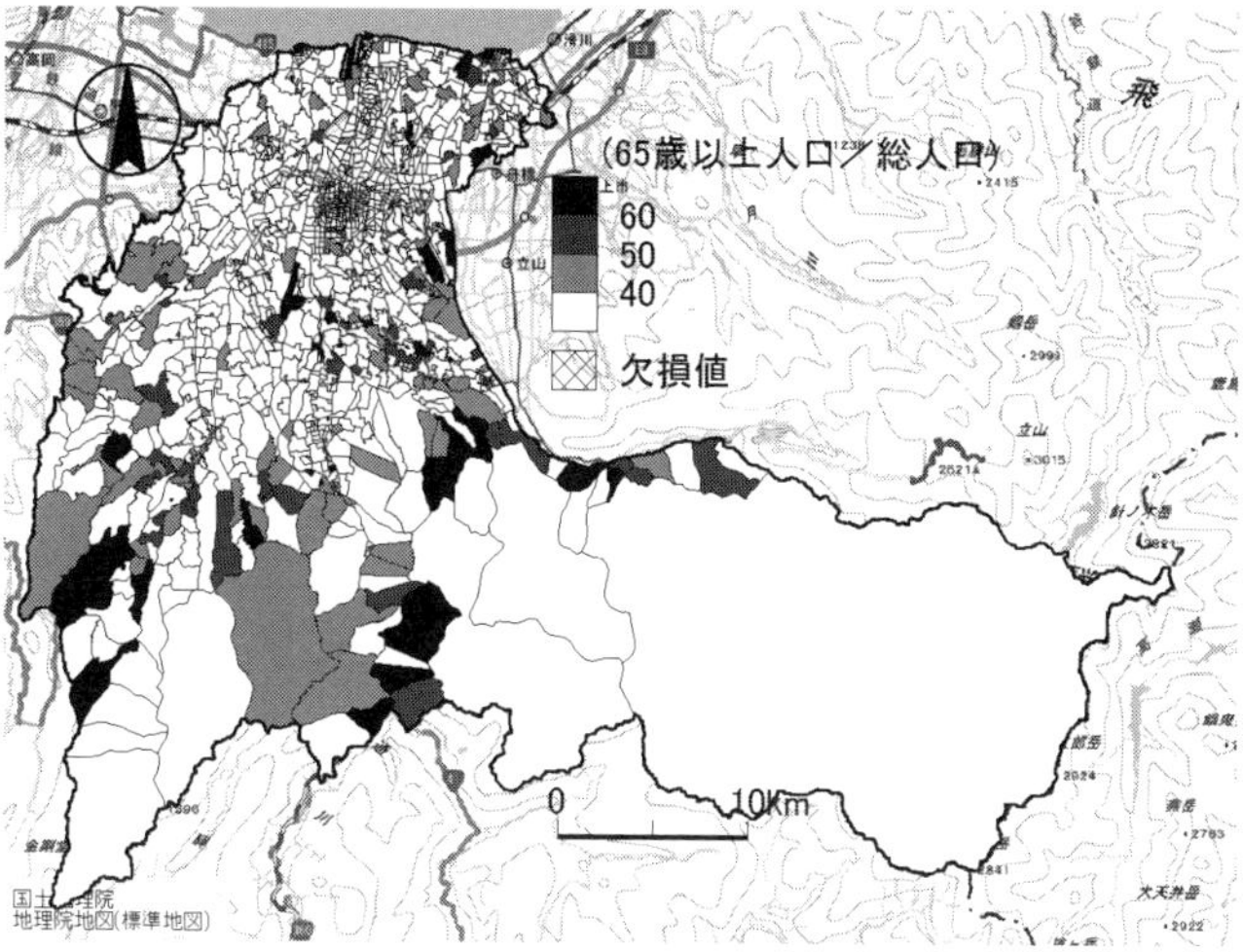

図9　富山市の高齢者人口割合の階級区分図（統計年次は2015年、国勢調査により作成）

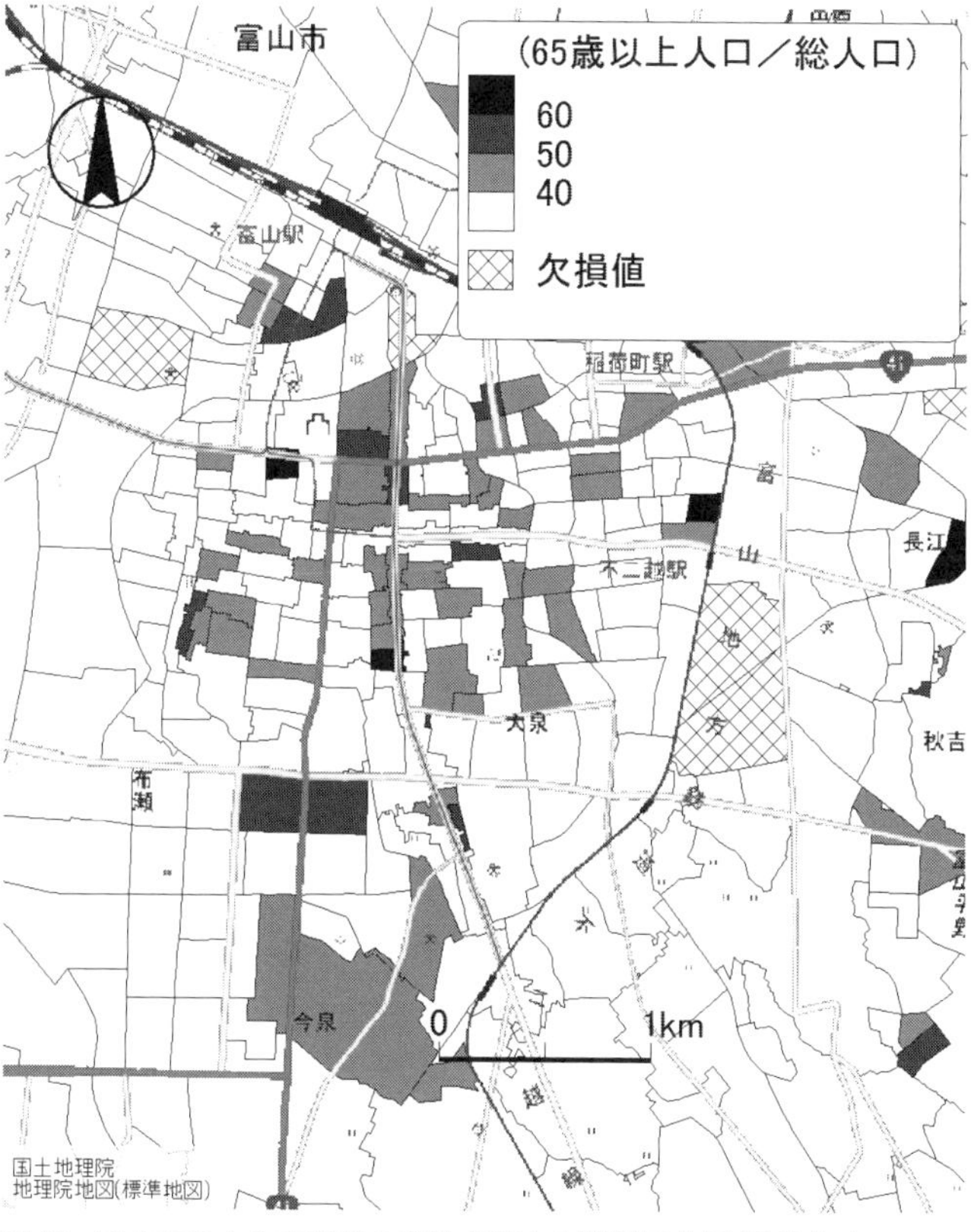

図10　富山市の中心市街地の高齢者割合の階級区分図（統計年次は2015年、国勢調査により作成）

が選択され、中心市街地は駐車場だらけである。富山市の調査では中心市街地の駐車場面積は一九九二年に二七・一ヘクタールだったものが、二〇〇四年には四六・一ヘクタールと一・七倍に増加している。さらに空き店舗も増加した。中央通り商店街などを見るとアーケードの商店街にもかかわらず空き店舗が見られ、店舗が連続していないことも課題である。これらの課題の解消方法を考えなければならない。

富山市は富山高岡広域都市計画区域(5)に含まれるため、広域調整される制約の中で富山市の都市計画としてコンパクトなまちづくりに取り組むことになる。一つの自治体が複数の都市計画を持っているようにも見えなくはない。この広域都市計画区域に含まれ、富山市の西側に接する射水市の市街化調整区域に射水市が地区計画を立て、二〇一五年に大型商業施設が出店した。富山市の取り組むコンパクトなまちづくりは市街地の商業の充実も図る施策であるが、この立地はその施策に逆行する。広域都市計画区域内の体系だった将来計画に対する無頓着さが、このような立地を生み出したともいえる。人々の暮らしは市域を超えて営まれるため、富山市がコンパクトなまちづくりに取り組んだとしても、市域の外側、広域の都市計画には大きく影響をうける。富山県と富山市がそれぞれどのような地域の未来像を結ぶのか、議論を尽くす必要がある。

(5) 富山市、高岡市、射水市のそれぞれ一部を含む地域で構成されている。

4　コンパクトなまちに向けて

富山市はコンパクトなまちづくりへ向けた取り組みの結果、様々な課題があることがわかってきた。そこで、コンパクトなまちづくりに市民の理解を得るために、学校教育と連携している。二〇一〇年から公共交通への市民の意識を醸成するモビリティ・マネージメント(6)を実施し、その一環で児童への公共交通啓発活動のための教材開発を行っている。二〇一一年度から二〇一三年度にかけて小学三～六年生の学習プログラムを開発した。富山市交通政策課が主導し、教育委員会、学校教員を巻き込んで行われた。そして、二〇一四年からは学校教育のなかで公共交通やコンパクトなまちづくりに関する授業が行われている。授業は教科横断的な総合的な学習の時間を使ったり、社会科や理科の時間の内容と関係させながら実施したりしている。

図11　のりもの語り教育の授業の様子（堀川小学校）

公共交通に関する授業を「のりもの語り教育」と題し、公共交通の社会での役割や今後のまちづくりの課題を考える内容となっている。この内容を社会科副読本や富山市のホームページで見ることができる(7)。小学校の授業の中でも公共交通を軸としたコンパクトなまちづくりがよいのか、自家用車を利用するまちづくりがよいのか、児童の間で価値観の対立が起こることがある。このとき、価値観に基づいた議論を徹底的にすることで、コンパクトなまちづくりの価値やその弱点などが見えてくる（図11）。そのような議論の経験に基づき、児童が大人になったときに居住地選択を考えることができる。安易に

（6）　人々の交通行動を環境や健康に配慮した公共交通や徒歩などへ自発的に変化させるためのコミュニケーション戦略のこと。

（7）　のりもの語り教育の教材は次に公開されている。http://www.city.toyama.toyama.jp/toshiseibibu/kotsuseisakuka/mobilitymanegement_8.html（最終アクセス２０１９年11月）

家を購入する予算との適合性から自分の居住地を選択するのではなく、将来のまちのあり方も考えながら自分の居住地を選択する大人に成長できるのではないだろうか。

おわりに

ここまで、富山市のコンパクトなまちづくりの取り組みとそのなかで現れた課題について検討した。現在、進行中の取り組みであるため、現時点で富山市にコンパクトなまちが成立している訳ではない。住民に対して強制力を伴わない、誘導型の取り組みのため、市民のまちづくりに対する理解や共感、そして満足度を高めることが必要である。特にまちづくりに対する理解は、自分たちが所有する土地をどのように活用するべきかという問題にもつながる。高齢化や人口減少が避けられない現在、将来のまちの姿を考え、土地所有者である住民がどのような意思決定をするのだろうか。富山市の思いを反映したコンパクトなまちになるのか、このまま薄く広く拡がったまちとして、高コストの都市経営になるのか、これから見守っていかねばならない。

・本稿は大西宏治（二〇一八）：「富山市のコンパクトなまちづくりと現状」『農業法研究』五三、三五–四八頁を加筆修正したものである。

〔参考文献〕
大野晃『山村環境社会学序説―現代山村の限界集落化と流域共同管理』農山漁村文化協会、二〇〇五年
北日本新聞社編『富山大空襲』北日本新聞社、一九七二年
鈴木晃志郎「観光学者からみた富山」地理六〇‐二、一八‐二七頁、二〇一五年
富山市「富山市中心市街地活性化基本計画」富山市、二〇一七年
富山大学人文学部人文地理学研究室編『人文地理学実習3（二〇一三年度）報告書』富山大学人文学部人文地理学研究室、二〇一四年
中山伊佐男編『ルメイ・最後の空襲―米軍資料に見る富山大空襲―』桂書房、一九九七年
西川弘「富山大空襲」富山大百科事典編集事務局編『富山大百科事典　下』北日本新聞社、一九九四年
松原光也「交通政策と地域」人文地理学会編『人文地理学事典』有斐閣、五三〇‐五三一頁、二〇一三年
山下裕子『にぎわいの場　富山グランドプラザ：稼働率一〇〇％の公共空間のつくり方』学芸出版社、二〇一三年

column

神通川の付け替えと城下町

鈴木景二

前田氏十万石の城下町富山は、一九四五（昭和二〇）年八月二日未明の大空襲で都市部の九九・五パーセントを焼失し、多くの人命と歴史的な町並を失った。そこから復興を遂げた都市中心部は、幅の広い道路が縦横に通じる現代的景観を見せているが、地図や空中写真にはそれ以前の都市建設の土木工事の跡をみることができる。

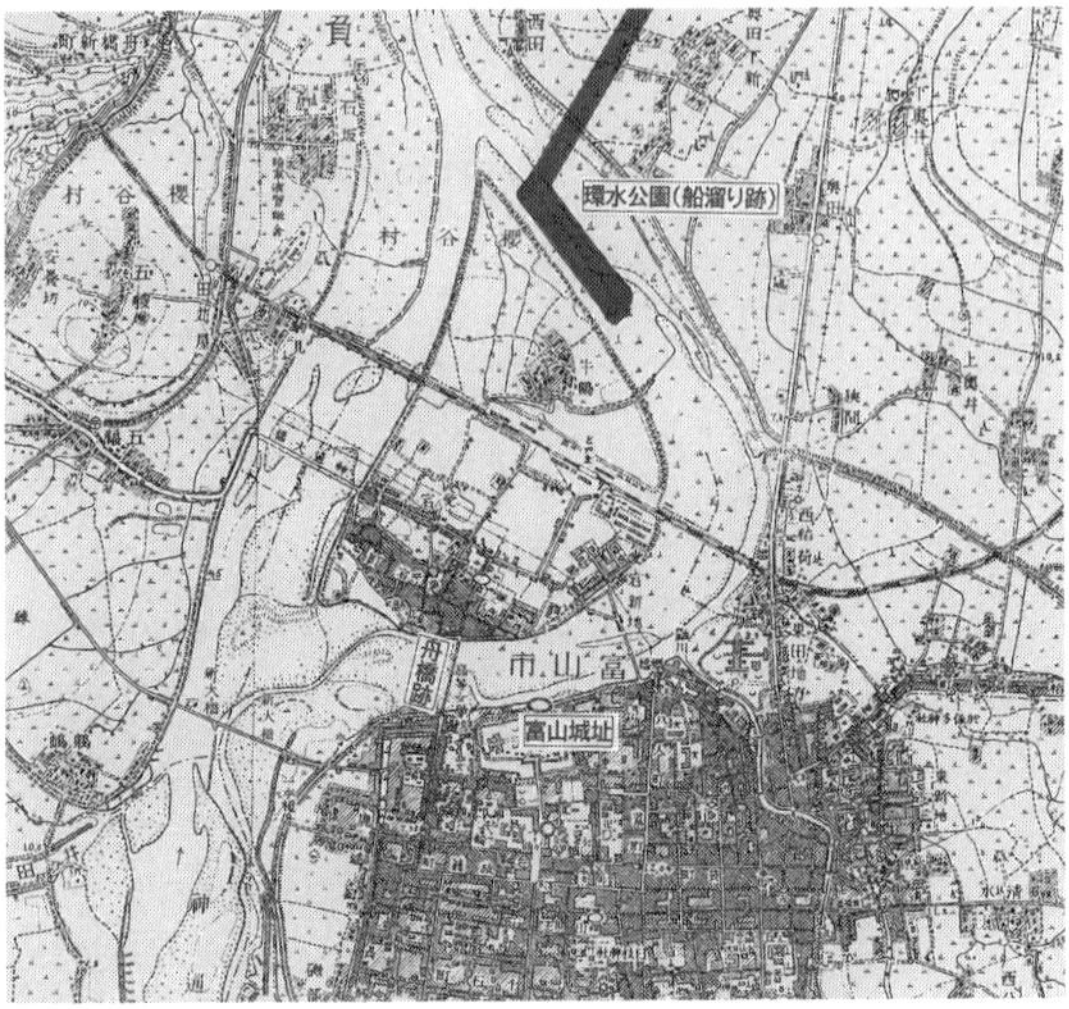

図１　神通川と富山城址付近の旧地形図

富山城は戦国時代に、旧神通川《じんずうがわ》が東へと湾曲する地点に、川が北方防御の堀になるように築かれた平城《ひらじろ》である。城下町は南側に展開し北陸道を引き込んで（図１）、道と神通川との交点には、小舟を並べて鎖で繋ぐ船橋《ふなはし》が設置された（写真１）。日本一の船橋として有名で、城下側の茶屋では戦後まで名物「鮎鮓《あゆのすし》」が販売されていた（写真２）。神通川の鮎鮓は毎年旧暦十月に富山藩主から将軍へ献上される例で（『武鑑《ぶかん》』）、十返舎一九も絶賛して『金草鞋《かねのわらじ》』に「名物の鮎の鮨とて買う人の　おしかけて来る茶屋の賑わい」という狂歌を載せている。茶屋のあった付近に、いまは鱒《ます》の寿司店が点在している。神通川の鱒も『日本山海名産図会』に名品と記されるように江戸時代から知られていたが、現在の鱒の寿司は、明治後期に売り始められたらしい（水間直

写真１　神通川の舟橋　明治時代の絵葉書

写真２　神通川の鮎の寿し（大正２年　富山県主催一府八県聯合共進会の絵葉書）

二『明治の富士をさぐる』）。

城と城下町はたびたび洪水に遭った。明治時代に富山を訪れた治水技術者ヨハネス・デ・レーケが、蛇行する流路が原因であると指摘し、直線ルートへの改変が提案され、一九〇一（明治三四）年から工事が開始された。それは馳越《はせこし》線工事というユニークなもので、最初に幅二メートルの細い溝を掘り、そのあとは洪水ごとに水流の力で両岸が削られて広がるのにまかせるという方法だった。この水路は一九〇三年に開通し、一九二二（大正一一）年頃には本流となった。現在の芝園中学校の西側辺から富山赤十字病院あたりまでの部分である。旧流路の敷地は、新しく敷設された富山駅と旧城下を隔てる低湿の廃川地《はいせんち》として残された。

さかのぼって一九〇八（明治四一）年、富山駅が現在の場所に落ち着き、その後、日本海航路の拠点である岩瀬港との間を工業地帯とすることが計画された。一九二八（昭和三）年、富山県はその実現のため、富岩運河《ふがんうんが》の開削を計画し一九三〇年に着工、一九三五年に完成した。駅と神通川旧流路が近接する地点に、松川（旧流路の細流）の水を集めて船溜《ふなだ》まりを設け、そこから岩瀬港まで直線の運河を掘削したのである。ただし船溜りと海水面の高低差が大きいため、途中にパナマ運河方式の閘門《こうもん》を設置して、二・五メートルの水位差の調整を行っている。この中島《なかしま》閘門は、重要文化財に指定され、いまは遊覧船通行時に開閉している。

運河掘削時の大量の残土は、神通川跡の低湿地の埋め立てと東岩瀬港の整備にあてられた。工業地帯造成と低湿地の市街地化、港の整備という一石三鳥の土木政策である。廃川埋め立て地は公有地となった。地図をみると学校・県庁・市役所・ＮＨＫなどの公共施設が神通川の蛇行流路痕跡（松川）に沿って建ち並んでいる様子が一目瞭然である。

富岩運河周辺は工場地帯となったが、やがて自動車運送が主流となって運河は役割を終え、船溜まり、運河はどぶ川の様相を呈し環境悪化が問題となった。いっぽう駅の北側は東京丸ノ内オフィス街のような街づくりが進められ、運河の埋め立てが検討された。そのとき逆転の発想で、船溜まり一帯を都市公園とする計画が提案されたのである。それが、富岩運河環水公園《かんすいこうえん》である（写真3）。いまでは美術館やスターバックス、展望塔と糸電話などのあるウォーターフロントとして見事に再生し、富山の新名所となっている。

写真３　富岩運河環水公園（旧神通川流路・富岩運河船溜り跡。富山県美術館から俯瞰）

〔参考文献〕
白井芳樹『とやま土木物語』富山新聞社、二〇〇二年
『富山市の都市計画　神通川と富岩運河』富山市郷土博物館、二〇一六年

文学作品を通してみる富山

——小谷瑛輔

1　文学「不毛の地」、富山?

いつからか、富山は文学「不毛の地」と呼ばれているようだ。もっとも、そのことを特に問題とは思わない人がわざわざこんな言葉を使うことは少ない。この言葉が使われるのは、そうであって欲しくない、という願望を持つ人が「これから盛り上げていこう」とか、「実は面白いものもあるのだ」と言おうとする場合が多い。

富山県は郷土の文学の資料を収集し、その魅力を発信するべく二〇一二年に高志の国文学館を開館した。それに向けての関係者の発言にも、この言葉は現れる。文学館は当初の予定では「富山県ふるさと文学館」と仮称され、初代館長に「男たちの大和」(一九八三〜

八四）[1]で有名な辺見じゅんを迎えることになっていた。その辺見が、二〇一〇年一一月一九日に富山県知事と開いた記者会見の中で次のように述べている。

ここにいらっしゃる皆さんご存じのように文学という意味では、北陸3県の中の福井、石川、富山の中でも一番不毛の地と言われております。文学の芽が育たないというふうな、どちらかというと商業県でもあります。作家の方たちも余り出ていません。例えばデビューされた後もふるさとにはあまり戻りたくないという堀田先生なんかもいらっしゃいますし、源氏先生なんかも、よくお話を伺っていたんですけれども、否定的でした。

文学「不毛の地」、「文学の芽が育たない」、「作家の方たちも余り出ていません」……。文学館開館を目指す記者会見のコメントとしては、もう少しリップサービスがあっていいのではないかとか、自分自身も富山で生まれ育って作家になったというのになぜそんなことを言うのかとか、奇妙にさえ感じられる。だが、それでもそう言わざるを得ないということが、富山がそれほど文学に恵まれない土地だという辺見の考えをよく表している。いずれにしても、これから「文学作品を通してみる富山」について考えようとしている我々としては、気勢を削がれるような発言だ。

辺見はここで「文学ということにこだわら」ずに「発見のできる場がつくれたら」と述べ、「探していきたい」、「新しい文化づくり」、「新しいものが欲しい」といった、未来形の言葉で富山の文学を語っている。文学館なのに開館前から「文学ということにこだわら

（1）本章では、文学作品の書誌情報については煩雑になるため省き、本文中のカッコ内に初出の年のみ示す。二次文献のみ、脚注および参考文献欄に書誌情報を示す。また、図書、雑誌、新聞名は二重カギ括弧『』で示し、その中の作品タイトルはカギ括弧「」で示している。

ない」と言うのは弱気さが見えた発言とも取れるが、ともあれ、「不毛の地」だったからこそ、そして文化的なものが顧みられにくい状況だからこそ、これからは文学や文化を大切にしていこう、と呼びかけているのだ。

とは言っても、富山の文学については未来形でしか語れない、とまで断言するのは、やはり言い過ぎであろう。この辺見の発言にもあるように、富山出身の著名な作家は何人か存在しているわけだし、富山を舞台とした作品もいくつもあるからだ。そこから、富山の文学の特徴を取り出してみることはできないだろうか。あるいは、文学作品を通して富山のことを考えてみることはできないだろうか。

賢明な読者ならば予感しているであろう通り、明るいばかりの話にはならないが、本章では上記のことを、近代以降の文学を題材として考えてみたい。

2　異界としての富山？

近代以前から全国的に知られていた富山のイメージといえば、なんと言っても越中富山の薬売りだろう。文学史に残る有名な作品にも、富山の薬売りは描かれている。隣県石川の金沢市出身の作家、泉鏡花の代表作「高野聖」（一九〇〇）である。

この物語は、男を誘惑して肉体関係を持った相手を獣に変えてしまうという女に、旅僧の宗朝が出会うというのが筋だ。ただし、そこに出てくる富山の薬売りは、残念ながらあまり好印象の人物ではない。登場した瞬間から「けたいの悪い、ねじねじした厭《いや》な壮佼《わかいもの》で」

と紹介され、最終的には、スケベ心から女と関係を持ち、馬に変えられてしまっていたことが分かる。

富山の薬売りはなぜそんな描き方をされてしまったのだろうか。その理由については、鏡花が「ブルジョア的卑俗、功利の化身のような富山の売薬を憎んだため[(2)]」ではないかというのが通説のようだ。売薬は、もちろん人の助けになる仕事でもあるのだが、したたかな商売で経済的に成功していることが妬まれることもあった。北陸三県の県民性を揶揄する俗諺に「越中強盗、加賀乞食、越前詐欺師」というものがあるが、富山の売薬も、必ずしも好意的にのみ捉えられていたわけではないのである。

鏡花は、薬売りを登場させるだけでなく、富山を舞台とした作品もいくつか書いている。たとえば「蛇くひ」(一八九八)という短編。これは、富山に出没する物乞いの集団の話である。彼らは、施しを拒否する家の前に集合し、蛇を生きたまま食いちぎって畳や敷居に吐きだして餓えをアピールし、施しを強要する。読者に嫌悪感を与える異様な光景である。翌年に発表された「黒百合」(一八九九)も富山が舞台となっている。これは「蛇くひ」に比べると美しい話だが、戦国時代の富山城主、佐々成政が、愛妾に密通の疑いをかけて殺し、その呪いによって滅亡の運命を辿ったという陰惨な「黒百合伝説」を下敷きとし、その呪いが変奏されるような物語である。

鏡花にとっての富山の印象は、若い頃に富山に滞在した経験からも形成されているが、それだけではないらしい。鏡花は、江戸時代の北陸の怪異譚を集めた『加越能三州奇談』を愛読していて[(3)]、その印象も持っていたことが分かっている。いずれにしても、富山といえば魔所、というようなイメージが濃厚となっていると言えるだろう。

(2) 吉田精一、一九五〇年

(3) 小林輝治、一九八〇年

鏡花に限らないが、富山の魔所イメージは、たびたび氾濫を起こして流域に壊滅的な被害を与えた暴れ川や、そうした川の源泉でもある奥深い山の存在感に由来するところが多いようだ。地獄と浄土を併せ持つ立山への信仰をはじめ、山は異界として畏れられていた。古くから鬼や魔の住み処と言われ、源平の合戦で平家軍が大量の死者を出した戦いでも有名な倶利伽羅峠もある。富山の平野部は、そうした異界と接する地域であった。

日本の山岳文学の第一人者とされる田部重治は、富山で生まれ、幼少時から異界への興味に接しながら育った過程で、山の世界に魅せられていった。彼の最初の単著『日本アルプスと秩父巡禮』（一九一九）の冒頭の章、「薬師寺と有峯」では、山奥にある有峯という地域について幼少時から「全く絶海の孤島にある未開の異人種の住んでゐるところ」「平家の遺族がそこにゐる」といった伝説を聞いて、いつか訪れたいという気持ちを高めていったことが、彼の登山人生の出発点にあったことを伝えている。未知の不思議な存在の棲む場所としての印象が、彼を山岳文学へと導いていったのである。

山中に「未開の異人種」が住んでいるというような想像は、田部のような富山育ちの作家だけでなく、県外の作家が富山を念頭に描く世界にも見られる。

たとえば萩原朔太郎の小説の代表作「猫町」（一九三五）。地名が具体的には出て来ないため、富山文学として言及されることは少ないようだが、この小説では、「北越地方のKという温泉」や、その近くの「U町」が舞台となっており、「U町」は宇奈月または魚津がモデルと思われる。その先の黒薙温泉の方面には、化け猫が住み着いていたという言い伝えのある「猫又」という地名もあり、朔太郎がこれらの情報を踏まえて書いた小説だとされている。(4)

（4）須田、一九九九年

この作品で中心となる異界の話は、麻薬による幻想なのか現実なのか区別しがたいように書かれているのだが、その幻想的な世界に入っていく前の、主人公がまだ冷静さを見せている段階で、この地域のことは既に次のように語られている。

私は空に浮んだ雲を見ながら、この地方の山中に伝説している、古い口碑のことを考へてゐた。概して文化の程度が低く、原始民族のタブーと迷信に包まれてゐるこの地方には、実際色々な伝説や口碑があり、今でも尚多数の人々は、真面目に信じて居るのである、現に私の宿の女中や、近所の村から湯治に来て居る人たちは、一種の恐怖と嫌悪の感情とで、私に様々のことを話してくれた。彼等の語るところによれば、或る部落の住民は犬神に憑かれて居り、或る部落の住民は猫神に憑かれて居る。犬神に憑かれたものは肉ばかりを食ひ、猫神に憑かれたものは魚ばかり食つて生活して居る。

そうした特異な部落を称して、この辺の人々は「憑き村」と呼び一切の交際を避けて忌み嫌つた。「憑き村」の人々は、年に一度、月の無い闇夜を選んで祭礼をする。その祭の様子は、彼等以外の普通の人には全く見えない。稀れに見て来た人があつても、なぜか口をつぐんで話をしない。彼等は特殊の魔力を有し、所因の解らぬ莫大の財産を隠して居る。等々。

かうした話を聞かせた後で、人々はまた追加して言つた。現にこの種の部落の一つは、つい最近まで、この温泉場の附近にあつた。今では流石に解消して、住民は何所かへ散つてしまつたけれども、おそらくやはり、何所かで秘密の集団生活を続けて居るにちがひない。その疑ひない証拠として、現に彼等のオクラ（魔神の正体）を見たといふ人があると。かうした人々の談話の中には、農民一流の頑迷さが主張づけられて居た。否でも応でも、彼等は自己の迷信的恐怖と実在性とを、私に強制しようとするのであつた。だが私は、別のちがつた興味でもつて、人々の話を面白く傾聴して居た。日本の諸国にあるこの種の部落的タブーは、おそらく風俗習慣を異にした外国の移住民や帰化人やを、先祖の氏神にもつ者の子孫であらう。或は多分、もつと確実な推測として、切支丹宗徒の隠れた集合的部落であつたのだらう。しかし宇宙の間には、人間の知らない数々の秘密がある。ホレーシオが言ふやうに、理智は何事をも知りはしない。理智はすべてを常識化し、神話に通俗の解説をする。しかも宇宙の隠れた意味は、常に通俗以上である。

メインとなる話の枕としては強烈すぎるのではないかと思えるほど、異世界感が漂う話である。「私」は近代的合理主義で解釈しようと努めているが、この地域の秘密はそうした合理的精神では捉えられない「宇宙の隠れた意味」にまで通じていることになっている。

さて、いくつか見てきたが、これらの例に共通するのは、富山という地域は異界と近接していて、人々はそうした魔所の住民と時には交渉を持って生活している、ということだ。

そして、これらの異界的なエピソードの元ネタは、黒百合伝説、立山修験、平家の落人伝説、隠れ切支丹、加越能三州奇談……と、豊富なバリエーションがあることも分かる。単一の伝説が広く信じられたというよりも、未知の世界としての山々に囲まれた地形が、異界にまつわるさまざまな物語を育んだというべきだろう。そしてまた、鏡花の「高野聖」のように、富山に育った商魂たくましい精神性も、異界と近接するところに生じるようなものとして想像されていた。

　こうして見てくると、富山は文学的な想像力の源泉として、高いポテンシャルを持つ地域であったことが分かってくる。妖しい魅力を持つ魔所として作家たちの興味を惹き付け、また、そのように描かれてきたのだ。

3　暗い富山？

　だが、戦後になると、こうした富山のイメージは変化していくことになる。

　その大きな契機は、一九四五年八月の富山大空襲であろう。この空襲による市街地の破壊率は九九・五％とされ、地方都市がこうむった被害からいえば原爆に次ぐものと言われている。これにより、古い文化のよりどころは破壊され、生き残った人々は新しく生活を再建していかなければならなくなった。豊かな水運と水力発電の力を背景として、工業と商業が復活し、瞬く間に復興から発展へと進んで行くわけだが、その過程で、地域のイメージとしても魔所のような印象は薄れ、それまでも強かった実業優勢のイメージがさらに支配的となってくる。

　そうした中で登場するのが、冒頭の辺見じゅんの発言で言及されていた富山出身の戦後作家たちである。「堀田先生」というのは、高岡市出身で一九五一年に芥川賞を受賞した堀田善衛、「源氏先生」というのは、富山市出身でサラリーマン小説で一世を風靡した源氏鶏太のことである。彼らはともに、それぞれの時期の日本を代表するような作家と言ってよい。

ただし辺見の発言で無視できないのは、そうした作家たち自身が、文学を育む土地として富山を位置付けてはいなかった、ということだ。

辺見の発言では、他に、木本正次「黒部の太陽」(一九六四)、吉村昭「高熱隧道」(一九六七)、宮本輝「螢川」(一九七七)といった、富山を舞台とした小説も話題になっている。ただし、宮本輝は富山には一年間住んだだけだし、他の二人は富山出身ではない。小説の内容を見ると、「高熱隧道」「黒部の太陽」はダム工事で大量の死者が出たという悲惨な事実を題材としており、「螢川」も、ラストシーンこそ美しい光景が描かれるものの、北陸の重く陰鬱な空気感がそのベースとなっている。これらでは、明るいものや希望を描く上で、深刻な事故や暗いイメージを背景として利用するような構成となっており、富山という舞台そのものは必ずしもポジティヴなイメージでは捉えられていない。

全国的に知られる戦後富山の歴史的事件といえば、もう一つ有名なものがある。イタイイタイ病である。新田次郎は、この病気の原因解明に尽くした萩野昇医師を取材して「神通川」(一九六八)という小説を書いている。公害そのものも甚大な被害を出したが、この小説では、もっと深刻に描かれている問題がある。農作物が売れなくなることを恐れた近隣の住民が、病気の原因を明らかにしようとする主人公をバッシングする場面が作品の大きな部分を占めているのである。作中、博物館の老人が出てきて、主人公にこう声を掛ける。

富山県は排他的な土地柄である。外部から入って来たものは吟味する前に、まず排斥するのである。新しい学問にも思想に対しても排他的である。（中略）富山県の生んだ多くの偉人たちは富山県人的排他性にあって血の涙を流したのだ

ここでは、事なかれ主義的で抑圧的な地域の文化が痛烈に批判されている。そして主人公の仕事の価値は、それに屈することなく戦ったことによってひときわ輝く、という構図になっている。

推理小説作家の松本清張も、富山を舞台として「疑惑」（一九八二、原題は「昇る足音」）という小説を書いている。東京から来た華やかな女性への地方の人々の偏見が産んだ冤罪事件を描いた作品だ。この小説には、モデルとなった事件があり、それが起こった場所は大分県別府市だったのだが、清張は舞台を富山に変更している。この作品は岩下志麻・桃井かおり主演で映画化もされて、富山でロケも行われたことから、富山にとっては貴重なコンテンツ・ツーリズムの資源となっているが、内容を考えれば、喜んでばかりもいられない。舞台を富山に変えた理由として清張は自作解説本[5]の中で、富山が「伝統を重んじる古いしきたり、古い道徳の残る街」であって、こういう事件が起きる土地として相応しいと考えたからだという趣旨のことを述べている。作品内容に即して平たく言えば、よそ者に対して冷たい、都会コンプレックスや女性蔑視が強い、ということになる。これも、土地柄として好意的に捉えられているとは言いがたい。

さて、戦後についてもいくつかの作品を見てきたが、これらに共通するのはやはり、実業が優勢な土地柄を反映していることである。「黒部の太陽」「高熱隧道」は電力会社の大規模なダム工事が題材である。「神通川」は、財閥系大企業の鉱山が引き起こした公害病

（5）松本清張、一九八二年

の話であるし、「疑惑」や「螢川」は実業家の家族の物語である。

そして、こうした実業中心の世界の描かれ方として特徴となっているのは、じめじめとした暗いイメージ、あるいは繊細な感性が重んじられない実利的な精神への、不満や反感がつきまとっているということである。

辺見じゅんが、自分自身富山で生まれ育って作家になったにもかかわらず「文学の芽が育たないというふうな、どちらかというと商業県」と否定的に述べた背景には、こうしたことがあるわけだ。

4 「退屈」な富山？

さて、こうした富山の文学の特徴は、県内に住み、その土地柄に苦労して生きている読者に共感して読まれることもあるかも知れないが、他方で文化行政においては、必ずしも歓迎されるものではなかったようだ。地方の政治家やそれを支援する実業家が自らを権威付けるために文学や芸術を利用しようとするのは富山に限ったものではないが、そうした場合にまず求められるのは、品格のある、清潔で知的なイメージや、道徳的に好ましいエピソードである。異界や魔所の存在感やじめじめした暗い土地の印象は、公的に地域の誇りとして顕彰されるには相応しくないと判断されがちだ。まして、積極的に発信されることにはなりにくい。

しかし、文学の面白さというのは、優等生的な部分とは言えないところにこそ宿る。逆に言えば、きれいで好都合な部分だけを見ようとしていては、土地の持つ魅力のリアリティも、文学の真の面白さも損なわれてしまうのだ。

夏目漱石「坊ちゃん」（一九〇六）で、俗物や悪人が幅をきかせている田舎として否定的に描かれているとも見られかねない愛媛県松山市が、小説の舞台となったことを観光資源として積極的に活用していることは、よく知られている。富山の隣県でも、室生犀星の代表作『抒情小曲集』（一九一七）の「小景異情（その二）」で「帰るところにあるまじや」と否定的にも表現されてしまった金沢市が、室生犀星記念館でこの詩を犀星の代表作として堂々と掲げている例もある。文学関係に限らないが、その土地のネガティヴなイメージを逆手にとって土地の魅力として捉え直していく試みは、人類的な悲劇の地を観光資源化する「ダークツーリズム」と呼ばれるものをはじめとして、近年では大きな可能性を持つ発想として模索されている。富山においても、イタイイタイ病を中心に、その重要性が指摘されている[6]。

地域の、一見ネガティヴに捉えられる側面も含めた文化を直視し、そこに産まれるものを見つめること。これまで富山県民や自治体行政が最も苦手としてきたことだが、辺見じゅんが求めた「新しい文化づくり」には、そうしたしたたかな発想が欠かせないのではないだろうか。

そうした意味で注目すべき富山出身の作家が、まさに高志の国文学館が開館した二〇一二年に、一冊目の短編集『ここは退屈迎えに来て』を刊行して小説家としての活動を本格始動している。山内マリコである。二〇一六年に蒼井優主演で『アズミ・ハルコは行方不明』（原作：二〇一三）が、二〇一八年には橋本愛主演で『ここは退屈迎えに来て』が映画

（6）鈴木晃志郎、二〇一八年

化されるなど、文学ファン以外にも広く知られるようになっている。

最初の短篇集のタイトルで示されているのは、「ここ」の「退屈」さ、すなわち地方の生活のつまらなさや閉塞感であり、作者自身、その地方というのは富山をモデルとしていることを繰り返し述べている。「地元・富山をディスった」[7]作品だ、というわけだ。確かに、「退屈」というのは何ともストレートな「ディス」りである。

しかし読んでみると分かるように、この短編集の内容は決して「退屈」なものではなく、それどころかヒリヒリするようなリアリティに満ちており、現代の若者に〝刺さる〟ものとなっている。「退屈」だからこそ持たざるを得ない、ここではないどこかへの期待と幻想。その期待が託された性的な体験や都会の生活との遭遇と幻滅。そして、幻滅してもなお現実を直視するだけではいられない不全感。それぞれの短編には、そうした問題が鮮やかに描かれている。[8]

たとえば、冒頭に配された「私たちがすごかった栄光の話」を見てみよう。本作は山内作品のベースとなる構図を分かりやすく見せてくれる短編である。

ローカル誌のライターをやっている「私」とカメラマンの須賀さんは、時期は違うが東京で一〇年過ごして地元にUターンしてきたという経歴をともに持っている。「地元に話できる奴いなくて、それで仕方なく東京行った」にもかかわらず戻って来た須賀さんは、「地方のダレた空気や、ヤンキーとファンシーが幅を利かす郊外文化を忌み嫌っていて、「俺の魂はいまも高円寺を彷徨っている」という」。他方で「私」は、地元に良い思い出がないわけではなく、高校の頃に椎名一樹という同級生とゲームセンターで遊んだときの「痺れるような楽しさ」を記憶していた。しかしその椎名と久しぶりに会ってみると、彼は「田

(7) 山内マリコ、二〇一七年

(8) 小谷瑛輔、二〇一七年

舎のおっちゃん特有の気の抜けたローカルな感じ」になっていて、「須賀さんに感じたような、同じ種類の人間という感じはまるでしない」。そのときのことを須賀さんに話し、「椎名とはもう会わないかな」と言いながら取材先のラーメン屋に入ると、そこには「頭を掻きむしりたくなる変なポエムが、所狭しと貼り付けられてい」る。店主と目が合ってしまった「私」は、思わず「素敵なポエムで溢れてますね！」とお世辞を言ってしまうが、気をよくした店主から「アンサーソング」をノートに書くよう求められ、須賀さんは目に入った「地元サイコー！／東京なんてクソ食らえ！」というポエムに対して「ここで楽しくやってたら最初からどこにも行ってねーよバーカ」などと、やるせない思いをノートにぶつける。

須賀さんや「私」の文化的な趣味を共有できる相手は地元にはいないのだが、彼らは東京にも居場所を見つけることができず、Uターンしている。彼らにとって東京が、かつて期待していたように幸福を与えてくれる場所でないことは既に結論が出てしまっている。にもかかわらず、地元の退屈さは、東京への憧れと幻想を否応なく再起動させてしまうのだ。

山内マリコの作品で扱われているこうした問題は、バブル崩壊後の低成長時代を生きる若者に〝刺さる〟。しかもそれは、地方都市在住者には限らない。

住む地域を問わず現代の若者に山内の小説が〝刺さる〟ということは、作者が富山に育ち、富山をモデルとして作品が構想されたことが意味を持たない、ということではない。むしろ富山がモデルとなっていることは、彼女の作品にとって決定的に重要であったと言うべきだろう。経済が優先され、繊細な感性や文化が顧みられないという問題は、高度経済成長期以来、日本全体のこととして繰り返し問題とされてきたことでもある。そしてその重視されてきた経済さえ停滞して久しい現在、果たして手元に何が残るのか、ということが現在の日本が直面している問題なのであるとすれば、富山の現実は、むしろそれを先取りし、どこよりも濃縮して体現するものともなり得る。何よりも「退屈」さこそが強度のある幻想を産み出し、また、その幻滅を痛切なものとするのだ。

須賀さんにとっての「心のベストテン永遠の第一位」となっている「ウータン・クラン」がそうであるように、耐え難い現実への不全感が産み出す幻想こそが、その人にとって最も尊い芸術を産み出す。実業優勢で「文学の芽が育たない」ような土地柄への不満は、そこではむしろ、見事に文学の肥やしにされていると言ってよい。そのように逆境を逆手にとっていくしたたかさこそ、文学や芸術の力なのである。

そもそも山内は、「退屈」と言ったからといって、富山に愛着がないわけではない。むしろその逆である。富山で活動を続け、富山をモデルとした作品を書き続けていることからも分かるように、彼女はその「退屈」さまで含めて、誰よりも富山に執着している作家と見るべきだろう。富山の中央通り商店街をモデルとして、若者たちが希望の持てる街作りに挑む「メガネと放蕩娘」（二〇一四～一六）は、その地元愛が最も直接的に表れた一作である。

富山への屈折した思いが文学に結実しているのは、山内マリコに限ったことではない。たとえば富山を否定的に捉えていたとされる源氏鶏太についても、同様のことが言える。還暦を過ぎて書かれた『わが文壇的自叙伝』（一九七五）で彼は、自身の作風である「ユウモア」とは反対の「泥くさい」ところが富山の県民性である、と規定しつつも、そのような富山性とは縁の遠そうな自分であっても「富山県人であるという宿命」を感じる、と述べている。それは、「ニヒリズム」であったり、「ドロドロした」「悪意」の小説の構想であったり、あるいは妖怪変化への関心であったりと、いずれも暗い何かであって、決して明るいものではない。しかし、自分が小説を書くことの根本はそこにあるのだ、と言って、彼は富山への執着を語るのである。

山内マリコの言う「退屈」さにせよ、源氏鶏太の言う「泥くさい」ところにせよ、明るくも楽しくもない、一見するとネガティヴに感じられるような部分までしっかり見据えてこそ、文学は郷土の問題を捉え得る。そしてそうした作品にこそ、郷土への愛は、確かに示されているのである。

〔参考文献〕
小谷瑛輔「〈子どもたちの時間〉の現代――山内マリコ論序説」『群峰』二〇一七年
小林輝治「「袖屏風」の成立過程―鏡花と「三州奇談」(一)―」『金沢大学語学・文学研究』一九八〇年
鈴木晃志郎「ダークツーリズムの視角からみた観光地富山の可能性」『人文知のカレイドスコープ』桂書房、二〇一八年
須田千里「猫町のはなし」『国語国文学会報(奈良女子大学国文学会)』一九九九年
松本清張『疑惑戦線』工作社、一九八二年
山内マリコ「地元・富山をディスった罪ほろぼしを」『週刊文春』二〇一七年一一月二三日
吉田精一「解説」泉鏡花『歌行燈・高野聖』新潮社、一九五〇年

立山黒部アルペンルートの過去、現在と未来

鈴木晃志郎

はじめに——立山黒部アルペンルートの概要

富山県と長野県の県境に跨る立山黒部アルペンルート（以下、アルペンルート）はその名が示す通り、北アルプス（飛騨山脈）北部を富山側（立山）から長野側（扇沢）まで東西に貫くルートである（図1）。三七・二kmを水平移動する間に二〇〇〇m近い高度差を上下降し、立山連峰の壮大な大自然と黒部川の電源開発に伴って建設された国内一の堤高を誇る黒部ダムをめぐるアルペンルートは、そのスケールの大きさからして、国内はもちろん世界でも有数の山岳観光地と呼んで差し支えないであろう。

一帯は一九五五年に特別天然記念物に指定されたライチョウの繁殖地であり、一九三四

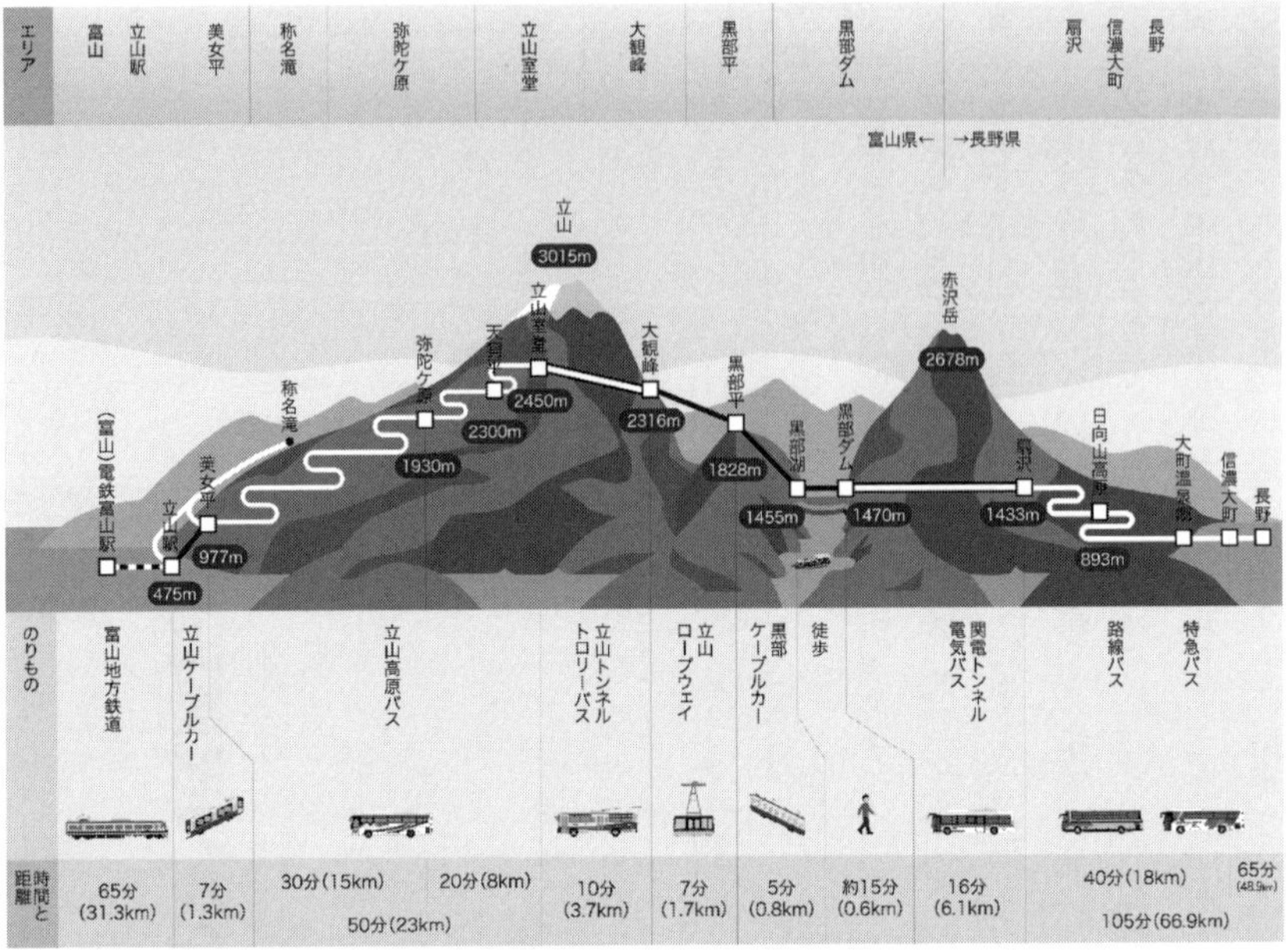

図1　アルペンルート行程図（提供：立山黒部貫光株式会社）

図3　観光放水中の黒部ダム（筆者撮影）

図2　室堂周辺の様子（筆者撮影）

年に指定された中部山岳国立公園の一部をなす。また立山連峰と後立山連峰を鋭く切り裂く黒部峡谷は清津峡（新潟）、大杉谷（三重）と並ぶ日本三大渓谷の一つに列せられ、トレッキングや山岳観光も盛んである。

アルペンルートは、大きく富山側と長野側に分けることができる。このうち長野側にはほとんど地上の開口部がなく、隧道《ずいどう》内を電気バスで走行するに過ぎない。対照的に、富山側は地上部を移動する交通手段がほとんどを占め、高原バスの終着点であり立山ハイキングや登山の出発点の一つでもある室堂《むろどう》（図2）を中心に、立山の雄大な自然景観を楽しむアトラクションが点在している。この両者の実質的な分水嶺となっているのが黒部ダムであろう（図3）。一九六三年に完成した総工費五一三億円、貯水量二億㎥、堤高一八六m、堤頂長（幅）四九二mを誇るアーチ式コンクリートダムである。ダムの右岸に設けられた取水口から、山中を延びる導水路を通じて高低差五四五m、約一〇㎞下流の黒部川第四発電所（発電量三三万五〇〇〇kW）まで水が送られている。しかし現在では、アルペンルートのクライマックスを飾る観光資源として、例年六月下旬〜一〇月中旬に観光客向けの放水（観光放水）も行われるようになっている。

1　アルペンルートの開発史と観光地としての特性

この壮大なアルペンルートはどのように成立したのだろうか。その開発史を紹介するにあたっては、これを体系的に整理した十代田・野崎（二〇〇〇）が参考になる。以下、この論考に沿ってアルペンルートの開発史を概観しよう。

アルペンルートの開発は、折からの工業化を背景にアルミ精錬のための電力開発の必要が高まったことから、黒部川流域に東洋アルミナム株式会社（のちの日本電力会社）を設立した一九一九年にまで遡ることができる。工場設立に伴って資材運搬用の鉄道の敷設が必要になり、この建設資金を捻出するために行われたのが、別会社として東洋アルミナムが設立した黒部鉄道の三日市（現・黒部駅）―桃原（現・宇奈月温泉）間の開通である。黒部鉄道は、最初から湯治客の鉄道利用によって鉄道の敷設・運用費を捻出する企図をもった会社であった（富山県公文書館二〇一四）。宇奈月温泉の開発も、同じ東洋アルミナムの子会社だった黒部温泉会社によって進められた。戦後の復興過程で、電源開発促進法や電源開発五カ年計画が次々と発表され、主要九電力会社が相次いで発足して国家的に電力開発が推進されると、これに呼応するように立山黒部有峰観光開発会社（一九六〇年）が設立されて観光開発が本格化した。同社は県の審議会の承認を経て設立された半官半民の会社である。同じころ、県が策定した第一次総合開発計画において、ケーブルカー（千寿ヶ原―美女平）と立山山岳道路（美女平―室堂）の新規計画が盛り込まれ、アルペンルートの交通網の整備計画も本格化した。一九五八年には長野側からも大町―黒部ダム間のトンネルが貫通し、国立公園内の建設許可要件が竣工後の一般供用であったことから、一九六四年にトロリーバス（現在は電気バス）の供用が始まった（図4、図5）。その後、富山側からも大観峰《だいかんぼう》と黒部平を経由した黒部ダムへのロープウェイとケーブルカーの整備が進み、現在のアルペンルートの形が整ったのは一九七一年、オイルショックによって日本の高度経済成長期が終焉を迎える直前のことであった。

図4　大町トンネルで運行されていたトロリーバス（2018年11月末に退役）

図5　トロリーバス内からみたバスツアーの様子

知られているように、高度成長は四大公害に代表される深刻な環境問題をもたらし、集団就職などを通じた大規模な若年労働力の吸い上げによって都市―地方間格差を拡大するなど、列島に大きな構造的歪みをもたらした（宮本二〇一〇、片瀬二〇一〇）。その一方、人々の環境保護・保全に対する意識を高めるとともに経済水準を格段に向上させ、レジャーやレクリエーションなどの余暇活動への関心と投資を促す大きな要因にもなった。アルペンルートには、戦後の日本が経験してきた高度成長の光と影が、高次元にバランスされた形で組み込まれている。

観光学的な観点からみると、アルペンルートは黒部ダムを挟んで大きく二種類の異なるツーリズムを体験させる観光地と要約できる。一つめのツーリズムは文化ツーリズムであり、扇沢から黒部ダムにかけては、高度成長期にかけて進められてきた壮大な黒部川の電源開発史を、巨大なダムや長大な隧道をめぐる過程で追体験させるヘリテッジ・ツーリズム（産業遺産観光）の一大拠点となっている。黒部ダムの建設予定地はあまりにも僻地であったため、当初人馬かヘリコプターしか建設資材の輸送手段がなく、建設作業は困難を極めた。この状況を打開するために開削されたのが、扇沢から黒部ダムに至る大町トンネル（現・関電トンネル）であった。バス通過の所要時間にしてわずか一六分、六・一㎞の区間を貫通するのに、一年半の歳月と一七一名もの犠牲者を出した。トンネルの中央部に青白く浮かび上がる破砕帯と、絶妙のタイミングで加えられるインタープリテーションは、ただのトンネルが解説ひとつでいかに違った見え方をするのかを雄弁に物語る教材といえるだろう。

二つめのツーリズムは自然ツーリズムであり、立山から黒部ダムにかけて広がる国立公園の雄大な自然景観をめぐる観光である。美しい景色に見惚れて見落としがちだが、ライチョウや高山植物を含む生態系は木道や木製階段、立入規制ロープによって保護され、入山者の移動手段は徒歩と公共交通に制限されている。これらを通じて来訪者の自然保護意識を涵養し、大規模観光地でありながらオーバーユースを可能な限り防ぐ仕掛けが施されているのだ。自然ツーリズムの観点からみたアルペンルートは、県内有数の観光客を抱えながら、保全と適正利用を極めて高い次元で融合させた観光地といえるだろう。

(1) 時間の計測は、「立山黒部アルペンルート」ウェブサイトに設置されているタイムスケジュール機能を用い、朝七時二〇分に立山駅を出て、どこにも立ち寄らずに扇沢駅まで移動した場合の到着時刻を算出している(扇沢着は一一時二一分)。

2 データにみる観光地としての現状

富山県(観光・交通振興局)が毎年公表している観光入込客数のデータによると、アルペンルートの観光入込客数は例年おおむね九五万人程度で、県内の主要観光施設別の入込客数ランキングでは五位にとどまる。このデータだけみると、近年の駅北の再開発や、隣接地への県立美術館の移転新築に伴って飛躍的に入込客数を伸ばしている環水公園などに比べ、アルペンルートの集客力はそれほど目立つものではない(図6)。立山黒部アルペンルートについて語る際には、この数字がいかに特別な数字であるかを説明しなくてはならない。

まず注意すべきなのは、徒歩で入山する登山客を除き、アルペンルートは事実上富山側(立山—室堂)からも長野側(扇沢—室堂)からもバスやロープウェイ、ケーブルカーを乗り継いで入山する以外の選択肢がなく、人の出入りが立山駅と扇沢駅の二か所にほぼ限定されていることである(図1)。このことは、入込客数の推計が極めて容易かつ正確になる

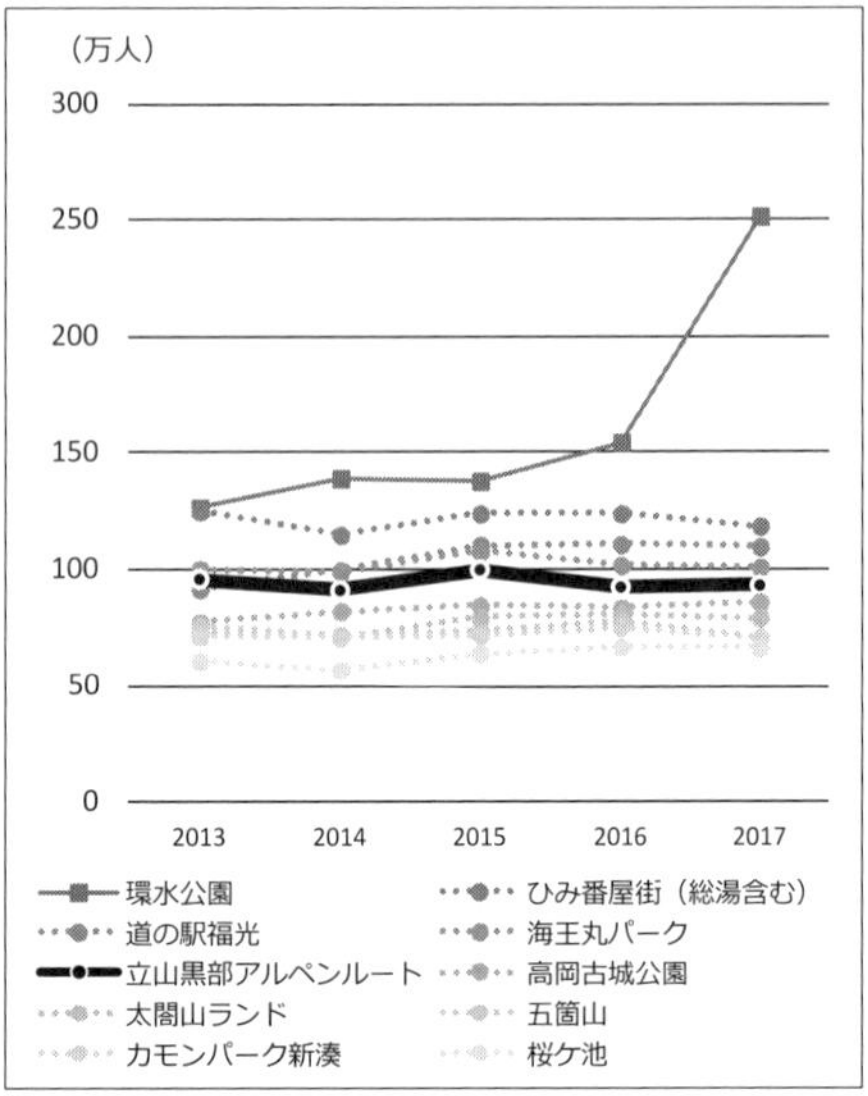

図6　入込客数推移（富山県観光入込数等のデータに基づき筆者作成）

ことを意味する。また、立山から扇沢に抜けるまでの運賃は八二九〇円（小児四一五〇円）であり、立山から扇沢に抜けるだけでも、およそ四時間（半日）かかる。[1]ゆえに、アルペンルートは少なくとも一万円程度の予算に加えて、半日から一日の時間をかけなければ周遊できない観光地なのである。二〇一五年に北陸新幹線が開業した現在、富山―長野間の所要時間は一時間（約七五〇〇円）に過ぎない。この状況下でアルペンルートを敢えて通過するのは、事実上観光目的の入込客に限られる。

これに対し、トップ一〇に名を連ねる他の観光地のほとんどは、マイカーを利用して誰もが無償で訪問できる。こうした観光地で入込客数を集計ないし推計する際に、日常的な利用者と観光客を識別することは物理的にほとんど不可能である。畢竟、それらの観光地の入込客数は、単なる通過交通や休憩利用、観光目的ではない日常的な利用者などを相当程度含んだ推計値にならざるを得ない。自治体が公表している入込客数のデータの多くは、駐車場の駐車台数に乗員の係数を乗じた値か、主催者発表や報道等に基づいたデータであり、データの性質上その不確定性が高いことは知っておいて良いであろう。これは官公庁や自治体によって公表される統計データの中で、観光統計がもつ特有の性格である。ゆえに、アルペンルートとそれ以外の入込客数は、そもそものデータの性質が全く異なることを指摘しておかなくてはならない。

次に指摘しなければならないのは、アルペンルートの来訪者には強い季節性と社会的特性があることである。雄山《おやま》（三〇〇三m）、大汝山《おおなんじやま》（三〇一五m）、富士ノ折立（二九九九m）の三山を擁するアルペンルートは、例年一二月から四月上旬までの冬季五か月間にわたって雪に閉ざされ、すべての公共交通機関の営業は休止される。ゆえにアルペンルートの入込客数は、事実上他の観光地のおよそ半分の営業期間で得られた値なのである。また、一三万八〇〇〇人を数える台湾人旅行者をはじめ、東南アジアから二六万六〇〇〇人（入込客数全体の二七・一％）もの訪日外国人を集客する、世界的な観光地である点も特筆するべきであろう（立山黒部貫光株式会社二〇一八）。このように考えると、アルペンルートの計上する年間九五万人という値が富山の観光を考える上でいかに突出したものかは、容易に理解されよう。

3　「黒部ルート」がもたらすアルペンルートの変容

本章の冒頭で述べたように、アルペンルートは富山県側の立山駅から室堂を経由して黒部ダムから長野県側に抜け扇沢へと至る、東西三七・二㎞の山岳観光路である。しかしながらその開発史を紐解くと、アルペンルートはむしろ関西電力の電源開発事業に伴ってルート北方の黒部から黒部川に沿って開発が進められてきた経緯がある。昨今、この南北ルートが新たな脚光を浴びつつあることを紹介して、稿を閉じたい。

一般開放され観光地化されたアルペンルートとは対照的に、黒部峡谷を縦断するこのルートが脚光を浴びることは多くない。黒部ダムの谷底を北側へ降り、黒部川に沿って峡谷を欅平駅まで延びる登山道を利用すれば、黒部へ抜けることも可能である。このルートのうち黒部ダムから下流の仙人谷ダムまでの区間を日電歩道（一六・六km）と呼び、仙人谷から黒部峡谷鉄道の終着駅である欅平に至る区間を水平歩道（一三km）と呼ぶ。水平歩道は、先述した東洋アルミナムが黒部川水系に水力発電用のダムを建設するため、水利権を獲得して一九二〇年に開削した調査用の歩道である。一九二二年、同社は日本電力に吸収され、以降の黒部川水系の電源開発は日本電力が担った。日電歩道はその日本電力が、黒部川水系の電源開発に向けた予備調査のため一九二五年から四年の歳月をかけて開削した歩道である（高桑二〇〇三）。

これらの歩道は、黒部峡谷の断崖をコの字状にくり抜いて作業用の通路とすることによって、アップダウンの極めて少ない水平路を確保している。しかしながら、道幅は七〇cm程度ですれ違うことも困難な上、命綱として番線（太いワイヤー）が貼られているだけで転落防止の柵もなく、「黒部に怪我なし」（転落すれば怪我どころでは済まないという意味）と称されるほど転落の危険が多い上級者向けの登山道である。通過には一泊二日を要するこのルートは、およそ一般観光客向けのルートとは言い難いものがあった。

ところで、このルートに関西電力関係者が保守管理のために利用している別ルートがあることは、以前から知られていた。黒部ダムや黒部川第四発電所の作業員に物資を供給するため関西電力が整備した「黒部ルート」である（図7）。欅平から山中を穿って敷設された下部軌道（図8：五〇〇m）―竪坑エレベータ（二〇〇m）―上部専用軌道（六・五km）―インクライン（八一五m）トンネル内専用バス（一〇・三km）を乗り継いで黒部ダムへと至る関電関係者専用の交通網であった。一九九六年、富山県の求めに応じ、「黒部ルート見学会」の名目で、関西電力は公募による無償のツアーの実施を始めた（年間二〇〇〇人）。

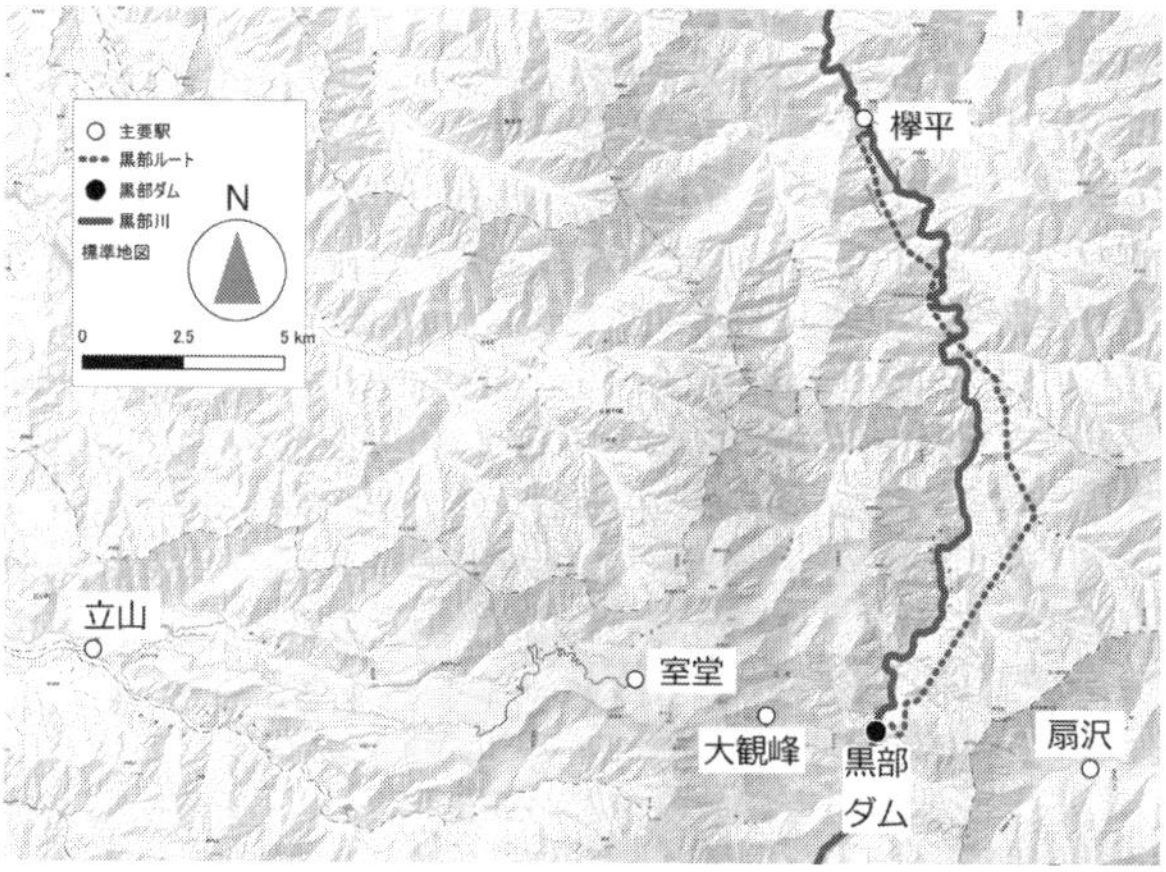

図7　黒部ルートとアルペンルートの位置関係（標準地図を基図に筆者作成）

図8　黒部ルート内の下部軌道を見学する人々（提供：田中義人氏）

二〇一八年一〇月一七日、富山県と関西電力は協議の末、『黒部ルートの一般開放・旅行商品化に関する協定』を締結し、二〇二四年から黒部ルートの一般開放を実施することを発表した。この決定によって、年間およそ一万人が黒部ルートを利用できるようになるとされ、事業規模は現行のおよそ五倍に達する（山中二〇一九）。

扇沢から黒部ダムまでの行程がそうであるように、黒部ルートもまた開口部がほとんどない。黒部ルートには破砕帯こそないものの、途中に高熱隧道と呼ばれる高熱地帯があり、黒部ルートで耐熱加工された蓄電池駆動の専用列車が運用されているのもこうした理由による。もともと、保守管理目的で作られた黒部ルートに、視覚的なアトラクションは決して多くなく、そのぶんガイドの提供するインタープリテーションの役割が大きくなることは疑いようがない。貫通工事の困難さや交通システムの解説も重要ではあるが、厳しい自然条件に抗いながら電力開発を進めた陽の歴史のみならず、その過程で生じた事故や労働搾取など、影の側面にも目を向けたインタープリテーションを構築することによって、黒部川の電源開発に対するより深い理解をもたらすことができるようになるならば、黒部ルートは立山観光に新たな可能性をもたらす契機となりえるだろう。

アルペンルートが、自然保護と適正利用をバランスさせた富山側の自然ツーリズムと、長野側には破砕帯を含むトンネルや黒部ダムの偉容をめぐる長野側の文化ツーリズムに大別できることは述べた。黒部ルートの一般開放は、長野側でしか体験できなかった産業遺産観光（ヘリテッジ・ツーリズム）を体験できる、南北方向の新たな迂回路の出現を意味する。これまでのように東西に縦走するだけのアルペンルートに、規模こそ限られているとはいえ富山—黒部あるいは扇沢—黒部の選択肢が生まれることは、少なからず観光行動にも影響を及ぼすであろう。その可能性を踏まえた、新たなアルペンルート像を構築することが求められている。

〔追記〕
なお、本稿執筆後、黒部ルートの名称が富山県により公募され、二〇二二年九月二七日付で七〇〇〇件以上の応募のなかから「黒部宇奈月キャニオンルート」に決まったことが発表されている。

〔参考文献〕

片瀬一男「集団就職者の高度経済成長」『人間情報学研究』15：一一―二八頁、二〇一〇年
十代田朗・野崎哲矢「観光地としての立山黒部アルペンルートの形成過程と富山県側での論議」『ランドスケープ研究』63（5）：七四三―七四八頁、二〇〇〇年
高桑信一「カラーグラフ 道――その光芒（9）黒部・日電歩道――黒部川に沿って拓かれた苦闘の歴史を綴る山径」『岳人』668：七二―八一頁、二〇〇三年
立山黒部貫光株式会社「平成30年度立山黒部アルペンルート営業概況について」、二〇一八年
https://tkk.alpen-route.co.jp/wp/wp-content/themes/tkk002/pdf/ir-h301201.pdf（最終アクセス二〇一九年八月五日閲覧）
富山県公文書館『とやま鉄道物語』富山県、二〇一四年
山中正義「黒部ルート 観光開放へ トンネルで急病 大丈夫？」北日本新聞二〇一九年六月一五日
宮本憲一「日本公害史論序説」『彦根論叢』382：一―二六頁、二〇一〇年

column

ツェルマットに学ぶ街づくり「宇奈月温泉」

——上坂博亨

スイス南部、マッターホルンのふもとにＥＶ（電気自動車）一〇〇％の街「ツェルマット」がある。美しい景色や清涼な空気、雄大なマッターホルンの眺めや登山など、年間を通して観光客で賑わっている。その観光客や住民に交じって、電気タクシー（写真１）や電気トラック、また街中を循環する電気バスなどが頻繁に行きかっている。この街にＥＶが初めて導入されたのは一九四七年。一九六一年には住民投票によってガソリン車の街内への侵入を禁止した。その後ＥＶは街内の自動車工場（スティンボ社）によって製造され、街内で使用されるＥＶのほとんどを供給している。ＥＶの価格は日本円で七〇〇万円に近いほど。これは物価の高いスイスにあっても安い値段ではない。しかし住民はこのＥＶを購入して利用する。住民はＥＶを利用することに誇りを持っており、そのお陰で排気ガスの無い清浄な環境を保っていることにも自信をもっている。

写真１　ツェルマット駅前で見られる電気自動車

電源開発で発展した宇奈月温泉

富山県の東部、黒部ダムで有名な黒部川の中腹に、宿数約一〇軒の宇奈月温泉がある。日本の二大高温熱源と言われる立山山系から湧き出すお湯は約九八度。泉源のある黒薙《くろなぎ》温泉から約七㎞を引湯管で誘導し温泉街に供給されている。日本でも有数の急流河川である黒部川は切り立った峡谷を流れ、その壮大な落差を用いて歴史的に水力発電所が開発されてきた。黒部ダムに続いて有名なのが、黒部第三発電所の開発を描いた吉村昭の小説「高熱隧道《ずいどう》」であろう。あまりにも岩盤の温度が高く、トンネル掘削用のダイナマイトが自然発火してしまうほどの難工事であったことが記されている。そしてここに登場する温泉がまさに宇奈月温泉である。開湯九〇周年を迎えたばかりの宇奈月温泉は、今、再生可能エネルギーを取り入れた持続可能なエコリゾートとして新しい街づくりを進めている。

低速電気バス「エミュー（EMU）」の導入

宇奈月温泉での地域づくりの核となる取り組みがEVの導入である。その目的は二つある。一つ目はもちろんEVによる誘客である。重要な二つ目の目的は住民や観光客がEVに慣れ親しみ、EVに対する理解を深めることである。

写真2　宇奈月温泉街を走る電気バスEMU

群馬大学、富山国際大学などがメンバーとなって構想し、科学技術振興機構社会技術研究開発センターの補助を受けて開発した低速電気バスが二〇一二年八月に導入された（写真2）。このバスは観光地や中心市街地を最高速度時速二〇kmの超低速で移動する電気自動車で、スローモビリティー空間創出の核として期待されている。宇奈月温泉ではこの電気バスは「エミュー」の愛称で親しまれており、温泉街の名物自動車として年間二万人近い温泉客をはこんでいる。いずれの乗客からも「静かである」「排気ガスを出さない事がうれしい」「気持ちがいい」などの感想を頂いており評価は上々である。

写真3　電気バスに電力を供給する小水力発電所

小水力発電による電力自給、そして持続型地域づくり

　宇奈月温泉の豊富な水資源を活用した水力発電の実験事業が二〇一二年一二月から開始され、二〇一四年六月に宇奈月谷小水力発電所「でんきウォー太郎一号」が完成した（写真3）。温泉街に隣接する「宇奈月公民館」の裏山に防火用水の水源があり、約一五mの斜面を勢いよく流下していた。このエネルギーを有効に活用して発電し、それを電気バス「エミュー」に供給するのが目的である。現在、宇奈月温泉には三台のエミューが運行されており、そのうちの一台はこの小水力発電によって電力を賄っている。宇奈月温泉では今後も第二、第三の小水力発電所を建設して、やがて温泉街のＥＶの電力をすべて自給する計画である。

　宇奈月温泉の周辺の山林には豊富な木質バイオマス資源がある。春先の宇奈月ダムには冬の間に雪で倒れた黒部川の流木が大量に流れつく。この資源を生かしてバイオマスボイラーを使った熱供給の実験もスタートした。宇奈月の温水を温泉として活用するばかりでなく、冬場の駐車場の融雪に利用する仕組みも稼働中である。さらに、温泉熱を利用した新しい農業への挑戦も始まった。ツェルマットにおける「自信が持てる自立型地域づくり」の精神に学び、地域資源を活用した電気、交通、空調、農業など、宇奈月温泉での低炭素な持続型地域づくりへの挑戦はこれからも続く。

〔参考ホームページ〕
（一社）でんき宇奈月：http://denki-unazuki.net/
低速電気バスe-COM8（(株)シンクトゥギャザー）：https://www.ttcom.jp/products/already/ecom-8/

新幹線からトロリーバスまで
——交通の宝庫・富山——

中川　大

1　富山県のさまざまな交通システム

富山県は「鉄道王国」と呼ばれることもある。鉄道を運営している会社が三社あり、軌道を運営している会社も二社ある。二〇二〇年三月に、富山駅の北を走っている「富山ライトレール」と、南を走っている「富山地方鉄道市内軌道線」が富山駅の構内でつながって合併されたため二社となったが、それまでは全国に約二〇[1]しかない軌道会社のうちの三つが富山県にあった（写真1）。

また、それらに加えて「黒部峡谷鉄道」というトロッコ列車とも呼ばれる鉄道もある。小さな車両でレールの幅も狭い鉄道だが、観光だけではなくダムの維持管理や、治山・治

（1）　軌道には様々な定義があるため厳密には数を確定することは難しい。国交省のＨＰに記載されている鉄軌道事業者一覧www.mlit.go.jp/common/001137390.pdf（平成三一年四月一日現在）では、軌道事業者として二三の事業者名があがっているが、そのなかには、法律的には軌道に分類されるものの、実際には鉄道であると言えるものや、「富山市」のように軌道を保有しているが電車を走らせていない事業者も含まれているため、一般的には「路面電車事業者」は約二〇であると言われている。

水事業のための人員や機械の運搬にも役立っている。さらに立山黒部アルペンルートには「無軌条電車」と呼ばれる交通システムがある。無軌条電車は「トロリーバス」と呼ばれるシステムで、日本ではこの一か所だけである。トロリーバスは路面電車のようにパンタグラフを持っていて電線から電気をとりながら走るバスで、海外では少なくない。日本でも以前はいくつかの路線でみられたが、現在は立山黒部アルペンルートの室堂駅と大観峰駅の間を走るこの路線のみである。名前には「バス」が付いており、パンタグラフ以外は外見上もバスとそっくりであるが、日本の法律では鉄道の一種である。部品の調達も難しくなってきていることもあって、電気バスなどに変更することも検討されているようであるので、早めに体験しておくとよいだろう。

さて、ここまで鉄道と軌道について述べてきたので、その両者の違いについて簡単に触れておこう。法律上の定義で言えば、「鉄道事業法」と呼ばれる法律によって定められている交通システムが「鉄道」であり、「軌道法」と呼ばれる法律によって定められている交通システムが「軌道」である。ごくわかりやすく言えば、鉄道は専用の敷地内で走るものであるのに対して、軌道は道路上を走るいわゆる路面電車のことである。両者は制度が異なるため様々な面で違いがあるが、海外では路面電車が鉄道線路内に乗り入れて、高速特急と同じ線路を走っている例もあるので、両者を厳密に分けて考えるのはかえってよくないが、興味があれば両者の違いについて調べてみるとよいだろう。

さて、話を富山県のことに戻そう。トロッコ列車やトロリーバスも走っている富山県だが、他の多くの都道府県にあるにもかかわらず富山県になかったのは「新幹線」であった。ずいぶん前から計画はあったものの財源がないということでなかなか実現しなかったが、

写真1　富山駅前広場　ライトレール

二〇一五年に北陸新幹線の長野・金沢間が開業し、富山県内の区間はすべて開業した。新幹線を作るためには国が「整備計画」と呼ばれる計画を策定することが前提となるが、北陸新幹線の整備計画が作成されたのは一九七三年、それからなんと四〇年以上もかかってようやく開通したものである。しかしながら北陸新幹線は開通が遅かった分むしろ他の新幹線ではできてこなかったことで実現できたこともあった。それについては後にも述べるが、北陸新幹線は富山県には大変重要な交通システムとして大きな効果を発揮している。

また、富山県にはそれ以外にもまだ交通システムがある。ロープウェイとケーブルカー、さらに遊覧船や渡し舟もある。ロープウェイは法律上では普通索道と呼ばれ、ケーブルカーは鋼索鉄道と呼ばれている。いずれも立山黒部アルペンルートにあるが、それらも鉄軌道の仲間である。これらに加えて、もちろん、路線バスやコミュニティバスも走っている。観光用の路線や住民が自主的に走らせている日常生活のための路線など様々なバスが走っているが、バスについての詳しい説明は省略することにする。

最後にもう一つ加えておくと、全国的にも珍しくなってきた渡し舟も運行されている。射水市の新湊地区で港を渡るために運行されているもので、「富山県営渡船」と名付けられて誰でも無料で乗ることができる（写真2）。

富山県ではこのように様々な交通システムが運行されているが、これだけ揃っているところはほかにはなく、まさに「交通の宝庫」と言うことができる。しかも、そのほとんどは富山駅から一～二時間で行けるところにある。現地に行って体験してみるのが一番よいだろう。

写真2　富山県営渡船

2　富山県は地方における公共交通の先進地域

日本では鉄道やバスなどの公共交通は、首都圏や京阪神圏などの大都市圏では利便性も高く利用者数も増加してきたが、地方では多くの場合、利便性が低く利用者数も減少を続けてきた。富山県も「大人の数より自動車の数の方が多い」と言われるほど自動車利用が進んでいて、まさに自動車社会が形成されてきた。そのため自動車が一般に普及し始めた一九七〇年代以降、公共交通の利用者数は長い間減少を続けてきた。

しかしながら、自動車の普及率や運転免許の保有率の増加が頭打ちとなってきたことに加えて、自治体などが様々な努力を行ってきたこともあって富山県では公共交通の利用者数が近年上昇を続けている。地方においてはまだ多くの地域で減少が続いていると言われているが、富山県では図1に示すように、コロナの影響を除けば鉄道も軌道もバスも増加してきた。長期にわたって続いてきた減少が十数年前頃には下げ止まって近年は上昇し、平成一五年（二〇〇三年）よりも多いところまで回復している。

では、その要因を考えてみよう。まずは、県や各市町村が積極的に公共交通を応援してきたことがあげられる。

日本では鉄道やバスは交通事業者の営利事業であるという見方が長い間続

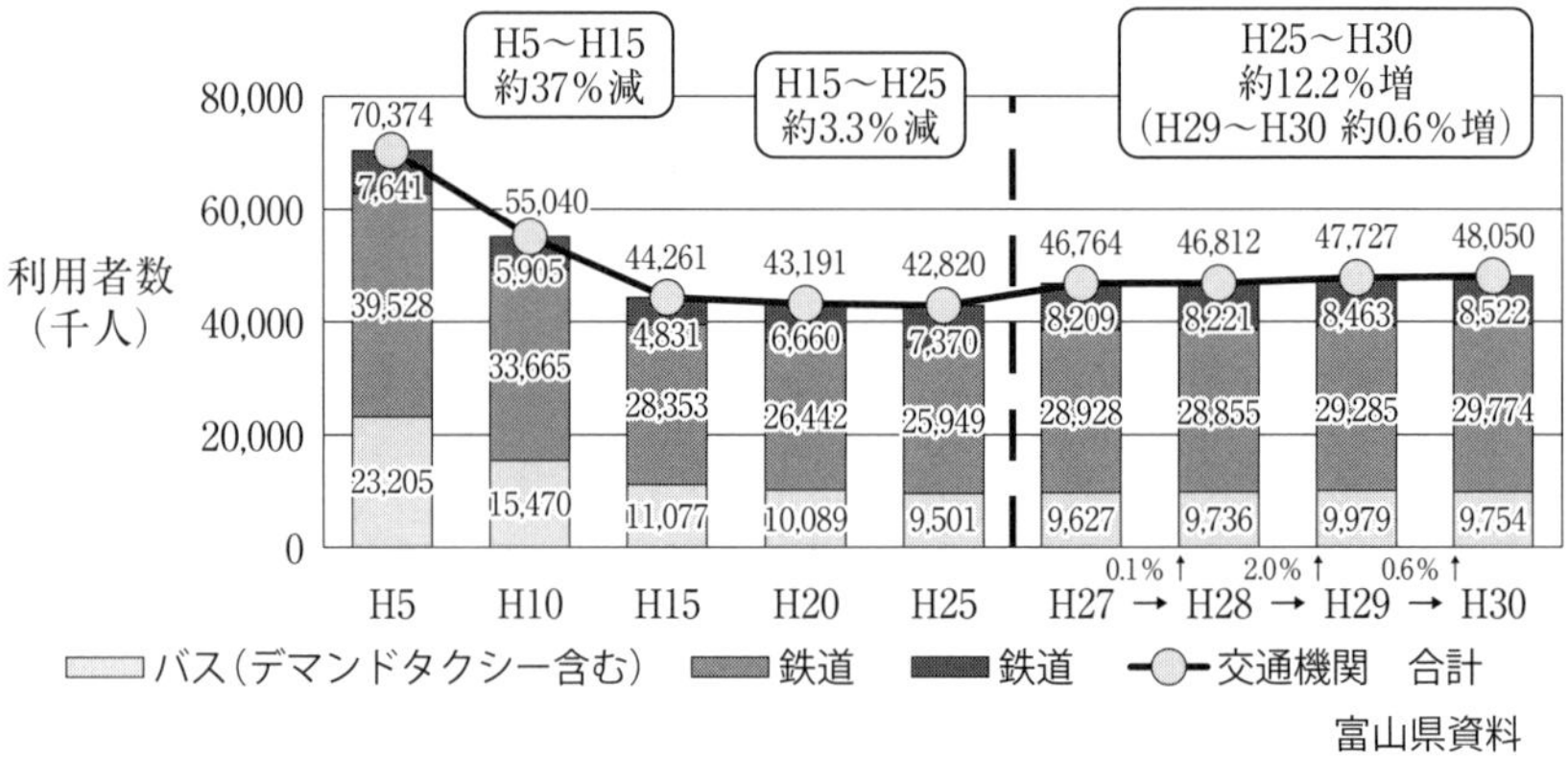

図1　富山県利用者数（富山県の公共交通利用者数は上昇基調、富山県資料）

いてきたため、自治体などの公的な財源が公共交通のために使われることはほとんどなく、むしろ禁止されてきたと言えるほどの状況であった。今でもそういった考え方も少なからず残っているが、海外では全く違っている。ほとんどの国では、国や自治体が公的な財源を使って運営したり補助したりしている。道路や水道などと同様に市民にとってはなくてはならないものであるので、運賃収入だけでは成立しない路線も含めて公的な政策として利便性を保っており、その結果、利用者数が増えている国や都市が多い。事業者の営利事業としての公共交通ではなく、住民や利用者のための公共交通であるという考え方である。

このような状況のなかで、日本でも少しずつ公共交通に対する公共的な政策が進み始めているが、特に富山県では県も各市町村もそれぞれ積極的な公共交通促進策を展開してきた。そのことによって次章に述べるように様々な成果が生まれている。

3　新幹線駅への優れたアクセス環境

県や各市町村が努力してきたことによって生み出された成果としては、まず、富山県の新幹線駅にはすべて既存の線路の駅が設置されていることがあげられる。

新幹線駅に在来線の駅が併設されているのは当たり前と思う人もいるかもしれないが、東北新幹線や上越新幹線には鉄道駅が併設されていない駅も多い。東海道新幹線や山陽新幹線にもある。また、新幹線と従来の鉄道が交差しているにもかかわらず、新幹線にも従来鉄道にも駅が作られていない箇所もある。このように新幹線駅に従来鉄道の駅が併設さ

表1　新幹線駅から各自治体までの公共交通による所要時間

	新幹線駅	公共交通アクセス	所要時間	中心駅
朝日町	黒部宇奈月温泉	あさひまちバスエクスプレス	17分	泊駅
入善町	黒部宇奈月温泉	入善新幹線ライナー	16分	入善駅
黒部市	黒部宇奈月温泉	富山地方鉄道	6分	東三日市駅
魚津市	黒部宇奈月温泉	富山地方鉄道	16分	魚津駅 新魚津駅
滑川市	富山	あいの風とやま鉄道	16分	滑川駅
立山町	富山	富山地方鉄道	26分	五百石駅
上市町	富山	富山地方鉄道	26分	上市駅
舟橋村	富山	富山地方鉄道	16分	越中舟橋駅
富山市	富山	-	0分	富山駅
射水市	富山	あいの風とやま鉄道	10分	小杉駅
氷見市	新高岡	氷見線・城端線	38分	氷見駅
高岡市	新高岡	城端線	3分	高岡駅
小矢部市	新高岡	あいの風とやま鉄道・城端線	22分	石動駅
砺波市	新高岡	城端線	18分	砺波駅
南砺市	新高岡	城端線	28分	福野駅
			平均17.2分	

中心駅：庁舎の最寄り鉄道駅

	新幹線駅	公共交通アクセス	所要時間	中心駅
千代田区	東京	丸の内線	5分	霞が関駅
新宿区	東京	中央線	13分	新宿駅
豊島区	東京	丸の内線	16分	池袋駅
渋谷区	東京	銀座線・丸の内線	17分	渋谷駅
中野区	東京	中央線	19分	中野駅
板橋区	東京	埼京線・丸の内線	23分	板橋駅
杉並区	東京	中央線	24分	荻窪駅
世田谷区	東京	小田急線・丸の内線	26分	下北沢駅
武蔵野市	東京	中央線	26分	吉祥寺駅
三鷹市	東京	中央線	27分	三鷹駅
小金井市	東京	中央線	36分	武蔵小金井駅
国立市	東京	中央線	40分	国立駅
立川市	東京	中央線	40分	立川駅
府中市	東京	京王線・中央線	42分	府中駅
八王子市	新横浜	横浜線	39分	八王子駅
昭島市	東京	青梅線・中央線	50分	昭島駅
青梅市	東京	青梅線・中央線	1時間11分	青梅駅
奥多摩町	東京	青梅線・中央線	1時間47分	奥多摩駅

東京都で富山県平均の17.2分より短いのは都心近くの区のみ。市町ではゼロ。一番短い武蔵野市で26分。（表の区・市町は抜粋）

れていることは当然のことではない。その一つの原因としては、新幹線駅は国の財源で作られるが、従来鉄道の駅は地元で作らなければいけないということがあげられる。つまり地元が公共交通に対してしっかり取り組んでいるところには駅が作られるが、そうでない場合には駅は作られず、せっかく新幹線ができても乗り換えられないということになる。

富山県の場合は、富山駅は従来の北陸本線富山駅に新幹線駅が作られたが、黒部宇奈月温泉駅と新高岡駅はそれぞれ新幹線と交差している鉄道には駅が無かったため、黒部市や高岡市など地元の自治体が経費を負担することで駅が設置された。このように地元の努力によって、富山県内の三つの新幹線駅は鉄道と乗り換えられるようになっている。

また、駅の設置に加えて新幹線駅へのアクセス交通も充実させてきた。例えば、朝日町・入善町・魚津市は新幹線駅に向けてそれぞれ特別なバス・タクシーを走らせている。電話やネットであらかじめ予約する必要があるものもあるが、新幹線の時刻に合わせて運行されているので便利に使うことができる。各市町村がこのような工夫を行ってきた結果、各市町村の中心駅（市町村庁舎の最寄り駅）から新幹線駅までの鉄道・バスでのアクセス時間は表1に示すように平均一七・二分という、東京や大阪でも達成できていない利便性を確立している。一七・二分は、東京では渋谷や池袋と同程度のアクセス時間である。

4　日常生活のための利便性向上も

一方、各市町村においては、路線バスやコミュニティバスに加えて、住民が主体となっ

写真3　あいの風とやま鉄道の運行情報システム（無人駅を含む全駅に設置。遅れの情報もリアルタイム表示）

て走らせている自主運行バスなどが運行されており、買い物や通院の足となっている。

また、JR高山線や城端線では地元が運行経費を補助することによって増便が行われている。民間企業であるJRを公的な財源で支援するのはおかしいという論理で、このような施策は日本ではほとんど行われていないが、これらの路線では住民のための利便性を高めるためということで行われており、それに伴って利用者も増加している。

また、新幹線の並行在来線ということでJRから分離されて、富山県が中心となって新しく設立された第三セクターの「あいの風とやま鉄道」も、経営分離以降、年々運行本数を増やし、利用者数も増えている。

あいの風とやま鉄道では、写真3に示すように全ての駅に列車の運行状況を知らせるディスプレイが設置されており、遅れの状況を駅でも知ることができるし、ネットでも知ることができる。こういった情報提供システムは世界的には多くの国で普及しているにもかかわらず、日本では大都市圏の一部の路線でようやく導入され始めている段階である。そうしたなか、あいの風とやま鉄道は地方においては他に先駆けて導入した。

さらに、各自治体が駅の待合室の改修や冷暖房設備も導入して駅環境も大幅に改善されている。自治体と交通事業者が協力して公共交通を再生させていく試みが奏功していると言える。

一方、バスに対してはネットなどで運行情報を発信するために、バスの経路や時刻などをデータベース化するものとして国交省が定めている「標準的なバス情報フォーマット」GTFS（General Transit Feed Specification）によるデータを、他県に先駆けてコミュニティバスを含めた県内のすべてのバス路線について整備した。

二〇一九年一一月からは、それに加えてバスの運行位置をリアルタイムで知ることができる　バスロケーションシステムを全てのバス路線で設置、これも日本では初めてである。

さらに、都市政策との関係も重要である。他の章でも述べられているように富山市は、コンパクトシティ政策を実施していることでも有名である。自動車の普及に伴って低密度に広がった都市をあらためて適度な密度のコンパクトな構造に戻すため、公共交通を軸とした都市づくりを行うもので、世界的にも多くの都市が目指す方向となっているが、日本では富山市が最もしっかりと取り組んでいると言われている。富山市は、富山ライトレールという新しい交通システムを導入したり、中心市街地に賑わいが戻るような施策を実施したりしてコンパクトシティ政策を進めており、それに伴って公共交通の利用者数も年々増加している。また、富山駅の南北で分かれていた二つの路面電車を富山駅の構内で接続する事業も二〇二〇年三月に完成し、公共交通を軸としたまちづくりがさらに進展した。

富山市だけではなく、県全体もコンパクトであり、他の自治体もそれぞれコンパクトな

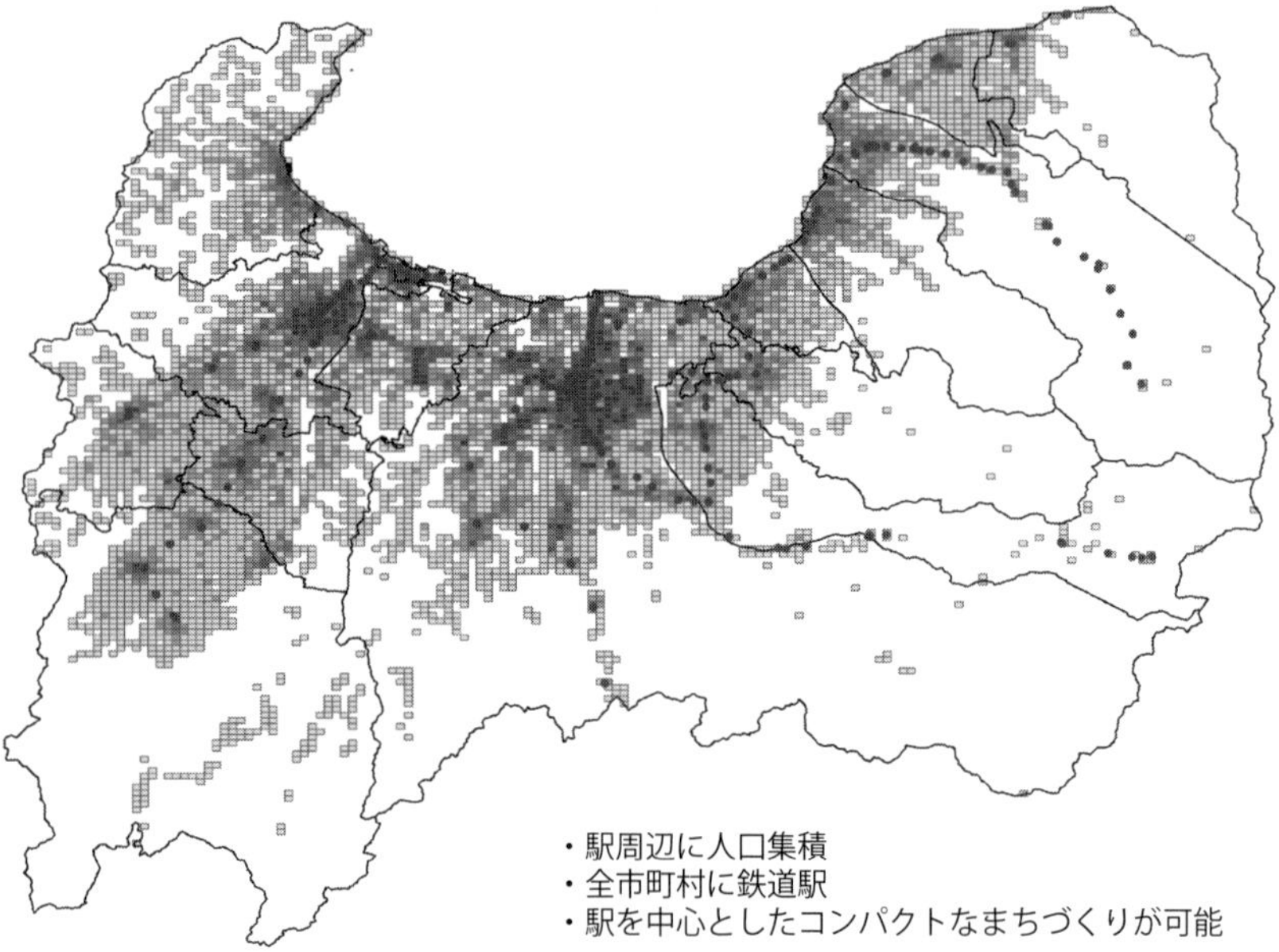
・駅周辺に人口集積
・全市町村に鉄道駅
・駅を中心としたコンパクトなまちづくりが可能

図2　富山県の人口分布と鉄道駅の位置

構造となっている。図2は、鉄道駅の分布と人口の分布を描いたものであるが、駅の周辺に人口がしっかりと分布していることがわかる。

5　公共交通事業者の連携

近年、交通関係ではMaaS（マース・Mobility as a Service）と呼ばれる考え方が注目されるようになってきた。MaaSは、国土交通省によれば、出発地から目的地までの移動ニーズに対して最適な移動手段をシームレスに一つのアプリで提供するなど、移動を単なる手段としてではなく、利用者にとっての一元的なサービスとして捉える概念であると説明されている。

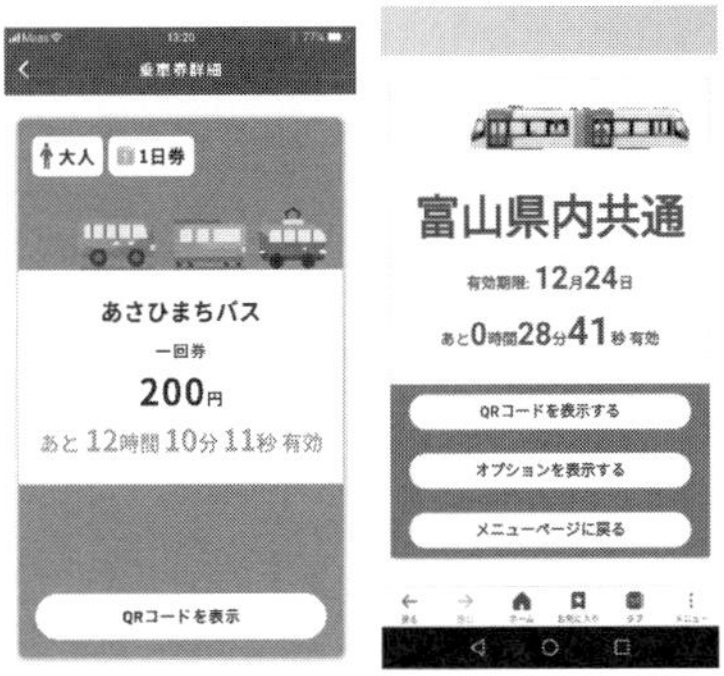

写真4　富山県内共通券（e-ticket）の実証実験例（富山大学CaMaaSのe-ticketのデザイン）

欧州の多くの都市では都市内の鉄道やバスは同じ運賃体系で運行されているが、日本では事業者ごとに運賃体系が異なっているため、乗り換えるたびに運賃を支払わなければいけない。MaaSはそれらを統合して同一の運賃体系のもとで、スマートフォンのアプリ画面を見せれば乗車できるようにするものであるが、日本ではそもそもの運賃体系がばらばらであるためそれに近づくことは難しいのが現状である。

そのような状況のなかで、富山県では各自治体と交通事業者が共同で「ノーマイカーデイ」を実施するなど、連携したプロジェクトを実施してきたという実績がある。また、それを発展させて、富山大学で二〇一九年一一月に開催された土木学会・土木計画学研究発表会という会議において、富山県内のすべての公共交通に乗車できる切符がスマートフォンによるe-ticketを表示する方式で実現された。この時は学会参加者限定の実証実験であったが、県内のすべての事業者に共通して乗車できるチケットの発行は全国で初めてであった（写真4）。

このように富山県では、行政、交通事業者、大学等が連携して全国的にみても先進的で面白い施策が展開されている。

〔参考〕富山県の鉄軌道事業者（二〇一九年一二月末）
www.mlit.go.jp/common/001137390.pdf
普通電車　富山地方鉄道、あいの風とやま鉄道、西日本旅客鉄道、黒部峡谷鉄道、富山ライトレール
軌道事業者　富山地方鉄道、万葉線、富山ライトレール、富山市
鋼索鉄道　立山黒部アルペンルート（ケーブルカー）二か所
普通索道　立山黒部アルペンルートのロープウェイ
無軌条電車　立山黒部アルペンルートのトロリーバス

春の富山地方鉄道

column

「イタイイタイ病」の現在《いま》を知る

雨宮洋美

「イタイイタイ病」（以下イ病）は、人類史上最大規模のカドミウム汚染による健康被害である。

被害地域は神通川の下流にある富山県旧婦負郡婦中町（現富山市）であるが、原因企業である三井金属工業が操業しているのは、被害地域から約三〇㎞川上の岐阜県神岡町である。二〇一九年七月、二名からの患者認定の申請は「不認定相当」とされた。[1] 厚生省（当時）は一九一一年を最初のイ病患者の発生時期と推計するも、松波[2]による記述、関係者からの情報によると明治、大正、昭和を通じて患者が発生していたことになる。

県の公式情報では、イ病の認定患者数は二〇〇名（女性一九五名、男性五名）[3]、である。しかし、NPO「イ病を語り継ぐ会」は、一九六七年[4]以前から存在する同様の症状をかかえた方々の数を合わせ、実に五〇〇人超がイ病の患者であったであろうという推計を出す。[5]

イ病の本態は、カドミウムによる慢性中毒による腎障害である。カドミウムの慢性中毒により、腎尿細管の再吸収機能が阻害され、カルシウムが失われ骨軟化症にまで悪化し、簡単に骨折するに至るほどの状態がもっとも重篤な状態といえる。[6] 行政によりイ病患者と認定されるのは、末期的な症状である骨の異常までが所見により分かる方、に限定されている。患者認定の第四要件であるX線または骨生検による「骨粗鬆症を伴う骨軟化症」の所見、は患者認定のハードルを最も高くしているのである。

最も問題なことは、カドミウム中毒の本態が腎臓障害であるにもかかわらず、腎臓疾患のみでは公害病に認定されない、ということだ。なお、一九七七年にWHOは厚生省見解と同じく、イ病はカドミウムが主要因であり、最初に腎障害を引き起こすことを結論付ける報告書をまとめた。[7] イ病被害は骨軟化症という最終段階の症状ではなく「腎臓の障害」である、と専門的に捉えられているのだ。現在も旧婦中町エリアにおける県による住民健康調査は継続中であり、この付近の一定の年齢以上の層に腎臓疾患をかかえる人口割合が高いことが明らかになっている。仮にカドミウム被害の本態である腎臓疾患をかかえる人口をもイ病とすると、いまだ多くの人々が、カドミウム被害による影響を受け続けていることになる。

なお、二〇一〇年まで日本は国際的な推奨基準の一〇倍高い一・〇ppm/kgを米中カドミウムの安全基準として採用し続けてきた。解剖データに基づくと、汚染地・非汚染地に関わらず日本人の腎臓へのカドミウム蓄積量は世界的に他国より高いとされている。(8)

また、富山県の上流、神岡鉱山の横には日本最大規模である三八〇〇万立法メートルもの選鉱排滓が溜められている。この堆積場が決壊すると富山市は全滅する、(9)といわれている。昨今の異常気象による豪雨などにも注意が必要であり、富山県民は未来永劫、川上にあるカドミウムの排滓をウオッチし続けなければいけない。どの学問分野においても、イ病から学ぶべき現代的課題は山積している。

手始めに、本コラムに書いたすべての現代的課題を多くの人々とシェアすることが必要である。そして、被害者でも加害者でも行政でもなく、アカデミズムが率先し市民との専門知の共有をリードすべきであろう。

(1) 朝日新聞、二〇一九年七月二三日
(2) 松波淳一『重版定本　カドミウム被害百年回顧と展望』桂書房、二〇一五年、四〇～四八頁
　毎日新聞二〇一八年五月八日
(3)
(4) 行政によるイ病患者の認定開始の年である。
(5) 向井嘉之『イタイイタイ病との闘い　原告小松みよ』能登印刷出版部、二〇一八年、一九八頁
(6) 厚生省「イタイイタイ病とその原因に関する厚生省の見解」一九六八年。KASUYA. Minoru. 1998. 144-145.
(7) WHO、一九七七年「環境保健基準」、松波淳一『重版定本　カドミウム被害百年　回顧と展望』桂書房、二〇一五年、三三三頁、
(8) HAYASHI, Chiyo et al.2012.10。

（9）　畑明郎・向井嘉之『イタイイタイ病とフクシマ』梧桐書院、二〇一四年、四五頁、一七四—一七五頁

〔参考文献〕

加須屋実「カドミウム中毒の自然史図二、図一」『イタイイタイ病シンポジウム』一九九八年

畑明郎・向井嘉之『イタイイタイ病とフクシマ』梧桐書院、二〇一四年

松波淳一『重版定本　カドミウム被害百年』桂書房、二〇一五年

向井嘉之『イタイイタイ病との闘い　原告小松みよ』能登印刷出版部、二〇一八年

HAYASHI, Chiyo, KOIZUMI, Naoko, NISHIO, Hisahide, KOIZUMI, Naoru, IKEDA, Masayuki, 2012. "Cadmium and Other Metal Levels in Autopsy Samples from a Cadmium-Polluted Area and Non-polluted Control Areas in Japan". *Biol Trace Elem Res.* (2012) 145: 10–22.

KASUYA, Minoru, 1998. Fig.1. Does-effect relationship of Cadmium poisoning, Fig.2. Natural history of cadmium poisoning, "Aspect of studies of Cadmium on Health Effects, the Climax with Itai-itai Disease", *Advances in the prevention of Environmental Cadmium Pollution and Countermeasures*: 144-145.

●な行●

●は行●

●ま行●

●や行●

●わ行●

●さ行●

●た行●

索引

●あ行●

●か行●

石垣悟（いしがき・さとる）／國學院大学観光まちづくり学部准教授／民俗学・博物館学／『来訪神　仮面仮装の神々』（共著）岩田書院、2018年など

尾島志保（おじま・しほ）／富山市教育委員会事務局生涯学習課文化財係長／日本近現代史／「一八八九～九〇年の富山市の米騒動と救済―市制施行直後の事例として―」『富山史壇』200、2023年など

藤本武（ふじもと・たけし）／富山大学学術研究部人文科学系教授／文化人類学／『富山の祭り―町・人・季節輝く』（共編著）桂書房、2018年など

島添貴美子（しまぞえ・きみこ）／富山大学学術研究部芸術文化学系教授／民族音楽学／NHKラジオ第2「音で訪ねるニッポン時空旅」解説役、2015年～など

森本英裕（もりもと・ひでひろ）／レトロフィット合同会社 代表／筑波大学大学院非常勤講師／文化財建造物修理主任技術者／歴史的建造物・景観の修復再生活用

安嶋是晴（やすじま・ゆきはる）／富山大学学術研究部芸術文化学系准教授／伝統産業論／『輪島漆器からみる伝統産業の衰退と発展』晃洋書房、2020年など

小谷瑛輔（こたに・えいすけ）／明治大学国際日本学部准教授・2018年度まで富山大学人文学部准教授／日本近代文学／『小説とは何か？――芥川龍之介を読む』ひつじ書房、2017年など

鈴木晃志郎（すずき・こうしろう）／富山大学学術研究部人文科学系准教授／人文地理学／「＃Purge: Geovigilantism and geographic information ethics for connective action」『GeoJournal』2019年など

上坂博亨（うえさか・ひろゆき）／富山国際大学現代社会学部教授／地域エネルギー学／『小水力を核とした脱温暖化の地域社会形成』科学技術振興機構報告書、2013年など

中川大（なかがわ・だい）／京都大学名誉教授、富山大学特別研究教授／都市計画、交通計画／「Transport Policy And Funding」Elsevier, Oxford, 2006年

雨宮洋美（あめみや・ひろみ）／富山大学学術研究部社会科学系准教授/開発法学・民法／「イタイイタイ病から学ぶ現代的課題」向井嘉之編『イタイイタイ病と教育　公害教育再構築のために』能登印刷出版部、2017年など

執筆者一覧（執筆順：氏名／所属〔2023年9月現在〕／専門分野／主要業績）

王生透（いくるみ・とおる）／黒部市教育委員会ジオパーク推進班主幹／地球物理学／「黒部で見つかる地球活動の足跡」『黒部』第21号、2014年など

大西宏治（おおにし・こうじ）／富山大学学術研究部人文科学系教授／人文地理学／『図説世界の地域問題』（共編著）ナカニシヤ出版、2007年など

安江健一（やすえ・けんいち）／富山大学学術研究部都市デザイン学系准教授／地震地質学／「内陸部における侵食速度の指標に関する検討：環流丘陵を伴う旧河道を用いた研究」（共著）『地質学雑誌』第120号、2014年など

高野靖彦（たかの・やすひこ）／富山県立伏木高等学校校長／日本近世史・近代史／『安政飛越地震の史的研究—自然災害にみる越中幕末史—』桂書房、2018年など

原隆史（はら・たかし）／富山大学学術研究部都市デザイン学系教授／地盤工学・リスクマネジメント／「ゼロから学ぶ土木の基本『土木構造物の設計』」オーム社、2014年など

阿久井康平（あくい・こうへい）／大阪公立大学現代システム科学域准教授／都市・地域計画／『初めて学ぶ都市計画第二版』（共著）市ヶ谷出版、2018年など

髙橋浩二（たかはし・こうじ）／富山大学学術研究部人文科学系教授／日本考古学／『大集結 邪馬台国時代のクニグニ』（共著）青垣出版、2015年など

鈴木景二（すずき・けいじ）／富山大学学術研究部人文科学系教授／日本古代史／「北陸道の交通と景観」『日本古代の道路と景観—駅家・官衙・寺—』（共著）八木書店、2017年など

加藤基樹（かとう・もとき）／文化庁文化財第一課民俗文化財調査官／宗教民俗学／「近世立山信仰における勧進戦略の転向」（『研究紀要』（富山県立山博物館）所収、2019年）など

萩原大輔（はぎはら・だいすけ）／富山市郷土博物館主査学芸員／日本中世史／『謙信襲来　越中・能登・加賀の戦国』能登印刷出版部、2020年など

須山盛彰（すやま・もりあき）／富山近代史研究会理事／地域研究・近代史／『富山県における学童集団疎開—戦争、子ども、地域と地域の観点から—』自費出版、2014年など

中村只吾（なかむら・しんご）／富山大学学術研究部教育学系准教授／日本近世史／「漁村秩序の近世的特質と自然資源・環境」『歴史学研究』963、2017年など

山根拓（やまね・ひろし）／富山大学学術研究部教育学系教授／人文地理学・近代歴史地理学／『近代日本の地域形成—歴史地理学からのアプローチ』（編著）海青社、2007年など

近藤浩二（こんどう・こうじ）／滑川市立博物館館長／日本近世史／『米騒動100年』（分担執筆）北日本新聞社、2018年など

中井精一（なかい・せいいち）同志社女子大学表象文化学部日本語日本文学科教授／日本語学・社会言語学／『都市言語の形成と地域特性』和泉書院、2011年など

森　俊（もり・たかし）／富山民俗の会代表／民俗学／『猟の記憶』桂書房、1995年、『五箇山利賀谷　奥大勘場民俗誌』桂書房、2014年など

大学的富山ガイド―こだわりの歩き方

2020年10月20日　初版第1刷発行
2023年 9 月20日　初版第2刷発行

編　者　富山大学 地域づくり研究会
責任編集者　大西宏治・藤本武

発行者　杉田　啓三
〒607-8494 京都市山科区日ノ岡堤谷町 3-1
発行所　株式会社　昭和堂
TEL(075)502-7500 ／ FAX(075)502-7501
ホームページ　http://www.showado-kyoto.jp

印刷　亜細亜印刷

ISBN 978-4-8122-1937-9
乱丁・落丁はお取り替えいたします。
Printed in Japan

ジア諸国図

富山中心正距方位図

「この地図の作成に当たっては、国土地理院長の承認を得て、同院発行の数値地図500万（総合）を使用した。（承認番号　平24情使、　第238号）」

企　画　富　山　県　平成24年7月作成©
地図調製　東京カートグラフィック株式会社

※本図は富山県の資料に一部加筆したものである。